LE LYS DAN

HONORÉ DE BALZAC

Le lys dans la vallee

PRÉFACE D'ANDRÉ MAUROIS
DE L'ACADÉMIE FRANÇAISE

LE LIVRE DE POCHE

PRÉFACE

I

Il arrive qu'un roman féconde l'esprit d'un romancier. Quand Balzac lut *Volupté* de Sainte-Beuve, il dit avec condescendance : « C'est faible, lâche, diffus, mais il y a de belles choses. » Il détestait à bon droit Sainte-Beuve qui l'avait toujours traité avec injustice; il se promit de refaire le livre et de battre l'ennemi sur son propre terrain.

Quel était le sujet de *Volupté*? Un jeune homme, Amaury, s'étant lié avec M. de Couaën, chef des royalistes de sa province, devient passionnément épris de Mme de Couaën. Par la volonté de celle-ci, cet amour reste platonique. Amaury cherche dans la débauche les satisfactions qu'exigent ses sens. Puis, ayant compris que l'amour pur dont il rêvait n'est pas possible et que, si les sens « agissent trop à l'inverse de l'amour », ils le tuent en même temps qu'ils s'usent, il se décide à chercher « l'Amour du Seul Bien » et se fait prêtre. Mme de Couaën meurt peu après.

Laure de Berny qui, de vingt-trois ans plus âgée que Balzac, l'avait aimé, soutenu, inspiré pendant sa difficile jeunesse et qui avait su être à la fois une amoureuse et une conseillère, condamna sévèrement *Volupté*. Le passage où Amaury va dans les mauvais lieux pour s'y libérer de ses désirs, la révolta. Balzac décida de récrire le livre pour elle et de donner à l'héroïne quelques traits et pensées de Mme de Berny. Il savait que ce serait un de ses plus beaux livres, « une belle et blanche statue », la peinture de « la double volupté qui a saisi deux natures sous ce rapport ignorantes et vierges ».

Voici l'intrigue qu'il imagina. Un adolescent, Félix de Vandenesse, malheureux dans sa famille, va passer quelques mois dans la vallée de l'Indre, au château de Frapesle, chez M. de Chessel. Peu auparavant, dans un bal donné à Tours, au moment de la première Restauration, en l'honneur du duc d'Angoulême, ce collégien affamé d'amour a couvert de baisers les belles épaules d'une femme inconnue. Elle a crié et s'est enfuie. En passant devant le ravissant manoir de Clochegourde, son hôte lui en décrit les habitants : le comte de Mortsauf, ancien émigré, de caractère difficile, la comtesse, belle et mélancolique, deux enfants fragiles.

Félix de Vandenesse espère soudain retrouver en Mme de Mortsauf son inconnue. Or c'est bien elle. D'abord gênée de revoir celui qui lui a manqué de respect, elle pardonne vite à tant de jeunesse et de passion. Elle sait que Félix l'aime; elle le lui permet à la condition qu'il restera dans les limites qu'elle lui impose et qui sont étroites : au plus une main à baiser. Félix se soumet et découvre vite la tragédie de ce ménage. Le comte, proche de la démence, terrifie toute la maison par ses accès. Sans Mme de Mortsauf, qui dirige le domaine, son mari se ruinerait. Loin d'être reconnaissant, il injurie cette femme admirable.

L'amour, le dévouement ardent de Félix de Vandenesse aident Henriette de Mortsauf à supporter une vie infernale. Mais elle ne veut pas que ce jeune homme, dont elle a reconnu les hautes qualités de cœur et d'esprit, gâche à cause d'elle sa propre existence. Elle est fille du duc de Lenoncourt, très en faveur auprès du roi Louis XVIII. Félix, présenté à la cour, bien accueilli, deviendra, à la seconde Restauration, secrétaire du roi. Son amour platonique pour une femme lointaine excite la curiosité de Paris. Une très belle et perverse Anglaise, Arabelle Lady

Dudley, piquée par la difficulté, s'attache à conquérir Félix, y réussit par son expérience des sens et devient la maîtresse de M. de Vandenesse. Elle lui donne le plaisir, non le bonheur.

La comtesse de Mortsauf apprend cette liaison. Quand Félix tente de la revoir, elle l'accueille froidement. Il est frappé par sa maigreur, par son teint jauni. La douleur morale a provoqué une maladie mortelle. Henriette de Mortsauf n'a pu oublier la morsure du désir. Ces deux êtres, aussi épris qu'on peut l'être, en se refusant la possession par respect des lois divines et humaines, ont violenté la nature et cette vertu meurtrière n'a pas sauvé l'âme de la malheureuse Henriette. Elle avoue sur son lit de mort ses regrets des joies charnelles qu'elle n'a jamais connues. « Tout a été mensonge dans ma vie », dit-elle. « Je veux être aimée; je ferai des folies comme Lady Dudley. » Mais il est trop tard et la mort sera seule au dernier rendez-vous.

II

Le livre est construit de manière originale et curieusement dissymétrique. Il se compose presque tout entier d'une longue lettre que Félix, longtemps après ces événements, écrit à Natalie de Manerville, qu'il aime, et qui lui a demandé le récit de son passé. La seconde partie, très courte, est la réponse ironique de Natalie. « Nulle femme, sachez-le bien, ne voudra coudoyer dans votre cœur la morte que vous y gardez. » Nulle femme? Nous savons, nous, lecteurs de *la Comédie humaine,* que Félix de Vandenesse épousera pourtant une demoiselle de Granville et qu'il se montrera, dans *Une Fille d'Eve,* un mari assez adroit.

De ce que ce roman est écrit à la première personne,

faut-il conclure qu'il est autobiographique? Balzac, dans la
préface de la première édition, le nie. « Dans plusieurs
fragments de son œuvre l'auteur a produit un personnage
qui raconte en son nom. Pour arriver au vrai les écrivains
emploient celui des artifices littéraires qui leur semble
propre à prêter le plus de vie à leurs figures. » Il est certain que tout romancier peut engendrer un grand nombre
de *je* dont aucun ne se confond avec lui, et qui tous
contiennent quelque chose de lui.

Félix de Vandenesse ressemble à Honoré de Balzac par son
enfance. Tous deux ont redouté une mère injuste et dure;
tous deux ont été mis en nourrice à la campagne et oubliés
là par leur famille; tous deux ont été élevés dans un collège
dirigé par des oratoriens. On retrouve en Félix la timidité
et les désirs fous de Balzac adolescent. Honoré, comme Félix,
assista au bal donné à Tours pour le duc d'Angoulême et,
comme lui, a été troublé ce soir-là par un parfum de
femme. Mais Félix, de haute naissance, fait une carrière
fulgurante dans le monde réel; Honoré, sans amis puissants, a dû faire carrière dans l'imaginaire.

Mme de Mortsauf est-elle Mme de Berny? Balzac, dans
une lettre à Mme Hanska, appelle Laure de Berny « la
céleste créature dont Mme de Mortsauf est une pâle
épreuve », et certes Henriette de Mortsauf tient, pour la
sagesse pratique et l'abnégation, de Laure de Berny. La
« lettre d'apprentissage » qu'Henriette écrit pour Félix au
moment où il quitte Clochegourde, pour aller vers la cour,
pays dont il ignore le langage, semble faite des conseils
que si longtemps Laure de Berny a donnés à Balzac. Avec
quel bonheur ces deux femmes, qui ont renoncé au monde,
rassemblent les éléments épars de leur expérience pour les
transmettre à un homme-enfant qu'elles aiment. « Soyez
simple dans vos manières, doux de ton, fier sans fatuité,
discret surtout. »

Mme de Mortsauf se refuse; Mme de Berny s'était donnée,
avec générosité. Plus tard des infidélités devaient troubler
son bonheur. Mais alors même que Balzac, incapable de
résister aux tentations, faisait souffrir celle qu'il appelait

la *Dilecta,* la Préférée, il ne cessait de lui rendre un magnifique hommage. « Elle devint... la mère des grandes pensées, la cause inconnue des révolutions qui sauvent, le soutien de l'avenir, la lumière qui brille dans l'obscurité comme le lys dans les feuillages sombres... La plupart de mes idées sont nées là, comme les parfums émanent des fleurs. »

Dans un extravagant ouvrage : *Balzac mis à nu,* l'auteur soutient que Balzac, en Mme de Mortsauf, a voulu peindre une autre de ses maîtresses : la *Contessa* Guidoboni-Visconti, née Frances Sarah Lowell. Rien ne saurait être plus absurde. Cette belle Anglaise a fourni des traits pour le personnage d'Arabelle Lady Dudley, qui en emprunte d'autres à Lady Ellenborough, femme de grande beauté, à laquelle Balzac fut présenté par son ami le prince Schönberg. « Ce que j'ai deviné de Lady Ellenborough, en deux heures que je me suis promené dans son parc... est la vérité même. »

A Sarah Guidoboni-Visconti *Le Lys dans la Vallée* doit son titre qui est un anglicisme (*The Lily in the Valley*). Arabelle appelle Félix : *My dee* comme Sarah appelait Balzac : *Bally.* Peut-être prit-il un plaisir un peu trouble à peindre côte à côte, sur la même toile, la *Dilecta* et sa nouvelle passion. Sarah était une « de ces blanches sirènes, impénétrables en apparence, et sitôt connues, qui croient que l'amour suffit à l'amour et qui importent le spleen dans les jouissances en ne les variant pas... océan d'amour où qui n'a pas nagé, ignorera toujours quelque chose de la poésie des sens ». Balzac se flattait d'avoir, en Lady Dudley, très bien expliqué l'Anglaise dans l'amour.

Quant à M. de Mortsauf, avait-il quelques traits de M. de Berny? C'est probable. Gabriel de Berny était, lui aussi, un homme vieilli prématurément, incapable de s'occuper de ses affaires, et qui gourmandait sa femme quand elle les menait de son mieux. Mais encore une fois un romancier n'est pas un portraitiste. Ce que Balzac cherchait à peindre était plus général. Il avait voulu rassembler en Mortsauf « tous les traits de l'émigré et tous les traits du mari ». *Le Lys* n'est pas seulement un roman d'amour. Les passions y sont profondément encastrées dans la maçonnerie sociale. « C'est l'histoire des Cent Jours vue d'un château de la Loire », dit Alain.

Et en effet le héros se trouve installé à Clochegourde comme envoyé du roi de Gand. Politique aussi et vue profonde que la lettre d'apprentissage donnée par Henriette à Félix. « Avant tout, écrit Mme de Mortsauf, vous devez accepter la société et la morale telles qu'elles sont... Je ne vous parle ni des croyances religieuses, ni des sentiments; il s'agit ici des rouages d'une machine d'or et de fer... » Cette lettre étonnante et réaliste « marque ce que la politique a d'inférieur »; les vertus même qu'elle conseille doivent aider à la réussite temporelle. « La droiture, l'honneur, la loyauté, la politesse sont les instruments les plus sûrs et les plus prompts de votre fortune. » Cela paraît cynique, mais s'il est possible de dépasser la politique, il est impossible de s'en passer.

Le Lys dans la Vallée est un des romans (nombreux dans l'œuvre de Balzac) où s'étend sur les vies privées l'ombre immense des révolutions qui détruisent un émigré, ruinent les familles, puis les rétablissent soudain au sommet de leur grandeur, cependant que la nature, indifférente et belle, continue, sous tous les régimes, d'agiter le feuillage des arbres au bord des rivières sinueuses, et de parfumer les prairies des odeurs sensuelles de la flouve odorante. La vallée ne change qu'avec les sentiments et ne vieillit qu'avec les amours. Cette élégie est aussi une épopée.

III

L'auteur, contemplant l'œuvre achevée, s'avouait satisfait. « Mais *Le Lys*! Si *Le Lys* n'est pas un bréviaire femelle, je ne suis rien... Faire du dramatique avec la vertu, rester chaud, se servir de la langue et du style de Massillon, tenez, c'est un problème qui, résolu dans le premier article, coûte déjà trois cents heures de corrections, quatre cents francs à la *Revue*, et à moi un peu de mal au foie. » Plus tard il osa écrire : « La bataille inconnue qui se livre, dans une vallée de l'Indre, entre Mme de Mortsauf et la passion, est peut-être aussi grande que la plus grande des batailles connues. »

Mme de Berny, qui était, en 1836, mortellement malade, lut le livre et dit : « Je puis mourir; je suis sûre que vous avez sur le front la couronne que je voulais y voir. *Le Lys* est un sublime ouvrage, sans tache ni faute. Seulement la mort de Mme de Mortsauf n'a pas besoin de ses horribles regrets; ils nuisent à la belle lettre qu'elle écrit. » Après la mort de Mme de Berny, Balzac tint à exaucer son vœu. « Alors aujourd'hui j'ai pieusement effacé les cent lignes » qui, selon elle, déparaient Henriette. « Je n'en ai pas regretté une seule, et chaque fois que ma plume a passé sur l'une d'elles, jamais cœur d'homme n'a été plus fortement ému. »

Les lignes dont « cette grande femme » avait demandé la suppression, c'étaient les reproches de Mme de Mortsauf à Félix pour avoir manqué de hardiesse. « Oui, vous m'avez tuée en ne devinant pas combien je vous aimais! Toute femme est voilée et tout voile veut être levé... Pourquoi ne m'avez-vous pas surprise la nuit?... Nous ne nous sommes aimés qu'à demi. L'union des âmes ne précède pas l'amour heureux, elle en est la conséquence... Et l'on me console en me parlant de l'autre vie; mais y a-t-il une autre vie? Celle-ci je la connais, je l'aime, je ne veux pas mourir! Une heure de Lady Dudley vaut l'éternité. »

Il supprima aussi quelques phrases de la mourante à son confesseur qui, près de son lit, récitait les litanies et le *Kyrie eleison*. « Elle entendit ces paroles, regarda son confesseur et se mit à rire : « Personne n'a eu pitié de « moi! répondit-elle. Vous me parlez toujours du paradis! « Y sera-t-il, Félix? » Alain commente : « On ne penserait jamais à sauver son âme si on ne la voyait perdue; le

besoin de pureté et de hauteur ne serait pas senti si l'on
n'avait rien à mépriser de soi. » Ce qui est une pensée
belle et religieuse. Peut-être faut-il regretter les lignes
sacrifiées à l'affection.

Une amie, très fine et très pure, de Balzac, Zulma Carraud, comprit tout, et même un peu plus : « Quelqu'habilement qu'ait été pensé *Le Lys dans la Vallée*, mille femmes,
en le lisant, diront : « Ce n'est pas encore cela. » C'est que,
quelqu'intimes qu'aient pu être les confidences que vous
avez reçues, il en est qui ne seront jamais faites parce
qu'il y a honte à les faire; parce qu'il est mille choses
ignobles qui ne se disent pas, qu'on nierait même à l'ami
qui les surprendrait. » Pauvre Zulma! Les nier ou les taire,
n'était-ce pas les avouer?

La critique fut indigne et basse. « Oui, tous les journaux
ont été hostiles au *Lys;* tous l'ont honni, ont craché dessus.
[Alfred] Nettement vient de m'apprendre que la *Gazette de
France* l'a abîmé parce que je n'allais pas à la messe. *La
Quotidienne*, par vengeance particulière du rédacteur, en
tous par une raison quelconque... Il y a des ignares qui ne
comprennent pas la beauté de la mort de Mme de Mortsauf
et qui n'y voient pas la lutte de la matière et de l'esprit,
qui est le fond du christianisme. Ils n'y voient que les
imprécations de la chair trompée, de la nature physique
blessée, et ne veulent pas rendre justice à la placidité
sublime de l'âme quand la comtesse est confessée et qu'elle
meurt en sainte. »

Quand la femme dont Mme de Mortsauf était « une pâle
épreuve », Laure de Berny fut mourante à son tour, elle
voulut avoir *Le Lys* sur son lit et relut la mort d'Henriette.
Celle-ci regrettait les plaisirs qu'elle s'était refusés; Laure
de Berny ne regrettait pas ceux qu'elle avait donnés et
reçus. Elle avait découvert et formé un génie. De cela elle
restait fière. Elle aurait voulu que *son* Félix de Vandenesse
vînt, lui aussi, adoucir le dur passage, mais il se trouvait
alors bien loin, en Italie, et n'apprit qu'à son retour ce
malheur. Laure avait été « son soleil moral » et Mme de
Mortsauf du *Lys* semblait « un lointain reflet d'elle »

IV

Ce roman, l'un des plus beaux de Balzac et de toute littérature, n'a pas toujours été bien jugé. Plus d'un lecteur se laisse irriter par le style à la Massillon (et même à la Saint-Martin) de certaines effusions et par les rares fautes de goût (« Aimez-moi comme m'aimait ma tante »). D'autres se sont plaints de l'absence de sensualité. Ne voient-ils pas ce qu'a de sauvagement lascif l'amour de Lady Dudley? Ne sentent-ils pas ce qu'est l'intensité du désir pour ces amants qui se condamnent à la chasteté? Aimeront ce livre ceux et celles qui auront connu la vraie passion. Trop jeune quand je le lus pour la première fois, je ne l'avais pas compris; aujourd'hui je le reprends souvent avec bonheur.

Mais il requiert des lecteurs une constante attention aux détails. Les beautés du *Lys* ne sont pas exposées sous vitrine, mais à demi cachées sous les herbes. Les exigences de M. de Mortsauf et les répugnances de sa femme sont peintes avec hardiesse; le lecteur trop pressé, ne rencontrant aucune brutalité de langage, passe sans voir le drame. Quoi de plus beau encore que la femme mourant de soif qui perçoit mystérieusement à travers les murs l'odeur des vendanges? Alain disait que tout jeune homme devrait lire et relire la fameuse lettre. C'est vrai. La vérité sur la société, sur toutes les sociétés, s'y trouve. Cette vérité n'est pas aimable; elle doit pourtant être dite, et méditée.

André Maurois
de l'Académie française.

A MONSIEUR J.-B. NACQUART [1],

MEMBRE DE L'ACADÉMIE ROYALE DE MÉDECINE

Cher docteur, voici l'une des pierres les plus travaillées dans la seconde assise d'un édifice littéraire lentement et laborieusement construit; j'y veux inscrire votre nom, autant pour remercier le savant qui me sauva jadis, que pour célébrer l'ami de tous les jours.

DE BALZAC.

A MADAME LA COMTESSE NATALIE DE MANERVILLE

« JE cède à ton désir. Le privilège de la femme que
» nous aimons plus qu'elle ne nous aime est de nous
» faire oublier à tout propos les règles du bon sens.
» Pour ne pas voir un pli se former sur Vos fronts,
» pour dissiper la boudeuse expression de vos lèvres
» que le moindre refus attriste, nous franchissons
» miraculeusement les distances, nous donnons notre
» sang, nous dépensons l'avenir. Aujourd'hui tu
» veux mon passé, le voici. Seulement, sache-le bien,
» Natalie : en t'obéissant, j'ai dû fouler aux pieds des
» répugnances inviolées. Mais pourquoi suspecter les
» soudaines et longues rêveries qui me saisissent par-
» fois en plein bonheur? pourquoi ta jolie colère de

» femme aimée, à propos d'un silence? Ne pouvais-tu
» jouer avec les contrastes de mon caractère sans en
» demander les causes? As-tu dans le cœur des secrets
» qui, pour se faire absoudre, aient besoin des miens?
» Enfin, tu l'as deviné, Natalie, et peut-être vaut-il
» mieux que tu saches tout : oui, ma vie est dominée
» par un fantôme, il se dessine vaguement au moindre
» mot qui le provoque, il s'agite souvent de lui-même
» au-dessus de moi. J'ai d'imposants souvenirs ense-
» velis au fond de mon âme comme ces productions
» marines qui s'aperçoivent par les temps calmes, et
» que les flots de la tempête jettent par fragments sur
» la grève. Quoique le travail que nécessitent les idées
» pour être exprimées ait contenu ces anciennes émo-
» tions qui me font tant de mal quand elles se ré-
» veillent trop soudainement, s'il y avait dans cette
» confession des éclats qui te blessassent, souviens-toi
» que tu m'as menacé si je ne t'obéissais pas, ne me
» punis donc point de t'avoir obéi? Je voudrais que
» ma confidence redoublât ta tendresse. A ce soir.

                                    » FÉLIX. »

A quel talent nourri de larmes devrons-nous un jour
la plus émouvante élégie, la peinture des tourments
subis en silence par les âmes dont les racines tendres
encore ne rencontrent que de durs cailloux dans le sol
domestique, dont les premières frondaisons sont déchi-
rées par des mains haineuses, dont les fleurs sont
atteintes par la gelée au moment où elles s'ouvrent?
Quel poète nous dira les douleurs de l'enfant dont les
lèvres sucent un sein amer, et dont les sourires sont
réprimés par le feu dévorant d'un œil sévère? La fiction, qui représenterait ces pauvres cœurs opprimés

par les êtres placés autour d'eux pour favoriser les développements de leur sensibilité, serait la véritable histoire de ma jeunesse. Quelle vanité pouvais-je blesser, moi nouveau-né? quelle disgrâce physique ou morale me valait la froideur de ma mère? étais-je donc l'enfant du devoir, celui dont la naissance est fortuite, ou celui dont la vie est un reproche? Mis en nourrice à la campagne, oublié par ma famille pendant trois ans, quand je revins à la maison paternelle, j'y comptai pour si peu de chose que j'y subissais la compassion des gens. Je ne connais ni le sentiment, ni l'heureux hasard à l'aide desquels j'ai pu me relever de cette première déchéance : chez moi l'enfant ignore, et l'homme ne sait rien. Loin d'adoucir mon sort, mon frère et mes deux sœurs s'amusèrent à me faire souffrir. Le pacte en vertu duquel les enfants cachent leurs peccadilles et qui leur apprend déjà l'honneur, fut nul à mon égard; bien plus, je me vis souvent puni pour les fautes de mon frère, sans pouvoir réclamer contre cette injustice; la courtisanerie, en germe chez les enfants, leur conseillait-elle de contribuer aux persécutions qui m'affligeaient, pour se ménager les bonnes grâces d'une mère également redoutée par eux? était-ce un effet de leur penchant à l'imitation? était-ce besoin d'essayer leurs forces, ou manque de pitié? Peut-être ces causes réunies me privèrent-elles des douceurs de la fraternité. Déjà déshérité de toute affection, je ne pouvais rien aimer, et la nature m'avait fait aimant! Un ange recueille-t-il les soupirs de cette sensibilité sans cesse rebutée? Si dans quelques âmes les sentiments méconnus tournent en haine, dans la mienne ils se concentrèrent et s'y creusèrent un lit d'où, plus tard, ils jaillirent sur ma vie. Suivant les caractères, l'habitude de trembler relâche les fibres, engendre la crainte,

et la crainte oblige à toujours céder. De là vient une
faiblesse qui abâtardit l'homme et lui communique je
ne sais quoi d'esclave. Mais ces continuelles tourmentes
m'habituèrent à déployer une force qui s'accrut par
son exercice et prédisposa mon âme aux résistances
morales. Attendant toujours une douleur nouvelle,
comme les martyrs attendaient un nouveau coup, tout
mon être dut exprimer une résignation morne sous
laquelle les grâces et les mouvements de l'enfance
furent étouffés, attitude qui passa pour un symptôme
d'idiotie et justifia les sinistres pronostics de ma mère.
La certitude de ces injustices excita prématurément
dans mon âme la fierté, ce fruit de la raison, qui sans
doute arrêta les mauvais penchants qu'une semblable
éducation encourageait. Quoique délaissé par ma mère,
j'étais parfois l'objet de ses scrupules, parfois elle parlait de mon instruction et manifestait le désir de s'en
occuper; il me passait alors des frissons horribles en
songeant aux déchirements que me causerait un
contact journalier avec elle. Je bénissais mon abandon,
et me trouvais heureux de pouvoir rester dans le
jardin à jouer avec des cailloux, à observer des insectes,
à regarder le bleu du firmament. Quoique l'isolement
dût me porter à la rêverie, mon goût pour les contemplations vint d'une aventure qui vous peindra mes
premiers malheurs. Il était si peu question de moi
que souvent la gouvernante oubliait de me faire coucher. Un soir, tranquillement blotti sous un figuier, je
regardais une étoile avec cette passion curieuse qui
saisit les enfants, et à laquelle ma précoce mélancolie
ajoutait une sorte d'intelligence sentimentale. Mes
sœurs s'amusaient et criaient, j'entendais leur lointain
tapage comme un accompagnement à mes idées. Le
bruit cessa, la nuit vint. Par hasard, ma mère s'aperçut

de mon absence. Pour éviter un reproche, notre gouvernante, une terrible mademoiselle Caroline légitima
les fausses appréhensions de ma mère en prétendant
que j'avais la maison en horreur; que si elle n'eût pas
attentivement veillé sur moi, je me serais enfui déjà;
je n'étais pas imbécile, mais sournois; parmi tous les
enfants commis à ses soins, elle n'en avait jamais rencontré dont les dispositions fussent aussi mauvaises
que les miennes. Elle feignit de me chercher et
m'appela, je répondis; elle vint au figuier où elle
savait que j'étais. — Que faisiez-vous donc là? me
dit-elle. — Je regardais une étoile. — Vous ne regar-
diez pas une étoile, dit ma mère qui nous écoutait
du haut de son balcon, connaît-on l'astronomie à
votre âge? — Ah! madame, s'écria mademoiselle Caroline, il a lâché le robinet du réservoir, le jardin est
inondé. Ce fut une rumeur générale. Mes sœurs
s'étaient amusées à tourner ce robinet pour voir
couler l'eau; mais, surprises par l'écartement d'une
gerbe qui les avait arrosées de toutes parts, elles
avaient perdu la tête et s'étaient enfuies sans avoir pu
fermer le robinet. Atteint et convaincu d'avoir imaginé
cette espièglerie, accusé de mensonge quand j'affir-
mais mon innocence, je fus sévèrement puni. Mais
châtiment horrible! je fus persiflé sur mon amour
pour les étoiles, et ma mère me défendit de rester au
jardin le soir. Les défenses tyranniques aiguisent encore plus une passion chez les enfants que chez les
hommes; les enfants ont sur eux l'avantage de ne
penser qu'à la chose défendue, qui leur offre alors des
attraits irrésistibles. J'eus donc souvent le fouet pour
mon étoile. Ne pouvant me confier à personne, je lui
disais mes chagrins dans ce délicieux ramage intérieur
par lequel un enfant bégaie ses premières idées,

comme naguère il a bégayé ses premières paroles. A l'âge de douze ans, au collège, je la contemplais encore en éprouvant d'indicibles délices, tant les impressions reçues au matin de la vie laissent de profondes traces au cœur.

De cinq ans plus âgé que moi, Charles fut aussi bel enfant qu'il est bel homme, il était le privilégié de mon père, l'amour de ma mère, l'espoir de ma famille, partant le roi de la maison. Bien fait et robuste, il avait un précepteur. Moi, chétif et malingre, à cinq ans je fus envoyé comme externe dans une pension de la ville, conduit le matin et ramené le soir par le valet de chambre de mon père. Je partais en emportant un panier peu fourni, tandis que mes camarades apportaient d'abondantes provisions. Ce contraste entre mon dénûment et leur richesse engendra mille souffrances. Les célèbres rillettes et rillons de Tours formaient l'élément principal du repas que nous faisions au milieu de la journée, entre le déjeuner du matin et le dîner de la maison dont l'heure coïncidait avec notre rentrée. Cette préparation, si prisée par quelques gourmands, paraît rarement à Tours sur les tables aristocratiques; si j'en entendis parler avant d'être mis en pension, je n'avais jamais eu le bonheur de voir étendre pour moi cette brune confiture sur une tartine de pain; mais elle n'aurait pas été de mode à la pension, mon envie n'en eût pas été moins vive, car elle était devenue comme une idée fixe, semblable au désir qu'inspiraient à l'une des plus élégantes duchesses de Paris les ragoûts cuisinés par les portières, et qu'en sa qualité de femme, elle satisfit. Les enfants devinent la convoitise dans les regards aussi bien que vous y lisez l'amour : je devins alors un excellent sujet de moquerie. Mes camarades, qui

presque tous appartenaient à la petite bourgeoisie,
venaient me présenter leurs excellentes rillettes en
me demandant si je savais comment elles se faisaient,
où elles se vendaient, pourquoi je n'en avais pas. Ils se
pourléchaient en vantant les rillons, ces résidus de
porc sautés dans sa graisse et qui ressemblent à des
truffes cuites; ils douanaient mon panier, n'y trouvaient que des fromages d'Olivet, ou des fruits secs,
et m'assassinaient d'un : — *Tu n'as donc pas de quoi?*
qui m'apprit à mesurer la différence mise entre mon
frère et moi. Ce contraste entre mon abandon et le
bonheur des autres a souillé les roses de mon enfance,
et flétri ma verdoyante jeunesse. La première fois que,
dupe d'un sentiment généreux, j'avançai la main pour
accepter la friandise tant souhaitée qui me fut offerte
d'un air hypocrite, mon mystificateur retira sa tartine
aux rires des camarades prévenus de ce dénoûment. Si
les esprits les plus distingués sont accessibles à la
vanité, comment ne pas absoudre l'enfant qui pleure
de se voir méprisé, goguenardé? A ce jeu, combien
d'enfants seraient devenus gourmands, quêteurs, lâches!
Pour éviter les persécutions, je me battis. Le courage
du désespoir me rendit redoutable, mais je fus un
objet de haine, et restai sans ressources contre les
traîtrises. Un soir en sortant, je reçus dans le dos un
coup de mouchoir roulé, plein de cailloux. Quand le
valet de chambre, qui me vengea rudement, apprit cet
événement à ma mère, elle s'écria : — Ce maudit
enfant ne nous donnera que des chagrins! J'entrai
dans une horrible défiance de moi-même, en trouvant
là les répulsions que j'inspirais en famille. Là, comme
à la maison, je me repliai sur moi-même. Une seconde
tombée de neige retarda la floraison des germes
semés en mon âme. Ceux que je voyais aimés étaient

de francs polissons, ma fierté s'appuya sur cette observation, je demeurai seul. Ainsi se continua l'impossibilité d'épancher les sentiments dont mon pauvre
cœur était gros. En me voyant toujours assombri, haï,
solitaire, le maître confirma les soupçons erronés que
ma famille avait de ma mauvaise nature. Dès que je
sus écrire et lire, ma mère me fit exporter à Pont-le-
Voy [1], collège dirigé par des Oratoriens qui recevaient
les enfants de mon âge dans une classe nommée la classe
des *Pas latins,* où restaient aussi les écoliers de qui
l'intelligence tardive se refusait au rudiment. Je demeurai là huit ans, sans voir personne, et menant une
vie de paria. Voici comment et pourquoi. Je n'avais
que trois francs par mois pour mes menus plaisirs,
somme qui suffisait à peine aux plumes, canifs, règles,
encre et papier dont il fallait nous pourvoir. Ainsi,
ne pouvant acheter ni les échasses, ni les cordes, ni
aucune des choses nécessaires aux amusements du collège, j'étais banni des jeux; pour y être admis, j'aurais
dû flagorner les riches ou flatter les forts de ma division. La moindre de ces lâchetés, que se permettent si
facilement les enfants, me faisait bondir le cœur. Je
séjournais sous un arbre, perdu dans de plaintives
rêveries, je lisais là les livres que nous distribuait
mensuellement le bibliothécaire. Combien de douleurs
étaient cachées au fond de cette solitude monstrueuse,
quelles angoisses engendraient mon abandon! Imaginez ce que mon âme tendre dut ressentir à la première distribution de prix où j'obtins les deux plus
estimés, le prix de thème et celui de version! En
venant les recevoir sur le théâtre au milieu des accla-
mations et des fanfares, je n'eus ni mon père ni ma
mère pour me fêter, alors que le parterre était rempli
par les parents de tous mes camarades. Au lieu de

baiser le distributeur, suivant l'usage, je me précipitai
dans son sein et j'y fondis en larmes. Le soir, je brûlai
mes couronnes dans le poêle. Les parents demeuraient
en ville pendant la semaine employée par les exer-
cices qui précédaient la distribution des prix, ainsi
mes camarades décampaient tous joyeusement le matin;
tandis que moi, de qui les parents étaient à quelques
lieues de là, je restais dans les cours avec les outre-
mer, nom donné aux écoliers dont les familles se trouvaient aux îles ou à l'étranger. Le soir, durant la prière,
les barbares nous vantaient les bons dîners faits avec
leurs parents. Vous verrez toujours mon malheur
s'agrandissant en raison de la circonférence des sphères
sociales où j'entrerai. Combien d'efforts n'ai-je pas
tentés pour infirmer l'arrêt qui me condamnait à ne
vivre qu'en moi! Combien d'espérances longtemps
conçues avec mille élancements d'âme et détruites en
un jour! Pour décider mes parents à venir au collège,
je leur écrivais des épîtres pleines de sentiments, peut-
être emphatiquement exprimés, mais ces lettres au-
raient-elles dû m'attirer les reproches de ma mère qui
me réprimandait avec ironie sur mon style? Sans me
décourager, je promettais de remplir les conditions
que ma mère et mon père mettaient à leur arrivée,
j'implorais l'assistance de mes sœurs à qui j'écrivais
aux jours de leur fête et de leur naissance, avec l'exactitude des pauvres enfants délaissés, mais avec une
vaine persistance. Aux approches de la distribution
des prix, je redoublais mes prières, je parlais de
triomphes pressentis. Trompé par le silence de mes
parents, je les attendais en m'exaltant le cœur, je les
annonçais à mes camarades; et quand, à l'arrivée des
familles, le pas du vieux portier qui appelait les
écoliers retentissait dans les cours, j'éprouvais alors des

palpitations maladives. Jamais ce vieillard ne prononça mon nom. Le jour où je m'accusai d'avoir
maudit l'existence, mon confesseur me montra le ciel
où fleurissait la palme promise par le *Beati qui lugent!*
du Sauveur. Lors de ma première communion, je me
jetai donc dans les mystérieuses profondeurs de la
prière, séduit par les idées religieuses dont les féeries
morales enchantent les jeunes esprits. Animé d'une
ardente foi, je priais Dieu de renouveler en ma
faveur les miracles fascinateurs que je lisais dans le
Martyrologe. A cinq ans je m'envolais dans une étoile,
à douze ans j'allais frapper aux portes du Sanctuaire.
Mon extase fit éclore en moi des songes inénarrables
qui meublèrent mon imagination, enrichirent ma tendresse et fortifièrent mes facultés pensantes. J'ai souvent attribué ces sublimes visions à des anges chargés
de façonner mon âme à de divines destinées, elles
ont doué mes yeux de la faculté de voir l'esprit intime
des choses; elles ont préparé mon cœur aux magies qui
font le poète malheureux, quand il a le fatal pouvoir
de comparer ce qu'il sent à ce qui est, les grandes
choses voulues au peu qu'il obtient; elles ont écrit
dans ma tête un livre où j'ai pu lire ce que je devais
exprimer, elles ont mis sur mes lèvres le charbon de
l'improvisateur.

Mon père conçut quelques doutes sur la portée de
l'enseignement oratorien, et vint m'enlever de Pont-le-
Voy pour me mettre à Paris dans une Institution
située au Marais. J'avais quinze ans. Examen fait de
ma capacité, le rhétoricien de Pont-le-Voy fut jugé
digne d'être en troisième. Les douleurs que j'avais
éprouvées en famille, à l'école, au collège, je les retrouvai sous une nouvelle forme pendant mon séjour à la
pension Lepître [1]. Mon père ne m'avait point donné

d'argent. Quand mes parents savaient que je pouvais être nourri, vêtu, gorgé de latin, bourré de grec, tout était résolu. Durant le cours de ma vie collégiale, j'ai connu mille camarades environ, et n'ai rencontré chez aucun l'exemple d'une pareille indifférence. Attaché fanatiquement aux Bourbons, monsieur Lepître avait eu des relations avec mon père à l'époque où des royalistes dévoués essayèrent d'enlever au Temple la reine Marie-Antoinette; ils avaient renouvelé connaissance; monsieur Lepître se crut donc obligé de réparer l'oubli de mon père, mais la somme qu'il me donna mensuellement fut médiocre, car il ignorait les intentions de ma famille. La pension était installée à l'ancien hôtel Joyeuse, où, comme dans toutes les anciennes demeures seigneuriales, il se trouvait une loge de suisse. Pendant la récréation qui précédait l'heure où le *gâcheux* nous conduisait au lycée Charlemagne, les camarades opulents allaient déjeuner chez notre portier, nommé Doisy. Monsieur Lepître ignorait ou souffrait le commerce de Doisy, véritable contrebandier que les élèves avaient intérêt à choyer : il était le secret chaperon de nos écarts, le confident des rentrées tardives, notre intermédiaire entre les loueurs de livres défendus. Déjeuner avec une tasse de café au lait était un goût aristocratique, expliqué par le prix excessif auquel montèrent les denrées coloniales sous Napoléon. Si l'usage du sucre et du café constituait un luxe chez les parents, il annonçait parmi nous une supériorité vaniteuse qui aurait engendré notre passion, si la pente à l'imitation, si la gourmandise, si la contagion de la mode n'eussent pas suffi. Doisy nous faisait crédit, il nous supposait à tous des sœurs ou des tantes qui approuvent le point d'honneur des écoliers et payent leurs dettes. Je résistai longtemps

aux blandices de la buvette. Si mes juges eussent
connu la force des séductions, les héroïques aspirations
de mon âme vers le stoïcisme, les rages contenues pendant ma longue résistance, ils eussent essuyé mes pleurs
au lieu de les faire couler. Mais, enfant, pouvais-je
avoir cette grandeur d'âme qui fait mépriser le mépris
d'autrui? Puis je sentis peut-être les atteintes de plusieurs vices sociaux dont la puissance fut augmentée
par ma convoitise. Vers la fin de la deuxième année,
mon père et ma mère vinrent à Paris. Le jour de leur
arrivée me fut annoncé par mon frère : il habitait
Paris et ne m'avait pas fait une seule visite. Mes sœurs
étaient du voyage, et nous devions voir Paris ensemble.
Le premier jour nous irions dîner au Palais-Royal afin
d'être tout portés au Théâtre-Français. Malgré l'ivresse
que me causa ce programme de fêtes inespérées, ma
joie fut détendue par le vent d'orage qui impressionne
si rapidement les habitués du malheur. J'avais à déclarer cent francs de dettes contractées chez le sieur
Doisy, qui me menaçait de demander lui-même son
argent à mes parents. J'inventai de prendre mon frère
pour drogman de Doisy, pour interprète de mon
repentir, pour médiateur de mon pardon. Mon père
pencha vers l'indulgence. Mais ma mère fut impitoyable, son œil bleu foncé me pétrifia, elle fulmina
de terribles prophéties. « Que serais-je plus tard, si
dès l'âge de dix-sept ans je faisais de semblables équi-
pées! Etais-je bien son fils? Allais-je ruiner ma famille?
Etais-je donc seul au logis? La carrière embrassée par
mon frère Charles n'exigeait-elle pas une dotation
indépendante, déjà méritée par une conduite qui glorifiait sa famille, tandis que j'en serais la honte? Mes
deux sœurs se marieraient-elles sans dot? Ignorais-je
donc le prix de l'argent et ce que je coûtais? A quoi

servaient le sucre et le café dans une éducation? Se
conduire ainsi, n'était-ce pas apprendre tous les vices? »
Marat était un ange en comparaison de moi. Après
avoir subi le choc de ce torrent qui charria mille
terreurs en mon âme, mon frère me reconduisit à ma
pension, je perdis le dîner aux Frères Provençaux [1] et
fus privé de voir Talma dans *Britannicus*. Telle fut
mon entrevue avec ma mère après une séparation de
douze ans.

Quand j'eus fini mes humanités, mon père me
laissa sous la tutelle de monsieur Lepître : je devais
apprendre les mathématiques transcendantes, faire une
première année de Droit et commencer de hautes
études. Pensionnaire en chambre et libéré des classes,
je crus à une trêve entre la misère et moi. Mais malgré
mes dix-neuf ans, ou peut-être à cause de mes dix-neuf
ans, mon père continua le système qui m'avait envoyé
jadis à l'école sans provisions de bouche, au collège
sans menus plaisirs, et donné Doisy pour créancier. J'eus
peu d'argent à ma disposition. Que tenter à Paris
sans argent? D'ailleurs, ma liberté fut savamment enchaînée. Monsieur Lepître me faisait accompagner à
l'Ecole de Droit par un gâcheux qui me remettait aux
mains du professeur, et venait me reprendre. Une jeune
fille aurait été gardée avec moins de précautions que
les craintes de ma mère n'en inspirèrent pour conserver
ma personne. Paris effrayait à bon droit mes parents.
Les écoliers sont secrètement occupés de ce qui préoc-
cupe aussi les demoiselles dans leurs pensionnats; quoi
qu'on fasse, celles-ci parleront toujours de l'amant, et
ceux-là de la femme. Mais à Paris, et dans ce temps,
les conversations entre camarades étaient dominées
par le monde oriental et sultanesque du Palais-Royal.
Le Palais-Royal était un Eldorado d'amour [2] où le soir

les lingots couraient tout monnayés. Là cessaient les
doutes les plus vierges, là pouvaient s'apaiser nos
curiosités allumées! Le Palais-Royal et moi nous fûmes
deux asymptotes, dirigées l'une vers l'autre sans pouvoir se rencontrer. Voici comment le sort déjoua mes
tentatives. Mon père m'avait présenté chez une de mes
tantes qui demeurait dans l'île Saint-Louis, où je dus
aller dîner les jeudis et les dimanches, conduit par
madame ou par monsieur Lepître, qui, ces jour-là, sortaient et me reprenaient le soir en revenant chez eux.
Singulières récréations! La marquise de Listomère
était une grande dame cérémonieuse qui n'eut jamais
la pensée de m'offrir un écu. Vieille comme une cathédrale, peinte comme une miniature, somptueuse dans
sa mise, elle vivait dans son hôtel comme si Louis XV
ne fût pas mort, et ne voyait que des vieilles femmes et
des gentilshommes, société de corps fossiles où je croyais
être dans un cimetière. Personne ne m'adressait la
parole, et je ne me sentais pas la force de parler le
premier. Les regards hostiles ou froids me rendaient
honteux de ma jeunesse qui semblait importune à
tous. Je basai le succès de mon escapade sur cette
indifférence, en me proposant de m'esquiver un jour,
aussitôt le dîner fini, pour voler aux Galeries de bois [1].
Une fois engagée dans un whist, ma tante ne faisait
plus attention à moi. Jean, son valet de chambre, se
souciait peu de monsieur Lepître; mais ce malheureux
dîner se prolongeait malheureusement en raison de la
vétusté des mâchoires ou de l'imperfection des râteliers.
Enfin un soir, entre huit et neuf heures, j'avais gagné
l'escalier, palpitant comme Bianca Capello [2] le jour de
sa fuite; mais quand le suisse m'eut tiré le cordon, je
vis le fiacre de monsieur Lepître dans la rue, et le
bonhomme qui me demandait de sa voix poussive.

Trois fois le hasard s'interposa fatalement entre l'enfer du Palais-Royal et le paradis de ma jeunesse. Le jour où, me trouvant honteux à vingt ans de mon ignorance, je résolus d'affronter tous les périls pour en finir; au moment où faussant compagnie à monsieur Lepître pendant qu'il montait en voiture, opération difficile, il était gros comme Louis XVIII et pied bot; eh! bien, ma mère arrivait en chaise de poste! Je fus arrêté par son regard et demeurai comme l'oiseau devant le serpent. Par quel hasard la rencontrai-je? Rien de plus naturel. Napoléon tentait ses derniers coups. Mon père, qui pressentait le retour des Bourbons, venait éclairer mon frère employé déjà dans la diplomatie impériale. Il avait quitté Tours avec ma mère. Ma mère s'était chargée de m'y reconduire pour me soustraire aux dangers dont la capitale semblait menacée à ceux qui suivaient intelligemment la marche des ennemis. En quelques minutes je fus enlevé de Paris, au moment où son séjour allait m'être fatal. Les tourments d'une imagination sans cesse agitée de désirs réprimés, les ennuis d'une vie attristée par de constantes privations, m'avaient contraint à me jeter dans l'étude, comme les hommes lassés de leur sort se confinaient autrefois dans un cloître. Chez moi, l'étude était devenue une passion qui pouvait m'être fatale en m'emprisonnant à l'époque où les jeunes gens doivent se livrer aux activités enchanteresses de leur nature printanière.

Ce léger croquis d'une jeunesse, où vous devinez d'innombrables élégies, était nécessaire pour expliquer l'influence qu'elle exerça sur mon avenir. Affecté par tant d'éléments morbides, à vingt ans passés, j'étais encore petit, maigre et pâle. Mon âme pleine de vouloirs se débattait avec un corps débile en apparence, mais qui, selon le mot d'un vieux médecin de Tours, subissait la dernière fusion d'un tempérament de fer. Enfant par le corps et vieux par la pensée, j'avais tant lu, tant médité, que je connaissais métaphysiquement la vie dans ses hauteurs au moment où j'allais apercevoir les difficultés tortueuses de ses défilés et les chemins sablonneux de ses plaines. Des hasards inouïs m'avaient laissé dans cette délicieuse période où surgissent les premiers troubles de l'âme, où elle s'éveille aux voluptés, où pour elle tout est sapide et frais. J'étais entre ma puberté prolongée par mes travaux et ma virilité qui poussait tardivement ses rameaux verts. Nul jeune homme ne fut, mieux que je ne l'étais, préparé à sentir, à aimer. Pour bien comprendre mon récit, reportez-vous donc à ce bel âge où la bouche est vierge de mensonges, où le regard est franc, quoique voilé par des paupières qu'alourdissent les timidités en contradiction avec le désir, où l'esprit ne se plie point au jésuitisme du monde, où la couardise du cœur égale en violence les générosités du premier mouvement.

Je ne vous parlerai point du voyage que je fis de Paris à Tours avec ma mère. La froideur de ses façons réprima l'essor de mes tendresses. En partant de chaque nouveau relais, je me promettais de parler; mais un regard, un mot effarouchaient les phrases prudemment méditées pour mon exorde. A Orléans, au moment de se coucher, ma mère me reprocha mon silence. Je me jetai à ses pieds, j'embrassai ses genoux en pleurant à chaudes larmes, je lui ouvris mon cœur, gros d'affection; j'essayai de la toucher par l'éloquence d'une plaidoirie affamée d'amour, et dont les accents eussent remué les entrailles d'une marâtre. Ma mère me répondit que je jouais la comédie. Je me plaignis de son

abandon, elle m'appela fils dénaturé. J'eus un tel
serrement de cœur qu'à Blois je courus sur le pont pour
me jeter dans la Loire. Mon suicide fut empêché par la
hauteur du parapet. —

A mon arrivée, mes deux sœurs, qui ne me connais-
saient point, marquèrent plus d'étonnement que de tendresse; cependant plus tard, par comparaison, elles
me parurent pleines d'amitié pour moi. Je fus logé
dans une chambre, au troisième étage. Vous aurez
compris l'étendue de mes misères quand je vous aurai
dit que ma mère me laissa, moi, jeune homme de
vingt ans, sans autre linge que celui de mon misérable trousseau de pension, sans autre garde-robe que
mes vêtements de Paris. Si je volais d'un bout du
salon à l'autre pour lui ramasser son mouchoir, elle
ne me disait que le froid merci qu'une femme accorde
à son valet. Obligé de l'observer pour reconnaître s'il
y avait en son cœur des endroits friables où je pusse
attacher quelques rameaux d'affection, je vis en elle
une grande femme sèche et mince, joueuse, égoïste,
impertinente comme toutes les Listomère chez qui
l'impertinence se compte dans la dot. Elle ne voyait
dans la vie que des devoirs à remplir; toutes les
femmes froides que j'ai rencontrées se faisaient comme
une religion du devoir; elle recevait nos adorations
comme un prêtre reçoit l'encens à la messe; mon frère
aîné semblait avoir absorbé le peu de maternité qu'elle
avait au cœur. Elle nous piquait sans cesse par les
traits d'une ironie mordante, l'arme des gens sans
cœur, et de laquelle elle se servait contre nous qui
ne pouvions lui rien répondre. Malgré ces barrières
épineuses, les sentiments instinctifs tiennent par tant
de racines, la religieuse terreur inspirée par une mère
de laquelle il coûte trop de désespérer conserve tant

de liens, que la sublime erreur de notre amour se continua jusqu'au jour où, plus avancés dans la vie, elle fut souverainement jugée. En ce jour commencent les représailles des enfants dont l'indifférence engendrée par les déceptions du passé, grossie des épaves limoneuses qu'ils en ramènent, s'étend jusque sur la tombe. Ce terrible despotisme chassa les idées voluptueuses que j'avais follement médité de satisfaire à Tours. Je me jetai désespérément dans la bibliothèque de mon père, où je me mis à lire tous les livres que je ne connaissais point. Mes longues séances de travail m'épargnèrent tout contact avec ma mère, mais elles aggravèrent ma situation morale. Parfois, ma sœur aînée, celle qui a épousé notre cousin le marquis de Listomère, cherchait à me consoler sans pouvoir calmer l'irritation à laquelle j'étais en proie. Je voulais mourir.

De grands événements, auxquels j'étais étranger, se préparaient alors. Parti de Bordeaux pour rejoindre Louis XVIII à Paris, le duc d'Angoulême recevait, à son passage dans chaque ville, des ovations préparées par l'enthousiasme qui saisissait la vieille France au retour des Bourbons. La Touraine en émoi pour ses princes légitimes, la ville en rumeur, les fenêtres pavoisées, les habitants endimanchés, les apprêts d'une fête, et ce je ne sais quoi répandu dans l'air et qui grise, me donnèrent l'envie d'assister au bal offert au prince. Quand je me mis de l'audace au front pour exprimer ce désir à ma mère, alors trop malade pour pouvoir assister à la fête, elle se courrouça grandement. Arrivais-je du Congo pour ne rien savoir? Comment pouvais-je imaginer que notre famille ne serait pas représentée à ce bal? En l'absence de mon père et de mon frère, n'était-ce pas à moi d'y aller? N'avais-je pas

une mère? ne pensait-elle pas au bonheur de ses enfants? En un moment le fils quasi désavoué devenait
un personnage. Je fus autant abasourdi de mon importance que du déluge de raisons ironiquement déduites
par lesquelles ma mère accueillit ma supplique. Je
questionnai mes sœurs, j'appris que ma mère, à laquelle
plaisaient ces coups de théâtre, s'était forcément
occupée de ma toilette. Surpris par les exigences de
ses pratiques, aucun tailleur de Tours n'avait pu se
charger de mon équipement. Ma mère avait mandé
son ouvrière à la journée, qui, suivant l'usage des pro-
vinces, savait faire toute espèce de couture. Un habit
bleu-barbeau me fut secrètement confectionné tant
bien que mal. Des bas de soie et des escarpins neufs
furent facilement trouvés; les gilets d'homme se portaient courts, je pus mettre un des gilets de mon
père; pour la première fois j'eus une chemise à jabot
dont les tuyaux gonflèrent ma poitrine et s'entortil-
lèrent dans le nœud de ma cravate. Quand je fus
habillé, je me ressemblais si peu, que mes sœurs me
donnèrent par leurs compliments le courage de paraître
devant la Touraine assemblée. Entreprise ardue! Cette
fête comportait trop d'appelés pour qu'il y eût beaucoup d'élus. Grâce à l'exiguïté de ma taille, je me fau-
filai sous une tente construite dans les jardins de la
maison Papion ¹, et j'arrivai près du fauteuil où trônait
le prince. En un moment je fus suffoqué par la chaleur,
ébloui par les lumières, par les tentures rouges, par les
ornements dorés, par les toilettes et les diamants de
la première fête publique à laquelle j'assistais. J'étais
poussé par une foule d'hommes et de femmes qui se
ruaient les uns sur les autres et se heurtaient dans un
nuage de poussière. Les cuivres ardents et les éclats
bourboniens de la musique militaire étaient étouffés

sous les hourras de : — Vive le duc d'Angoulême! vive
le roi! vivent les Bourbons! Cette fête était une débâcle
d'enthousiasme où chacun s'efforçait de se surpasser
dans le féroce empressement de courir au soleil levant
des Bourbons, véritable égoïsme de parti qui me laissa
froid, me rapetissa, me replia sur moi-même.

Emporté comme un fétu dans ce tourbillon, j'eus
un enfantin désir d'être le duc d'Angoulême, de me
mêler ainsi à ces princes qui paradaient devant un
public ébahi. La niaise envie du Tourangeau fit éclore
une ambition que mon caractère et les circonstances
ennoblirent. Qui n'a pas jalousé cette adoration dont
une répétition grandiose me fut offerte quelques mois
après, quand Paris tout entier se précipita vers l'Empe-
reur à son retour de l'île d'Elbe? Cet empire exercé
sur les masses dont les sentiments et la vie se déchar-
gent dans une seule âme, me voua soudain à la gloire,
cette prêtresse qui égorge les Français d'aujourd'hui,
comme autrefois la druidesse sacrifiait les Gaulois. Puis
tout à coup je rencontrai la femme qui devait aiguil-
lonner sans cesse mes ambitieux désirs, et les combler
en me jetant au cœur de la Royauté. Trop timide pour
inviter une danseuse, et craignant d'ailleurs de brouiller
les figures, je devins naturellement très grimaud et ne
sachant que faire de ma personne. Au moment où je
souffrais du malaise causé par le piétinement auquel
nous oblige une foule, un officier marcha sur mes
pieds gonflés autant par la compression du cuir que par
la chaleur. Ce dernier ennui me dégoûta de la fête.
Il était impossible de sortir, je me réfugiai dans un
coin au bout d'une banquette abandonnée, où je
restai les yeux fixes, immobile et boudeur. Trompée par
ma chétive apparence, une femme me prit pour un
enfant prêt à s'endormir en attendant le bon plaisir

de sa mère, et se posa près de moi par un mouvement
d'oiseau qui s'abat sur son nid. Aussitôt je sentis un
parfum de femme qui brilla dans mon âme comme y
brilla depuis la poésie orientale. Je regardai ma voisine, et fus plus ébloui par elle que je ne l'avais été
par la fête; elle devint toute ma fête. Si vous avez bien
compris ma vie antérieure, vous devinerez les sentiments qui sourdirent en mon cœur. Mes yeux furent
tout à coup frappés par de blanches épaules rebondies
sur lesquelles j'aurais voulu pouvoir me rouler, des
épaules légèrement rosées qui semblaient rougir comme
si elles se trouvaient nues pour la première fois, de
pudiques épaules qui avaient une âme, et dont la
peau satinée éclatait à la lumière comme un tissu de
soie. Ces épaules étaient partagées par une raie, le
long de laquelle coula mon regard, plus hardi que ma
main. Je me haussai tout palpitant pour voir le corsage
et fus complètement fasciné par une gorge chastement
couverte d'une gaze, mais dont les globes azurés et
d'une rondeur parfaite étaient douillettement couchés
dans des flots de dentelle. Les plus légers détails de
cette tête furent des amorces qui réveillèrent en moi
des jouissances infinies : le brillant des cheveux lissés
au-dessus d'un cou velouté comme celui d'une petite
fille, les lignes blanches que le peigne y avait dessinées
et où mon imagination courut comme en de frais
sentiers, tout me fit perdre l'esprit. Après m'être assuré
que personne ne me voyait, je me plongeai dans ce
dos comme un enfant qui se jette dans le sein de sa
mère, et je baisai toutes ces épaules en y roulant ma
tête. Cette femme poussa un cri perçant, que la musique
empêcha d'entendre; elle se retourna, me vit et me dit :
« — Monsieur? » Ah! si elle avait dit : « Mon petit
bonhomme qu'est-ce qui vous prend donc? » je l'aurais

tuée, peut-être; mais à ce *monsieur!* des larmes chaudes
jaillirent de mes yeux. Je fus pétrifié par un regard
animé d'une sainte colère, par une tête sublime couronnée d'un diadème de cheveux cendrés, en harmonie
avec ce dos d'amour. La pourpre de la pudeur
offensée étincela sur son visage, que désarmait déjà
le pardon de la femme qui comprend une frénésie
quand elle en est le principe, et devine des adorations
infinies dans les larmes du repentir. Elle s'en alla par
un mouvement de reine. Je sentis alors le ridicule de
ma position; alors seulement je compris que j'étais
fagoté comme le singe d'un Savoyard. J'eus honte de
moi. Je restai tout hébété, savourant la pomme que je
venais de voler, gardant sur mes lèvres la chaleur de
sang que j'avais aspiré, ne me repentant de rien, et
suivant du regard cette femme descendue des cieux.
Saisi par le premier accès charnel de la grande fièvre
du cœur, j'errai dans le bal devenu désert, sans pouvoir
y retrouver mon inconnue. Je revins me coucher
métamorphosé.

Une âme nouvelle, une âme aux ailes diaprées avait
brisé sa larve. Tombée des steppes bleus où je l'admirais, ma chère étoile s'était donc faite femme en conservant sa clarté, ses scintillements et sa fraîcheur. J'aimai
soudain sans rien savoir de l'amour. N'est-ce pas une
étrange chose que cette première irruption du sentiment le plus vif de l'homme? J'avais rencontré dans le
salon de ma tante quelques jolies femmes, aucune ne
m'avait causé la moindre impression. Existe-t-il donc
une heure, une conjonction d'astres, une réunion de
circonstances expresses, une certaine femme entre
toutes, pour déterminer une passion exclusive, au
temps où la passion embrasse le sexe entier? En pensant que mon élue vivait en Touraine, j'aspirais l'air

avec délices, je trouvai au bleu du temps une couleur
que je ne lui ai plus vue nulle part. Si j'étais ravi
mentalement, je parus sérieusement malade, et ma
mère eut des craintes mêlées de remords. Semblable
aux animaux qui sentent venir le mal, j'allai m'accrou-
pir dans un coin du jardin pour y rêver au baiser que
j'avais volé. Quelques jours après ce bal mémorable,
ma mère attribua l'abandon de mes travaux, mon
indifférence à ses regards oppresseurs, mon insouciance
de ses ironies et ma sombre attitude, aux crises naturelle que doivent subir les jeunes gens de mon âge.
La campagne, cet éternel remède des affections auxquelles la médecine ne connaît rien, fut regardée comme
le meilleur moyen de me sortir de mon apathie. Ma
mère décida que j'irais passer quelques jours à Frapesle [1], château situé sur l'Indre entre Montbazon et
Azay-le-Rideau, chez l'un de ses amis, à qui sans doute
elle donna des instructions secrètes. Le jour où j'eus
ainsi la clef des champs, j'avais si drument nagé dans
l'océan de l'amour que je l'avais traversé. J'ignorais le
nom de mon inconnue, comment la désigner, où la
trouver? d'ailleurs, à qui pouvais-je parler d'elle? Mon
caractère timide augmentait encore les craintes inexpliquées qui s'emparent des jeunes cœurs au début de
l'amour, et me faisait commencer par la mélancolie
qui termine les passions sans espoir. Je ne demandais
pas mieux que d'aller, venir, courir à travers champs.
Avec ce courage d'enfant qui ne doute de rien et comporte je ne sais quoi de chevaleresque, je me proposais
de fouiller tous les châteaux de la Touraine en y
voyageant à pied, en me disant à chaque jolie tou-
relle : C'est là!

Donc, un jeudi matin je sortis de Tours par la
barrière Saint-Eloy, je traversai les ponts Saint-Sauveur,

j'arrivai dans Poncher en levant le nez à chaque
maison, et gagnai la route de Chinon. Pour la première fois de ma vie, je pouvais m'arrêter sous un
arbre, marcher lentement ou vite à mon gré sans être
questionné par personne. Pour un pauvre être écrasé
par les différents despotismes qui, peu ou prou, pèsent
sur toutes les jeunesses, le premier usage du libre
arbitre, exercé même sur des riens, apportait à l'âme
je ne sais quel épanouissement. Beaucoup de raisons
se réunirent pour faire de ce jour une fête pleine
d'enchantements. Dans mon enfance, mes promenades
ne m'avaient pas conduit à plus d'une lieue hors
la ville. Mes courses aux environs de Pont-le-Voy, ni
celles que je fis dans Paris, ne m'avaient gâté sur les
beautés de la nature champêtre. Néanmoins il me restait, des premiers souvenirs de ma vie, le sentiment du
beau qui respire dans le paysage de Tours avec lequel
je m'étais familiarisé. Quoique complètement neuf à la
poésie des sites, j'étais donc exigeant à mon insu,
comme ceux qui sans avoir la pratique d'un art en
imaginent tout d'abord l'idéal. Pour aller au château
de Frapesle, les gens à pied ou à cheval abrègent la
route en passant par les landes dites de Charlemagne [1],
terres en friche, situées au sommet du plateau qui
sépare le bassin du Cher et celui de l'Indre, et où
mène un chemin de traverse que l'on prend à Champy.
Ces landes plates et sablonneuses, qui vous attristent
durant une lieue environ, joignent par un bouquet de
bois le chemin de Saché [2], nom de la commune d'où
dépend Frapesle. Ce chemin, qui débouche sur la
route de Chinon, bien au delà de Ballan, longe une
plaine ondulée sans accidents remarquables, jusqu'au
petit pays d'Artanne. Là se découvre une vallée qui
commence à Montbazon, finit à la Loire, et semble

bondir sous les châteaux posés sur ces doubles collines;
une magnifique coupe d'émeraude au fond de laquelle
l'Indre se roule par des mouvements de serpent. A cet
aspect, je fus saisi d'un étonnement voluptueux que
l'ennui des landes ou la fatigue du chemin avait préparé. « — Si cette femme, la fleur de son sexe, habite
un lieu dans le monde, ce lieu, le voici? » A cette
pensée je m'appuyai contre un noyer sous lequel,
depuis ce jour, je me repose toutes les fois que je
reviens dans ma chère vallée. Sous cet arbre confident
de mes pensées, je m'interroge sur les changements
que j'ai subis pendant le temps qui s'est écoulé depuis
le dernier jour où j'en suis parti. Elle demeurait là,
mon cœur ne me trompait point : le premier castel
que je vis au penchant d'une lande était son habitation. Quand je m'assis sous mon noyer, le soleil de
midi faisait pétiller les ardoises de son toit et les vitres
de ses fenêtres. Sa robe de percale produisait le point
blanc que je remarquai dans ses vignes sous un halle-
bergier [1]. Elle était, comme vous le savez déjà, sans
rien savoir encore, LE LYS DE CETTE VALLÉE où elle
croissait pour le ciel, en la remplissant du parfum de
ses vertus. L'amour infini, sans autre aliment qu'un
objet à peine entrevu dont mon âme était remplie, je
le trouvais exprimé par ce long ruban d'eau qui
ruisselle au soleil entre deux rives vertes, par ces
lignes de peupliers qui parent de leurs dentelles mo-
biles ce val d'amour, par les bois de chênes qui
s'avancent entre les vignobles sur des coteaux que la
rivière arrondit toujours différemment, et par ces horizons estompés qui fuient en se contrariant. Si vous
voulez voir la nature belle et vierge comme une fiancée,
allez là par un jour de printemps; si vous voulez
calmer les plaies saignantes de votre cœur, revenez-y

par les derniers jours de l'automne; au printemps,
l'amour y bat des ailes à plein ciel; en automne, on y
songe à ceux qui ne sont plus. Le poumon malade y
respire une bienfaisante fraîcheur, la vue s'y repose
sur des touffes dorées qui communiquent à l'âme leurs
paisibles douceurs. En ce moment, les moulins situés sur
les chutes de l'Indre donnaient une voix à cette vallée
frémissante, les peupliers se balançaient en riant, pas un
nuage au ciel, les oiseaux chantaient, les cigales criaient,
tout y était mélodie. Ne me demandez plus pourquoi
j'aime la Touraine? je ne l'aime ni comme on aime
son berceau, ni comme on aime une oasis dans le désert;
je l'aime comme un artiste aime l'art; je l'aime moins
que je ne vous aime, mais sans la Touraine, peut-
être ne vivrais-je plus. Sans savoir pourquoi, mes yeux
revenaient au point blanc, à la femme qui brillait
dans ce vaste jardin comme au milieu des buissons
verts éclatait la clochette d'un convolvulus[1], flétrie
si l'on y touche. Je descendis, l'âme émue, au fond de
cette corbeille, et vis bientôt un village que la poésie
qui surabondait en moi me fit trouver sans pareil.
Figurez-vous trois moulins posés parmi des îles gracieusement découpées, couronnées de quelques bouquets d'arbres au milieu d'une prairie d'eau; quel
autre nom donner à ces végétations aquatiques, si
vivaces, si bien colorées, qui tapissent la rivière, surgissent au-dessus, ondulent avec elle, se laissent aller
à ses caprices et se plient aux tempêtes de la rivière
fouettée par la roue des moulins! Çà et là, s'élèvent
des masses de gravier sur lesquelles l'eau se brise en
y formant des franges où reluit le soleil. Les amaryllis,
le nénuphar, le lys d'eau, les joncs, les flox[2] décorent
les rives de leurs magnifiques tapisseries. Un pont
tremblant composé de poutrelles pourries, dont les

piles sont couvertes de fleurs, dont les garde-fous
plantés d'herbes vivaces et de mousses veloutées se
penchent sur la rivière et ne tombent point; des
barques usées, des filets de pêcheurs, le chant mono-
tone d'un berger, les canards qui voguaient entre les
îles ou s'épluchaient sur le jard, nom du gros sable
que charrie la Loire; des garçons meuniers, le bonnet
sur l'oreille, occupés à charger leurs mulets; chacun de
ces détails rendait cette scène d'une naïveté surprenante. Imaginez au delà du pont deux ou trois fermes,
un colombier, des tourterelles, une trentaine de ma-
sures séparées par des jardins, par des haies de chèvrefeuilles, de jasmins et de clématites; puis du fumier
fleuri devant toutes les portes, des poules et des coqs
par les chemins? voilà le village du Pont-de-Ruan,
joli village surmonté d'une vieille église pleine de
caractère, une église du temps des croisades, et comme
les peintres en cherchent pour leurs tableaux. Enca-
drez le tout de noyers antiques, de jeunes peupliers
aux feuilles d'or pâle, mettez de gracieuses fabriques
au milieu des longues prairies où l'œil se perd sous
un ciel chaud et vaporeux, vous aurez une idée d'un
des mille points de vue de ce beau pays. Je suivis le
chemin de Saché sur la gauche de la rivière, en obser-
vant les détails des collines qui meublent la rive opposée. Puis enfin j'atteignis un parc orné d'arbres centenaires qui m'indiqua le château de Frapesle. J'arrivai précisément à l'heure où la cloche annonçait le
déjeuner. Après le repas, mon hôte, ne soupçonnant pas
que j'étais venu de Tours à pied, me fit parcourir
les alentours de sa terre où de toutes parts je vis la
vallée sous toutes ses formes : ici par une échappée,
là tout entière; souvent mes yeux furent attirés à l'horizon par la belle lame d'or de la Loire où, parmi les

roulées, les voiles dessinaient de fantasques figures qui fuyaient emportées par le vent. En gravissant une crête, j'admirai pour la première fois le château d'Azay, diamant taillé à facettes, serti par l'Indre, monté sur des pilotis masqués de fleurs. Puis je vis dans un fond les masses romantiques du château de Saché, mélancolique séjour plein d'harmonies, trop graves pour les gens superficiels, chères aux poètes dont l'âme est endolorie. Aussi, plus tard, en aimai-je le silence, les grands arbres chenus, et ce je ne sais quoi mystérieux épandu dans son vallon solitaire! Mais chaque fois que je retrouvais au penchant de la côte voisine le mignon castel aperçu, choisi par mon premier regard, je m'y arrêtais complaisamment.

— Hé! me dit mon hôte en lisant dans mes yeux l'un de ces pétillants désirs toujours si naïvement exprimés à mon âge, vous sentez de loin une jolie femme comme un chien flaire le gibier.

Je n'aimai pas ce dernier mot, mais je demandai le nom du castel et celui du propriétaire.

— Ceci est Clochegourde, me dit-il, une jolie maison appartenant au comte de Mortsauf, le représentant d'une famille historique en Touraine, dont la fortune date de Louis XI, et dont le nom indique l'aventure à laquelle il doit et ses armes et son illustration. Il descend d'un homme qui survécut à la potence. Aussi les Mortsauf portent-ils *d'or, à la croix de sable alezée, potencée et contre-potencée, chargée en cœur d'une fleur de lys d'or au pied nourri*, avec : *Dieu saulve le Roi notre Sire*, pour devise. Le comte est venu s'établir sur ce domaine au retour de l'émigration. Ce bien est à sa femme, une demoiselle de Lenoncourt, de la maison de Lenoncourt-Givry, qui va s'éteindre : madame de Mortsauf est fille unique.

Le peu de fortune de cette famille contraste si singulièrement avec l'illustration des noms, que, par orgueil ou par nécessité peut-être, ils restent toujours
à Clochegourde et n'y voient personne. Jusqu'à présent
leur attachement aux Bourbons pouvait justifier
leur solitude; mais je doute que le retour du roi change
leur manière de vivre. En venant m'établir ici, l'année
dernière, je suis allé leur faire une visite de politesse;
ils me l'ont rendue et nous ont invités à dîner; l'hiver
nous a séparés pour quelques mois; puis les événements politiques ont retardé notre retour, car je ne
suis à Frapesle que depuis peu de temps. Madame de
Mortsauf est une femme qui pourrait occuper partout
la première place.

— Vient-elle souvent à Tours?

— Elle n'y va jamais. Mais, dit-il en se reprenant,
elle y est allée dernièrement, au passage du duc d'Angoulême qui s'est montré fort gracieux pour monsieur
de Mortsauf.

— C'est elle! m'écriai-je.

— Qui, elle?

— Une femme qui a de belles épaules.

— Vous rencontrerez en Touraine beaucoup de
femmes qui ont de belles épaules, dit-il en riant. Mais
si vous n'êtes pas fatigué, nous pouvons passer la
rivière, et monter à Clochegourde, où vous aviserez
à reconnaître vos épaules.

J'acceptai, non sans rougir de plaisir et de honte,
Vers quatre heures nous arrivâmes au petit château
que mes yeux caressaient depuis si longtemps. Cette
habitation, qui fait un bel effet dans le paysage, est
en réalité modeste. Elle a cinq fenêtres de face, chacune
de celles qui terminent la façade exposée au midi
s'avance d'environ deux toises, artifice d'architecture

qui simule deux pavillons et donne de la grâce au
logis; celle du milieu sert de porte, et on en descend
par un double perron dans des jardins étagés qui
atteignent à une étroite prairie située le long de
l'Indre. Quoiqu'un chemin communal sépare cette
prairie de la dernière terrasse ombragée par une allée
d'acacias et de vernis du Japon, elle semble faire partie
des jardins; car le chemin est creux, encaissé d'un
côté par la terrasse, et bordé de l'autre par une haie
normande. Les pentes bien ménagées mettent assez
de distance entre l'habitation et la rivière pour sauver
les inconvénients du voisinage des eaux sans en ôter
l'agrément. Sous la maison se trouvent des remises,
des écuries, des resserres, des cuisines dont les diverses
ouvertures dessinent des arcades. Les toits sont gracieusement contournés aux angles, décorés de mansardes à
croisillons sculptés et de bouquets en plomb sur les
pignons. La toiture, sans doute négligée pendant la
Révolution, est chargée de cette rouille produite par
les mousses plates et rougeâtres qui croissent sur les
maisons exposées au midi. La porte-fenêtre du perron
est surmontée d'un campanile où reste sculpté l'écusson
des Blamont-Chauvry : *écartelé de gueules à un pal
de vair, flanqué de deux mains appaumées de carnation
et d'or à deux lances de sable mises en chevron.* La
devise : *Voyez tous, nul ne touche!* me frappa vivement. Les supports, qui sont un griffon et un dragon
de gueules enchaînés d'or, faisaient un joli effet
sculpté. La Révolution avait endommagé la couronne
ducale et le cimier, qui se compose d'un palmier de
sinople fruité d'or. Senart [1], secrétaire du Comité de
Salut public, était bailli de Saché avant 1781, ce qui
explique ces dévastations.

Ces dispositions donnent une élégante physionomie

à ce castel ouvragé comme une fleur, et qui semble ne
pas peser sur le sol. Vu de la vallée, le rez-de-chaussée
semble être au premier étage; mais du côté de la
cour, il est de plain-pied avec une large allée sablée
donnant sur un boulingrin[1] animé par plusieurs cor-
beilles de fleurs. A droite et à gauche, les clos de
vignes, les vergers et quelques pièces de terres labou-
rables plantées de noyers, descendent rapidement,
enveloppent la maison de leurs massifs, et atteignent
les bords de l'Indre, que garnissent en cet endroit des
touffes d'arbres dont les verts ont été nuancés par la
nature elle-même. En montant le chemin qui côtoie
Clochegourde, j'admirais ces masses si bien disposées,
j'y respirais un air chargé de bonheur. La nature
morale a-t-elle donc, comme la nature physique, ses
communications électriques et ses rapides changements de température? Mon cœur palpitait à l'approche
des événements secrets qui devaient le modifier à
jamais, comme les animaux s'égayent en prévoyant un
beau temps. Ce jour si marquant dans ma vie ne fut
dénué d'aucune des circonstances qui pouvaient le
solenniser. La Nature s'était parée comme une femme
allant à la rencontre du bien-aimé, mon âme avait
pour la première fois entendu sa voix, mes yeux
l'avaient admirée aussi féconde, aussi variée que mon
imagination me la représentait dans mes rêves de collège dont je vous ai dit quelques mots inhabiles à
vous en expliquer l'influence, car ils ont été comme
une Apocalypse où ma vie me fut figurativement pré-
dite : chaque événement heureux ou malheureux s'y
rattache par des images bizarres, liens visibles aux
yeux de l'âme seulement. Nous traversâmes une première cour entourée de bâtiments nécessaires aux
exploitations rurales, une grange, un pressoir, des

étables, des écuries. Averti par les aboiements du
chien de garde, un domestique vint à notre rencontre,
et nous dit que monsieur le comte, parti pour Azay
dès le matin, allait sans doute revenir, et que madame
la comtesse était au logis. Mon hôte me regarda. Je
tremblais qu'il ne voulût pas voir madame de Mortsauf en l'absence de son mari, mais il dit au domestique de nous annoncer. Poussé par une avidité
d'enfant, je me précipitai dans la longue antichambre
qui traverse la maison.

— Entrez donc, messieurs! dit alors une voix d'or.

Quoique madame de Mortsauf n'eût prononcé qu'un
mot au bal, je reconnus sa voix qui pénétra mon âme
et la remplit comme un rayon de soleil remplit et dore
le cachot d'un prisonnier. En pensant qu'elle pouvait se
rappeler ma figure, je voulus m'enfuir; il n'était plus
temps, elle apparut sur le seuil de la porte, nos yeux se
rencontrèrent. Je ne sais qui d'elle ou de moi rougit le
plus fortement. Assez interdite pour ne rien dire, elle
revint s'asseoir à sa place devant un métier à tapisserie,
après que le domestique eut approché deux fauteuils;
elle acheva de tirer son aiguille afin de donner un prétexte à son silence, compta quelques points et releva
sa tête, à la fois douce et altière, vers monsieur de
Chessel en lui demandant à quelle heureuse circonstance elle devait sa visite. Quoique curieuse de savoir
la vérité sur mon apparition, elle ne nous regarda ni
l'un ni l'autre; ses yeux furent constamment attachés
sur la rivière; mais à la manière dont elle écoutait,
vous eussiez dit que, semblable aux aveugles, elle savait
reconnaître les agitations de l'âme dans les impercep-
tibles accents de la parole. Et cela était vrai. Monsieur
de Chessel dit mon nom et fit ma biographie. J'étais
arrivé depuis quelques mois à Tours, où mes parents

m'avaient ramené chez eux quand la guerre avait menacé Paris. Enfant de la Touraine à qui la Touraine était inconnue, elle voyait en moi un jeune homme affaibli par des travaux immodérés, envoyé à Frapesle pour s'y divertir, et auquel il avait montré sa terre, où je venais pour la première fois. Au bas du coteau seulement, je lui avais appris ma course de Tours à Frapesle, et craignant pour ma santé déjà si faible, il s'était avisé d'entrer à Clochegourde en pensant qu'elle me permettrait de m'y reposer. Monsieur de Chessel disait la vérité, mais un hasard heureux semble si fort cherché que madame de Mortsauf garda quelque défiance; elle tourna sur moi des yeux froids et sévères qui me firent baisser les paupières, autant par je ne sais quel sentiment d'humiliation que pour cacher des larmes que je retins entre mes cils. L'imposante châtelaine me vit le front en sueur; peut-être aussi devina-t-elle les larmes, car elle m'offrit ce dont je pouvais avoir besoin, en exprimant une bonté consolante qui me rendit la parole. Je rougissais comme une jeune fille en faute, et d'une voix chevrotante comme celle d'un vieillard, je répondis par un remercîment négatif.

— Tout ce que je souhaite, lui dis-je en levant les yeux sur les siens que je rencontrai pour la seconde fois, mais pendant un moment aussi rapide qu'un éclair, c'est de n'être pas renvoyé d'ici; je suis tellement engourdi par la fatigue, que je ne pourrais marcher.

— Pourquoi suspectez-vous l'hospitalité de notre beau pays? me dit-elle. Vous nous accorderez sans doute le plaisir de dîner à Clochegourde? ajouta-t-elle en se tournant vers son voisin.

Je jetai sur mon protecteur un regard où éclatèrent tant de prières qu'il se mit en mesure d'accepter cette

proposition, dont la formule voulait un refus. Si l'habitude du monde permettait à monsieur de Chessel de
distinguer ces nuances, un jeune homme sans expérience croit si fermement à l'union de la parole et de la
pensée chez une belle femme, que je fus bien étonné
quand, en revenant le soir, mon hôte me dit : — Je
suis resté, parce que vous en mouriez d'envie; mais si
vous ne raccommodez pas les choses, je suis brouillé peut-
être avec mes voisins. — Ce *si vous ne raccommodez pas les
choses* me fit longtemps rêver. Si je plaisais à madame
de Mortsauf, elle ne pourrait pas en vouloir à celui qui
m'avait introduit chez elle. Monsieur de Chessel me
supposait donc le pouvoir de l'intéresser, n'était-ce pas
me le donner? Cette explication corrobora mon espoir
en un moment où j'avais besoin de secours.

— Ceci me semble difficile, répondit-il, madame de
Chessel nous attend.

— Elle vous a tous les jours, reprit la comtesse, et
nous pouvons l'avertir. Est-elle seule?

— Elle a monsieur l'abbé de Quélus.

— Eh! bien, dit-elle en se levant pour sonner, vous
dînez avec nous.

Cette fois monsieur de Chessel la crut franche et me
jeta des regards complimenteurs. Dès que je fus certain
de rester pendant une soirée sous ce toit, j'eus à moi
comme une éternité. Pour beaucoup d'êtres malheureux,
demain est un mot vide de sens, et j'étais alors au
nombre de ceux qui n'ont aucune foi dans le lendemain; quand j'avais quelques heures à moi, j'y faisais
tenir toute une vie de voluptés. Madame de Mortsauf
entama sur le pays, sur les récoltes, sur les vignes, une
conversation à laquelle j'étais étranger. Chez une
maîtresse de maison, cette façon d'agir atteste un
manque d'éducation ou son mépris pour celui qu'elle

met ainsi comme à la porte du discours; mais ce fut
embarras chez la comtesse. Si d'abord je crus qu'elle
affectait de me traiter en enfant, si j'enviai le privilège
des hommes de trente ans qui permettait à monsieur
de Chessel d'entretenir sa voisine de sujets graves
auxquels je ne comprenais rien, si je me dépitai en me
disant que tout était pour lui; à quelques mois de là,
je sus combien est significatif le silence d'une femme,
et combien de pensées couvre une diffuse conversation.
D'abord j'essayai de me mettre à mon aise dans mon
fauteuil; puis je reconnus les avantages de ma position
en me laissant aller au charme d'entendre la voix de la
comtesse. Le souffle de son âme se déployait dans les
replis des syllabes, comme le son se divise sous les clefs
d'une flûte; il expirait onduleusement à l'oreille d'où il
précipitait l'action du sang. Sa façon de dire les terminaisons en *i* faisait croire à quelque chant d'oiseau;
le *ch* prononcé par elle était comme une caresse, et la
manière dont elle attaquait les *t* accusait le despotisme
du cœur. Elle étendait ainsi, sans le savoir, le sens des
mots, et vous entraînait l'âme dans un monde surhumain. Combien de fois n'ai-je pas laissé continuer
une discussion que je pouvais finir, combien de fois
ne me suis-je pas fait injustement gronder pour écouter
ces concerts de voix humaine, pour aspirer l'air qui
sortait de sa lèvre chargé de son âme, pour étreindre
cette lumière parlée avec l'ardeur que j'aurais mise à
serrer la comtesse sur mon sein! Quel chant d'hirondelle
joyeuse, quand elle pouvait rire! mais quelle voix de
cygne appelant ses compagnes, quand elle parlait de
ses chagrins! L'inattention de la comtesse me permit
de l'examiner. Mon regard se régalait en glissant sur
la belle parleuse, il pressait sa taille, baisait ses pieds,
et se jouait dans les boucles de sa chevelure. Cepen-

dant j'étais en proie à une terreur que comprendront
ceux qui, dans leur vie, ont éprouvé les joies illimitées
d'une passion vraie. J'avais peur qu'elle ne me surprît
les yeux attachés à la place de ses épaules que j'avais
si ardemment embrassées. Cette crainte avivait la ten-
tation, et j'y succombais, je les regardais! mon œil
déchirait l'étoffe, je revoyais la lentille qui marquait
la naissance de la jolie raie par laquelle son dos était
partagé, mouche perdue dans du lait, et qui depuis le
bal flamboyait toujours le soir dans ces ténèbres où
semble ruisseler le sommeil des jeunes gens dont l'imagination est ardente, dont la vie est chaste.

Je puis vous crayonner les traits principaux qui partout eussent signalé la comtesse aux regards; mais le
dessin le plus correct, la couleur la plus chaude n'en
exprimeraient rien encore. Sa figure est une de celles
dont la ressemblance exige l'introuvable artiste de qui
la main sait peindre le reflet des feux intérieurs, et sait
rendre cette vapeur lumineuse que nie la science, que la
parole ne traduit pas, mais que voit un amant. Ses cheveux fins et cendrés la faisaient souvent souffrir, et ces
souffrances étaient sans doute causées par de subites
réactions du sang vers la tête. Son front arrondi, proé-
minent comme celui de la Joconde, paraissait plein
d'idées inexprimées, de sentiments contenus, de fleurs
noyées dans des eaux amères. Ses yeux verdâtres, semés
de points bruns, étaient toujours pâles; mais s'il s'agissait de ses enfants, s'il lui échappait de ces vives effusions de joie ou de douleur, rares dans la vie des
femmes résignées, son œil lançait alors une lueur subtile qui semblait s'enflammer aux sources de la vie et
devait les tarir; éclair qui m'avait arraché des larmes
quand elle me couvrit de son dédain formidable et qui
lui suffisait pour abaisser les paupières aux plus hardis.

Un nez grec, comme dessiné par Phidias et réuni par
un double arc à des lèvres élégamment sinueuses, spiri-
tualisait son visage de forme ovale, et dont le teint,
comparable au tissu de camélias blancs, se rougissait
aux joues par de jolis tons roses. Son embonpoint ne
détruisait ni la grâce de sa taille, ni la rondeur voulue
pour que ses formes demeurassent belles quoique déve-
loppées. Vous comprendrez soudain ce genre de perfection, lorsque vous saurez qu'en s'unissant à l'avant-
bras les éblouissants trésors qui m'avaient fasciné
paraissaient ne devoir former aucun pli. Le bas de sa
tête n'offrait point ces creux qui font ressembler la
nuque de certaines femmes à des troncs d'arbres, ses
muscles n'y dessinaient point de cordes et partout les
lignes s'arrondissaient en flexuosités désespérantes pour
le regard comme pour le pinceau. Un duvet follet se
mourait le long de ses joues, dans les méplats du col,
en y retenant la lumière qui s'y faisait soyeuse. Ses
oreilles petites et bien contournées étaient, suivant son
expression, des oreilles d'esclave et de mère. Plus tard,
quand j'habitais son cœur, elle me disait : « Voici monsieur de Mortsauf! » et avait raison, tandis que je
n'entendais rien encore, moi dont l'ouïe possède une
remarquable étendue. Ses bras étaient beaux, sa main
aux doigts recourbés était longue, et, comme dans les
statues antiques, la chair dépassait ses ongles à fines
côtes. Je vous déplairais en donnant aux tailles plates
l'avantage sur les tailles rondes, si vous n'étiez pas une
exception. La taille ronde est un signe de force, mais
les femmes ainsi construites sont impérieuses, volontaires, plus voluptueuses que tendres. Au contraire,
les femmes à taille plate sont dévouées, pleines de
finesse, enclines à la mélancolie; elles sont mieux
femmes que les autres. La taille plate est souple et

molle, la taille ronde est inflexible et jalouse. Vous
savez maintenant comment elle était faite. Elle avait
le pied d'une femme comme il faut, ce pied qui marche
peu, se fatigue promptement et réjouit la vue quand il
dépasse la robe. Quoiqu'elle fût mère de deux enfants,
je n'ai jamais rencontré dans son sexe personne de plus
jeune fille qu'elle. Son air exprimait une simplesse,
jointe à je ne sais quoi d'interdit et de songeur qui
ramenait à elle comme le peintre nous ramène à la
figure où son génie a traduit un monde de sentiments.
Ses qualités visibles ne peuvent d'ailleurs s'exprimer
que par des comparaisons. Rappelez-vous le parfum
chaste et sauvage de cette bruyère que nous avons
cueillie en revenant de la villa Diodati [1], cette fleur
dont vous avez tant loué le noir et le rose, vous devinerez comment cette femme pouvait être élégante loin
du monde, naturelle dans ses expressions, recherchée
dans les choses qui devenaient siennes, à la fois rose
et noire. Son corps avait la verdeur que nous admirons
dans les feuilles nouvellement dépliées, son esprit
avait la profonde concision du sauvage; elle était
enfant par le sentiment, grave par la souffrance, châtelaine et bachelette. Aussi plaisait-elle sans artifice,
par sa manière de s'asseoir, de se lever, de se taire ou
de jeter un mot. Habituellement recueillie, attentive
comme la sentinelle sur qui repose le salut de tous et
qui épie le malheur, il lui échappait parfois des sourires qui trahissaient en elle un naturel rieur enseveli
sous le maintien exigé par sa vie. Sa coquetterie était
devenue du mystère, elle faisait rêver au lieu d'inspirer
l'attention galante que sollicitent les femmes, et laissait
apercevoir sa première nature de flamme vive, ses premiers rêves bleus, comme on voit le ciel par des
éclaircies de nuages. Cette révélation involontaire ren-

dait pensifs ceux qui ne se sentaient pas une larme
intérieure séchée par le feu des désirs. La rareté de ses
gestes, et surtout celle de ses regards (excepté ses
enfants, elle ne regardait personne) donnaient une incroyable solennité à ce qu'elle faisait ou disait, quand
elle faisait ou disait une chose avec cet air que savent
prendre les femmes au moment où elles compromettent
leur dignité par un aveu. Ce jour-là madame de Mortsauf avait une robe rose à mille raies, une collerette à
large ourlet, une ceinture noire et des brodequins de
cette même couleur. Ses cheveux simplement tordus
sur sa tête étaient retenus par un peigne d'écaille. Telle
est l'imparfaite esquisse promise. Mais la constante
émanation de son âme sur les siens, cette essence nourrissante épandue à flots comme le soleil émet sa
lumière; mais sa nature intime, son attitude aux
heures sereines, sa résignation aux heures nuageuses;
tous ces tournoiements de la vie où le caractère se
déploie, tiennent comme les effets du ciel à des circonstances inattendues et fugitives qui ne se ressemblent
entre elles que par le fond d'où elles se détachent, et
dont la peinture sera nécessairement mêlée aux événements de cette histoire; véritable épopée domestique,
aussi grande aux yeux du sage que le sont les tragédies
aux yeux de la foule, et dont le récit vous attachera
autant pour la part que j'y ai prise, que par sa simi-
litude avec un grand nombre de destinées féminines.

Tout à Clochegourde portait le cachet d'une propreté
vraiment anglaise. Le salon où restait la comtesse était
entièrement boisé, peint en gris de deux nuances. La
cheminée avait pour ornement une pendule contenue
dans un bloc d'acajou surmonté d'une coupe, et deux
grands vases en porcelaine blanche à filets d'or, d'où
s'élevaient des bruyères du Cap. Une lampe était sur

la console. Il y avait un trictrac en face de la cheminée.
Deux larges embrasses en coton retenaient les rideaux
de percale blanche, sans franges. Des housses grises,
bordées d'un galon vert, recouvraient les sièges, et la
tapisserie tendue sur le métier de la comtesse disait
assez pourquoi son meuble était ainsi caché. Cette simplicité arrivait à la grandeur. Aucun appartement,
parmi ceux que j'ai vus depuis, ne m'a causé des impressions aussi fertiles, aussi touffues que celles dont
j'étais saisi dans ce salon de Clochegourde, calme et
recueilli comme la vie de la comtesse, et où l'on devi-
nait la régularité conventuelle de ses occupations. La
plupart de mes idées, et même les plus audacieuses
en science ou en politique, sont nées là, comme les
parfums émanent des fleurs; mais là verdoyait la plante
inconnue qui jeta sur mon âme sa féconde poussière,
là brillait la chaleur solaire qui développa mes bonnes
et dessécha mes mauvaises qualités. De la fenêtre, l'œil
embrassait la vallée depuis la colline où s'étale Pont-de-
Ruan, jusqu'au château d'Azay, en suivant les sinuosités
de la côte opposée que varient les tours de Frapesle,
puis l'église, le bourg et le vieux manoir de Saché dont
les masses dominent la prairie. En harmonie avec cette
vie reposée et sans autres émotions que celles données
par la famille, ces lieux communiquaient à l'âme leur
sérénité. Si je l'avais rencontrée là pour la première
fois, entre le comte et ses deux enfants, au lieu de
la trouver splendide dans sa robe de bal, je ne lui
aurais pas ravi ce délirant baiser dont j'eus alors des
remords en croyant qu'il détruirait l'avenir de mon
amour! Non, dans les noires dispositions où me mettait
le malheur, j'aurais plié le genou, j'aurais baisé ses
brodequins, j'y aurais laissé quelques larmes, et je
serais allé me jeter dans l'Indre. Mais après avoir

effleuré le frais jasmin de sa peau et bu le lait de cette
coupe pleine d'amour, j'avais dans l'âme le goût et
l'espérance de voluptés surhumaines; je voulais vivre
et attendre l'heure du plaisir comme le sauvage épie
l'heure de la vengeance; je voulais me suspendre aux
arbres, ramper dans les vignes, me tapir dans l'Indre;
je voulais avoir pour complice le silence de la nuit, la
lassitude de la vie, la chaleur du soleil, afin d'achever
la pomme délicieuse où j'avais déjà mordu. M'eût-elle
demandé la fleur qui chante ou les richesses enfouies
par les compagnons de Morgan [1] l'exterminateur, je les
lui aurais apportées afin d'obtenir les richesses certaines
et la fleur muette que je souhaitais! Quand cessa le
rêve où m'avait plongé la longue contemplation de
mon idole, et pendant lequel un domestique vint et lui
parla, je l'entendis causant du comte. Je pensai seulement alors qu'une femme devait appartenir à son mari.
cette pensée me donna des vertiges. Puis j'eus une
rageuse et sombre curiosité de voir le possesseur de ce
trésor. Deux sentiment me dominèrent, la haine et
la peur; une haine qui ne connaissait aucun obstacle
et les mesurait tous sans les craindre; une peur vague,
mais réelle du combat, de son issue, et d'ELLE surtout.
En proie à d'indicibles pressentiments, je redoutais
ces poignées de main qui déshonorent, j'entrevoyais
déjà ces difficultés élastiques où se heurtent les plus
rudes volontés et où elles s'émoussent; je craignais
cette force d'inertie qui dépouille aujourd'hui la vie
sociale des dénoûments que recherchent les âmes pas-
sionnées.

— Voici monsieur de Mortsauf, dit-elle.

Je me dressai sur mes jambes comme un cheval
effrayé. Quoique ce mouvement n'échappât ni à monsieur de Chessel ni à la comtesse, il ne me valut aucune

observation muette, car il y eut une diversion faite par
une jeune fille à qui je donnai six ans, et qui entra
disant : — Voilà mon père.

— Eh! bien, Madeleine? fit sa mère.

L'enfant tendit à monsieur de Chessel la main qu'il
demandait, et me regarda fort attentivement après
m'avoir adressé son petit salut plein d'étonnement.

— Etes-vous contente de sa santé? dit monsieur de
Chessel à la comtesse.

— Elle va mieux, répondit-elle en caressant la chevelure de la petite déjà blottie dans son giron.

Une interrogation de monsieur de Chessel m'apprit
que Madeleine avait neuf ans; je marquai quelque surprise de mon erreur, et mon étonnement amassa des
nuages sur le front de la mère. Mon introducteur me
jeta l'un de ces regards significatifs par lesquels les
gens du monde nous font une seconde éducation. Là,
sans doute, était une blessure maternelle dont l'appareil devait être respecté. Enfant malingre dont les
yeux étaient pâles, dont la peau était blanche comme
une porcelaine éclairée par une lueur, Madeleine
n'aurait sans doute pas vécu dans l'atmosphère d'une
ville. L'air de la campagne, les soins de sa mère qui
semblait la couver, entretenaient la vie dans ce corps
aussi délicat que l'est une plante venue en serre malgré
les rigueurs d'un climat étranger. Quoiqu'elle ne rap-
pelât en rien sa mère, Madeleine paraissait en avoir
l'âme, et cette âme la soutenait. Ses cheveux rares et
noirs, ses yeux caves, ses joues creuses, ses bras amai-
gris, sa poitrine étroite annonçaient un débat entre
la vie et la mort, duel sans trêve où jusqu'alors la
comtesse était victorieuse. Elle se faisait vive, sans
doute pour éviter des chagrins à sa mère; car, en certains moments où elle ne s'observait plus, elle prenait

l'attitude d'un saule pleureur. Vous eussiez dit d'une petite bohémienne souffrant la faim, venue de son pays en mendiant, épuisée, mais courageuse et parée pour son public.

— Où donc avez-vous laissé Jacques? lui demanda sa mère en la baisant sur la raie blanche qui partageait ses cheveux en deux bandeaux semblables aux ailes d'un corbeau.

— Il vient avec mon père.

En ce moment le comte entra suivi de son fils qu'il tenait par la main. Jacques, vrai portrait de sa sœur, offrait les mêmes symptômes de faiblesse. En voyant ces deux enfants frêles aux côtés d'une mère si magnifiquement belle, il était impossible de ne pas deviner les sources du chagrin qui attendrissait les tempes de la comtesse et lui faisait taire une de ces pensées qui n'ont que Dieu pour confident, mais qui donnent au front de terribles signifiances. En me saluant, monsieur de Mortsauf me jeta le coup d'œil moins observateur que maladroitement inquiet d'un homme dont la défiance provient de son peu d'habitude à manier l'analyse. Après l'avoir mis au courant et m'avoir nommé, sa femme lui céda sa place, et nous quitta. Les enfants dont les yeux s'attachaient à ceux de leur mère, comme s'ils en tiraient leur lumière, voulurent l'accompagner, elle leur dit : — Restez, chers anges! et mit son doigt sur ses lèvres. Ils obéirent, mais leurs regards se voilèrent. Ah! pour s'entendre dire ce mot *chers*, quelles tâches n'aurait-on pas entreprises? Comme les enfants, j'eus moins chaud quand elle ne fut plus là. Mon nom changea les dispositions du comte à mon égard. De froid et sourcilleux il devint, sinon affectueux, du moins poliment empressé, me donna des marques de considération et parut heureux de me

recevoir. Jadis mon père s'était dévoué pour nos
maîtres à jouer un rôle grand mais obscur, dangereux
mais qui pouvait être efficace. Quand tout fut perdu
par l'accès de Napoléon au sommet des affaires, comme
beaucoup de conspirateurs secrets, il s'était réfugié dans
les douceurs de la province et de la vie privée, en
acceptant des accusations aussi dures qu'imméritées;
salaire inévitable des joueurs qui jouent le tout pour le
tout, et succombent après avoir servi de pivot à la
machine politique. Ne sachant rien de la fortune, rien
des antécédents ni de l'avenir de ma famille, j'ignorais
également les particularités de cette destinée perdue
dont se souvenait le comte de Mortsauf. Cependant, si
l'antiquité du nom, la plus précieuse qualité d'un
homme à ses yeux, pouvait justifier l'accueil qui me
rendit confus, je n'en appris la raison véritable que
plus tard. Pour le moment, cette transition subite me
mit à l'aise. Quand les deux enfants virent la conversation reprise entre nous trois, Madeleine dégagea sa
tête des mains de son père, regarda la porte ouverte,
se glissa dehors comme une anguille, et Jacques la
suivit. Tous deux rejoignirent leur mère, car j'entendis leurs voix et leurs mouvements, semblables, dans
le lointain, aux bourdonnements des abeilles autour
de la ruche aimée.

Je contemplai le comte en tâchant de deviner son
caractère, mais je fus assez intéressé par quelques traits
principaux pour en rester à l'examen superficiel de sa
physionomie. Âgé seulement de quarante-cinq ans, il
paraissait approcher de la soixantaine, tant il avait
promptement vieilli dans le grand naufrage qui termina
le dix-huitième siècle. La demi-couronne, qui ceignait
monastiquement l'arrière de sa tête dégarnie de cheveux, venait mourir aux oreilles en caressant les

tempes par des touffes grises mélangées de noir. Son
visage ressemblait vaguement à celui d'un loup blanc
qui a du sang au museau, car son nez était enflammé
comme celui d'un homme dont la vie est altérée dans
ses principes, dont l'estomac est affaibli, dont les
humeurs sont viciées par d'anciennes maladies. Son
front plat, trop large pour sa figure qui finissait en
pointe, ridé transversalement par marches inégales,
annonçait les habitudes de la vie en plein air et non
les fatigues de l'esprit, le poids d'une constante infortune et non les efforts faits pour la dominer. Ses
pommettes, saillantes et brunes au milieu des tons
blafards de son teint, indiquaient une charpente assez
forte pour lui assurer une longue vie. Son œil clair,
jaune et dur tombait sur vous comme un rayon du
soleil en hiver, lumineux sans chaleur, inquiet sans
pensée, défiant sans objet. Sa bouche était violente et
impérieuse, son menton était droit et long. Maigre et
de haute taille, il avait l'attitude d'un gentilhomme
appuyé sur une valeur de convention, qui se sait au-
dessus des autres par le droit, au-dessous par le fait. Le
laissez-aller de la campagne lui avait fait négliger son
extérieur. Son habillement était celui du campagnard
en qui les paysans aussi bien que les voisins ne consi-
dèrent plus que la fortune territoriale. Ses mains
brunies et nerveuses attestaient qu'il ne mettait de
gants que pour monter à cheval ou le dimanche pour
aller à la messe. Sa chaussure était grossière. Quoique
les dix années d'émigration et les dix années de l'agriculture eussent influé sur son physique, il subsistait en
lui des vestiges de noblesse. Le libéral le plus haineux,
mot qui n'était pas encore monnayé, aurait facilement
reconnu chez lui la loyauté chevaleresque, les convic-
tions immarcescibles du lecteur à jamais acquis à *la*

Quotidienne [1]. Il eût admiré l'homme religieux, passionné pour sa cause, franc dans ses antipathies
politiques, incapable de servir personnellement son
parti, très capable de le perdre, et sans connaissance
des choses en France. Le comte était en effet un de ces
hommes droits qui ne se prêtent à rien et barrent
opiniâtrement tout, bons à mourir l'arme au bras
dans le poste qui leur serait assigné, mais assez avares
pour donner leur vie avant de donner leurs écus.
Pendant le dîner je remarquai, dans la dépression de
ses joues flétries et dans certains regards jetés à la
dérobée sur ses enfants, les traces de pensées impor-
tunes dont les élancements expiraient à la surface. En
le voyant, qui ne l'eût compris? Qui ne l'aurait accusé
d'avoir fatalement transmis à ses enfants ces corps auxquels manquait la vie? S'il se condamnait lui-même, il
déniait aux autres le droit de le juger. Amer comme
un pouvoir qui se sait fautif, mais n'ayant pas assez de
grandeur ou de charme pour compenser la somme de
douleur qu'il avait jetée dans la balance, sa vie intime
devait offrir les aspérités que dénonçaient en lui ses
traits anguleux et ses yeux incessamment inquiets.
Quand sa femme rentra, suivie des deux enfants
attachés à ses flancs, je soupçonnai donc un malheur,
comme lorsqu'en marchant sur les voûtes d'une cave
les pieds ont en quelque sorte la conscience de la
profondeur. En voyant ces quatre personnes réunies,
en les embrassant de mes regards, allant de l'une à
l'autre, étudiant leurs physionomies et leurs attitudes
respectives, des pensées trempées de mélancolie tombèrent sur mon cœur comme une pluie fine et grise
embrume un joli pays après quelque beau lever de
soleil. Lorsque le sujet de la conversation fut épuisé, le
comte me mit encore en scène au détriment de mon-

sieur de Chessel, en apprenant à sa femme plusieurs
circonstances concernant ma famille et qui m'étaient
inconnues. Il me demanda mon âge. Quand je l'eus
dit, la comtesse me rendit mon mouvement de surprise
à propos de sa fille. Peut-être me donnait-elle quatorze
ans. Ce fut, comme je le sus depuis, le second lien qui
l'attacha si fortement à moi. Je lus dans son âme. Sa
maternité tressaillit, éclairée par un tardif rayon de
soleil que lui jetait l'espérance. En me voyant, à vingt
ans passés, si malingre, si délicat et néanmoins si
nerveux, une voix lui cria peut-être : — *Ils vivront!*
Elle me regarda curieusement, et je sentis qu'en ce
moment il se fondait bien des glaces entre nous. Elle
parut avoir mille questions à me faire et les garda
toutes.

— Si l'étude vous a rendu malade, dit-elle, l'air de
notre vallée vous remettra.

— L'éducation moderne est fatale aux enfants, reprit
le comte. Nous les bourrons de mathématiques, nous
les tuons à coups de science, et les usons avant le temps.
Il faut vous reposer ici, me dit-il, vous êtes écrasé sous
l'avalanche d'idées qui a roulé sur vous. Quel siècle
nous prépare cet enseignement mis à la portée de tous,
si l'on ne prévient le mal en rendant l'instruction
publique aux corporations religieuses!

Ces paroles annonçaient bien le mot qu'il dit un
jour aux élections en refusant sa voix à un homme
dont les talents pouvaient servir la cause royaliste : —
Je me défierai toujours des gens d'esprit, répondit-il à
l'entremetteur des voix électorales. Il nous proposa de
faire le tour de ses jardins, et se leva.

— Monsieur... lui dit la comtesse.

— Eh! bien, ma chère?... répondit-il en se retournant avec une brusquerie hautaine qui dénotait com-

bien il voulait être absolu chez lui, mais combien alors
il l'était peu.

— Monsieur est venu de Tours à pied, monsieur de
Chessel n'en savait rien, et l'a promené dans Frapesle.

— Vous avez fait une imprudence, me dit-il, quoique
à votre âge!... Et il hocha la tête en signe de regret.

La conversation fut reprise. Je ne tardai pas à reconnaître combien son royalisme était intraitable, et de
combien de ménagements il fallait user pour demeurer
sans choc dans ses eaux. Le domestique, qui avait
promptement mis une livrée, annonça le dîner. Monsieur de Chessel présenta son bras à madame de Mortsauf, et le comte saisit gaiement le mien pour passer
dans la salle à manger, qui, dans l'ordonnance du
rez-de-chaussée, formait le pendant du salon.

Carrelée en carreaux blancs fabriqués en Touraine,
et boisée à hauteur d'appui, la salle à manger était
tendue d'un papier verni qui figurait de grands pan-
neaux encadrés de fleurs et de fruits; les fenêtres avaient
des rideaux de percale ornés de galons rouges; les
buffets étaient de vieux meubles de Boulle, et le bois
des chaises, garnies en tapisserie faite à la main, était
de chêne sculpté. Abondamment servie, la table n'offrit
rien de luxueux : de l'argenterie de famille sans unité
de forme, de la porcelaine de Saxe qui n'était pas
encore redevenue à la mode, des carafes octogones,
des couteaux à manche en agate, puis sous les bou-
teilles des ronds en laque de Chine; mais des fleurs
dans des seaux vernis et dorés sur leurs découpures
à dents de loup. J'aimai ces vieilleries, je trouvai le
papier Réveillon [1] et ses bordures de fleurs superbes.
Le contentement qui enflait toutes mes voiles m'empêcha de voir les inextricables difficultés mises entre elle
et moi par la vie si cohérente de la solitude et de la

campagne. J'étais près d'elle, à sa droite, je lui servais
à boire. Oui, bonheur inespéré! je frôlais sa robe, je
mangeais son pain. Au bout de trois heures, ma vie
se mêlait à sa vie! Enfin nous étions liés par ce terrible baiser, espèce de secret qui nous inspirait une
honte mutuelle. Je fus d'une lâcheté glorieuse : je
m'étudiais à plaire au comte, qui se prêtait à toutes
mes courtisaneries; j'aurais caressé le chien, j'aurais
fait la cour aux moindres désirs des enfants; je leur
aurais apporté des cerceaux, des billes d'agate; je leur
aurais servi de cheval; je leur en voulais de ne pas
s'emparer déjà de moi comme d'une chose à eux.
L'amour a ses intuitions comme le génie a les siennes,
et je voyais confusément que la violence, la maussaderie, l'hostilité ruineraient mes espérances. Le dîner
se passa tout en joies intérieures pour moi. En me
voyant chez elle, je ne pouvais songer ni à sa froideur
réelle, ni à l'indifférence que couvrit la politesse du
comte. L'amour a, comme la vie, une puberté pendant
laquelle il se suffit à lui-même. Je fis quelques réponses
gauches en harmonie avec les secrets tumultes de la
passion, mais que personne ne pouvait deviner, pas
même *elle*, qui ne savait rien de l'amour. Le reste du
temps fut comme un rêve. Ce beau rêve cessa quand,
au clair de la lune et par un soir chaud et parfumé,
je traversai l'Indre au milieu des blanches fantaisies
qui décoraient les prés, les rives, les collines; en entendant le chant clair, la note unique, pleine de mélancolie que jette incessamment par temps égaux une
rainette dont j'ignore le nom scientifique, mais que
depuis ce jour solennel je n'écoute pas sans des délices
infinies. Je reconnus un peu tard là, comme ailleurs,
cette insensibilité de marbre contre laquelle s'étaient
jusqu'alors émoussés mes sentiments; je me demandai

s'il en serait toujours ainsi; je crus être sous une fatale influence; les sinistres événements du passé se débattirent avec les plaisirs purements personnels que j'avais goûtés. Avant de regagner Frapesle, je regardai Clochegourde et vis au bas une barque, nommée en Touraine une *toue,* attachée à un frêne, et que l'eau balançait. Cette toue appartenait à monsieur de Mortsauf, qui s'en servait pour pêcher.

— Eh! bien, me dit monsieur de Chessel quand nous fûmes sans danger d'être écoutés, je n'ai pas besoin de vous demander si vous avez retrouvé vos belles épaules; il faut vous féliciter de l'accueil que vous a fait monsieur de Mortsauf! Diantre, vous êtes du premier coup au cœur de la place.

Cette phrase, suivie de celle dont je vous ai parlé, ranima mon cœur abattu. Je n'avais pas dit un mot depuis Clochegourde, et monsieur de Chessel attribuait mon silence à mon bonheur.

— Comment? répondis-je avec un ton d'ironie qui pouvait aussi bien paraître dicté par la passion contenue.

— Il n'a jamais si bien reçu qui que ce soit.

— Je vous avoue que je suis moi-même étonné de cette réception, lui dis-je en sentant l'amertume intérieure que me dévoilait ce dernier mot.

Quoique je fusse trop inexpert des choses mondaines pour comprendre la cause du sentiment qu'éprouvait monsieur de Chessel, je fus néanmoins frappé de l'expression par laquelle il le trahissait. Mon hôte avait l'infirmité de s'appeler Durand, et se donnait le ridicule de renier le nom de son père, illustre fabricant, qui pendant la Révolution avait fait une immense fortune. Sa femme était l'unique héritière des Chessel, vieille famille parlementaire, bourgeoise sous Henri IV, comme celle de la plupart des magistrats parisiens. En ambitieux de haute portée, monsieur de Chessel voulut tuer son Durand originel pour arriver aux destinées qu'il rêvait. Il s'appela d'abord Durand de Chessel, puis D. de Chessel; il était alors monsieur de Chessel. Sous la Restauration, il établit un majorat au titre de comte, en vertu des lettres octroyées par Louis XVIII. Ses enfants recueilleront les fruits de son courage sans en connaître la grandeur. Un mot de certain prince caustique a souvent pesé sur sa tête. — Monsieur de Chessel se montre généralement peu en Durand, dit-il. Cette phrase a longtemps régalé la Touraine. Les parvenus sont comme les singes desquels ils ont l'adresse : on les voit en hauteur, on admire leur agilité pendant l'escalade; mais, arrivés à la cime, on n'aperçoit plus que leurs côtés honteux. L'envers de mon hôte s'est composé de petitesses grossies par l'envie. La pairie et lui sont jusqu'à présent deux tangentes impossibles. Avoir une prétention et la justifier est l'impertinence de la force; mais être au-dessous de ses prétentions avouées constitue un ridicule constant qui devient la pâture des petits esprits. Or, monsieur de Chessel n'a pas eu la marche rectiligne de l'homme fort : deux fois député, deux fois repoussé aux élections; hier directeur-général, aujourd'hui rien, pas même préfet, ses succès ou ses défaites ont gâté son caractère et lui ont donné l'âpreté de l'ambitieux invalide. Quoique galant homme, homme spirituel, et capable de grandes choses, peut-être l'envie qui passionne l'existence en Touraine, où les naturels du pays emploient leur esprit à tout jalouser, lui fut-elle funeste dans les hautes sphères sociales où réussissent peu ces figures crispées par le succès d'autrui, ces lèvres boudeuses, rebelles au compliment et faciles

à l'épigramme. En voulant moins, peut-être aurait-il
obtenu davantage; mais malheureusement il avait assez
de supériorité pour pouvoir marcher toujours debout.
En ce moment monsieur de Chessel était au crépus-
cule de son ambition, le royalisme lui souriait. Peut-
être affectait-il les grandes manières, mais il fut parfait pour moi. D'ailleurs il me plut par une raison
bien simple, je trouvais chez lui le repos pour la
première fois. L'intérêt, faible peut-être, qu'il me
témoignait, me parut, à moi malheureux enfant rebuté,
une image de l'amour paternel. Les soins de l'hospitalité contrastaient tant avec l'indifférence qui m'avait
jusqu'alors accablé, que j'exprimais une reconnaissance
enfantine de vivre sans chaînes et quasiment caressé.
Aussi les maîtres de Frapesle sont-ils si bien mêlés à
l'aurore de mon bonheur que ma pensée les confond
dans les souvenirs où j'aime à revivre. Plus tard, et
précisément dans l'affaire des lettres patentes, j'eus le
plaisir de rendre quelques services à mon hôte. Monsieur de Chessel jouissait de sa fortune avec un faste
dont s'offensaient quelques-uns de ses voisins; il pouvait renouveler ses beaux chevaux et ses élégantes voitures; sa femme était recherchée dans sa toilette; il
recevait grandement; son domestique était plus nombreux que ne le veulent les habitudes du pays, il
tranchait du prince. La terre de Frapesle est immense.
En présence de son voisin et devant tout ce luxe, le
comte de Mortsauf, réduit au cabriolet de famille, qui
en Touraine tient le milieu entre la patache et la
chaise de poste, obligé par la médiocrité de sa fortune à faire valoir Clochegourde, fut donc Tourangeau
jusqu'au jour où les faveurs royales rendirent à sa
famille un éclat peut-être inespéré. Son accueil au
cadet d'une famille ruinée dont l'écusson date des

croisades lui servait à humilier la haute fortune, à
rapetisser les bois, les guérets et les prairies de son
voisin, qui n'était pas gentilhomme. Monsieur de Chessel avait bien compris le comte. Aussi se sont-ils toujours vus poliment, mais sans aucun de ces rapports
journaliers, sans cette agréable intimité qui aurait dû
s'établir entre Clochegourde et Frapesle, deux domaines
séparés par l'Indre, et d'où chacune des châtelaines
pouvait, de sa fenêtre, faire un signe à l'autre.

La jalousie n'était pas la seule raison de la solitude
où vivait le comte de Mortsauf. Sa première éducation
fut celle de la plupart des enfants de grande famille,
une incomplète et superficielle instruction à laquelle
suppléaient les enseignements du monde, les usages
de la cour, l'exercice des grandes charges de la couronne ou des places éminentes. Monsieur de Mortsauf
avait émigré précisément à l'époque où commençait
sa seconde éducation, elle lui manqua. Il fut de ceux
qui crurent au prompt rétablissement de la monarchie
en France; dans cette persuasion, son exil avait été
la plus déplorable des oisivetés. Quand se dispersa
l'armée de Condé, où son courage le fit inscrire parmi
les plus dévoués, il s'attendit à bientôt revenir sous le
drapeau blanc, et ne chercha pas, comme quelques
émigrés, à se créer une vie industrieuse. Peut-être
aussi n'eut-il pas la force d'abdiquer son nom, pour
gagner son pain dans les sueurs d'un travail méprisé.
Ses espérances toujours appointées au lendemain, et
peut-être aussi l'honneur, l'empêchèrent de se mettre
au service des puissances étrangères. La souffrance
mina son courage. De longues courses entreprises à pied
sans nourriture suffisante, sur des espoirs toujours
déçus, altérèrent sa santé, découragèrent son âme. Par
degrés son dénûment devint extrême. Si pour beau-

coup d'hommes la misère est un tonique, il en est
d'autres pour qui elle est un dissolvant, et le comte
fut de ceux-ci. En pensant à ce pauvre gentilhomme
de Touraine allant et couchant par les chemins de la
Hongrie, partageant un quartier de mouton avec les
bergers du prince Esterhazy [1], auxquels le voyageur
demandait le pain que le gentilhomme n'aurait pas
accepté du maître, et qu'il refusa maintes fois des
mains ennemies de la France, je n'ai jamais senti dans
mon cœur de fiel pour l'émigré, même quand je le
vis ridicule dans le triomphe. Les cheveux blancs de
monsieur de Mortsauf m'avaient dit d'épouvantables
douleurs, et je sympathise trop avec les exilés pour
pouvoir les juger. La gaieté française et tourangelle
succomba chez le comte; il devint morose, tomba
malade, et fut soigné par charité dans je ne sais quel
hospice allemand. Sa maladie était une inflammation
du mésentère, cas souvent mortel, mais dont la gué-
rison entraîne des changements d'humeur, et cause
presque toujours l'hypocondrie. Ses amours, ensevelies
dans le plus profond de son âme, et que moi seul ai
découvertes, furent des amours de bas étages, qui
n'attaquèrent pas seulement sa vie, ils en ruinèrent
encore l'avenir. Après douze ans de misères, il tourna
les yeux vers la France où le décret de Napoléon lui
permit de rentrer. Quand en passant le Rhin le piéton
souffrant aperçut le clocher de Strasbourg par une
belle soirée, il défaillit. — « La France! France! Je
criai : « Voilà la France! » me dit-il, comme un
enfant crie : « Ma mère! » quand il est blessé. Riche
avant de naître, il se trouvait pauvre; fait pour commander un régiment ou gouverner l'Etat, il était sans
autorité, sans avenir; né sain et robuste, il revenait
infirme et tout usé. Sans instruction au milieu d'un

pays où les hommes et les choses avaient grandi, nécessairement sans influence possible, il se vit dépouillé de tout, même de ses forces corporelles et morales. Son manque de fortune lui rendit son nom pesant. Ses opinions inébranlables, ses antécédents à l'armée de Condé, ses chagrins, ses souvenirs, sa santé perdue, lui donnèrent une susceptibilité de nature à être peu ménagée en France, le pays des railleries. A demi mourant, il atteignit le Maine, où, par un hasard dû peut-être à la guerre civile, le gouvernement révolutionnaire avait oublié de faire vendre une ferme considérable en étendue, et que son fermier lui conservait en laissant croire qu'il en était le propriétaire. Quand la famille de Lenoncourt, qui habitait Givry, château situé près de cette ferme, sut l'arrivée du comte de Mortsauf, le duc de Lenoncourt alla lui proposer de demeurer à Givry pendant le temps nécessaire pour s'arranger une habitation. La famille Lenoncourt fut noblement généreuse envers le comte, qui se répara là durant plusieurs mois de séjour, et fit des efforts pour cacher ses douleurs pendant cette première halte. Les Lenoncourt avaient perdu leurs immenses biens. Par le nom, monsieur de Mortsauf était un parti sortable pour leur fille. Loin de s'opposer à son mariage avec un homme âgé de trente-cinq ans, maladif et vieilli, mademoiselle de Lenoncourt en parut heureuse. Un mariage lui acquérait le droit de vivre avec sa tante, la duchesse de Verneuil, sœur du prince de Blamont-Chauvry, qui pour elle était une mère d'adoption.

Amie intime de la duchesse de Bourbon [1], madame de Verneuil faisait partie d'une société sainte dont l'âme était monsieur Saint-Martin [2], né en Touraine, et surnommé le *Philosophe inconnu*. Les disciples de

ce philosophe pratiquaient les vertus conseillées par les
hautes spéculations de l'illuminisme mystique. Cette
doctrine donne la clef des mondes divins, explique
l'existence par des transformations où l'homme s'ache-
mine à de sublimes destinées, libère le devoir de sa
dégradation légale, applique aux peines de la vie la
douceur inaltérable du quaker, et ordonne le mépris
de la souffrance en inspirant je ne sais quoi de maternel pour l'ange que nous portons au ciel. C'est le
stoïcisme ayant un avenir. La prière active et l'amour
pur sont les éléments de cette foi qui sort du catholicisme de l'Eglise romaine pour rentrer dans le
christianisme de l'Eglise primitive. Mademoiselle de
Lenoncourt resta néanmoins au sein de l'Eglise aposto-
lique, à laquelle sa tante fut toujours également
fidèle. Rudement éprouvée par les tourmentes révo-
lutionnaires, la duchesse de Verneuil avait pris, dans
les derniers jours de sa vie, une teinte de piété passionnée qui versa dans l'âme de son enfant chéri *la
lumière de l'amour céleste et l'huile de la joie intérieure,* pour employer les expressions mêmes de Saint-
Martin. La comtesse reçut plusieurs fois cet homme
de paix et de vertueux savoir à Clochegourde après la
mort de sa tante, chez laquelle il venait souvent.
Saint-Martin surveilla de Clochegourde ses derniers
livres imprimés à Tours chez Letourmy. Inspiré par
la sagesse des vieilles femmes qui ont expérimenté
les détroits orageux de la vie, madame de Verneuil
donna Clochegourde à la jeune mariée, pour lui faire
un chez elle. Avec la grâce des vieillards qui est toujours
parfaite quand ils sont gracieux, la duchesse abandonna tout à sa nièce, en se contentant d'une chambre
au-dessus de celle qu'elle occupait auparavant et que
prit la comtesse. Sa mort presque subite jeta des crêpes

sur les joies de cette union, et imprima d'ineffaçables
tristesses sur Clochegourde comme sur l'âme supersti-
tieuse de la mariée. Les premiers jours de son établissement en Touraine furent pour la comtesse le seul
temps non pas heureux, mais insoucieux de sa vie.

Après les traverses de son séjour à l'étranger, monsieur de Mortsauf, satisfait d'entrevoir un clément
avenir, eut comme une convalescence d'âme; il respira
dans cette vallée les enivrantes odeurs d'une espérance
fleurie. Forcé de songer à sa fortune, il se jeta dans les
préparatifs de son entreprise agronomique et commença par goûter quelque joie; mais la naissance de
Jacques fut un coup de foudre qui ruina le présent et
l'avenir : le médecin condamna le nouveau-né. Le
comte cacha soigneusement cet arrêt à la mère; puis,
il consulta pour lui-même et reçut de désespérantes
réponses que confirma la naissance de Madeleine. Ces
deux événements, une sorte de certitude intérieure
sur la fatale sentence, augmentèrent les dispositions
maladives de l'émigré. Son nom à jamais éteint, une
jeune femme pure, irréprochable, malheureuse à ses
côtés, vouée aux angoisses de la maternité, sans en
avoir les plaisirs; cet *humus* de son ancienne vie d'où
germaient de nouvelles souffrances lui tomba sur le
cœur, et paracheva sa destruction. La comtesse devina
le passé par le présent et lut dans l'avenir. Quoique
rien ne soit plus difficile que de rendre heureux un
homme qui se sent fautif, la comtesse tenta cette entreprise digne d'un ange. En un jour, elle devint stoïque.
Après être descendue dans l'abîme d'où elle put voir
encore le ciel, elle se voua, pour un seul homme, à la
mission qu'embrasse la sœur de charité pour tous; et
afin de le réconcilier avec lui-même, elle lui pardonna
ce qu'il ne se pardonnait pas. Le comte devint avare,

elle accepta les privations imposées; il avait la crainte
d'être trompé, comme l'ont tous ceux qui n'ont connu
la vie du monde que pour en rapporter des répugnances, elle resta dans la solitude et se plia sans
murmure à ses défiances; elle employa les ruses de la
femme à lui faire vouloir ce qui était bien, il se
croyait ainsi des idées et goûtait chez lui les plaisirs
de la supériorité qu'il n'aurait eue nulle part. Puis,
après s'être avancée dans la voie du mariage, elle se
résolut à ne jamais sortir de Clochegourde, en reconnaissant chez le comte une âme hystérique dont les
écarts pouvaient, dans un pays de malice et de commé-
rage, nuire à ses enfants. Aussi, personne ne soupçon-
nait-il l'incapacité réelle de monsieur de Mortsauf, elle
avait paré ses ruines d'un épais manteau de lierre.
Le caractère variable, non pas mécontent, mais mal
content du comte, rencontra donc chez sa femme une
terre douce et facile où il s'étendit en y sentant ses
secrètes douleurs amollies par la fraîcheur des baumes.

Cet historique est la plus simple expression des
discours arrachés à monsieur de Chessel par un secret
dépit. Sa connaissance du monde lui avait fait entrevoir quelques-uns des mystères ensevelis à Clochegourde. Mais si, par sa sublime attitude, madame de
Mortsauf trompait le monde, elle ne put tromper les
sens intelligents de l'amour. Quand je me trouvai
dans ma petite chambre, la prescience de la vérité me
fit bondir dans mon lit, je ne supportai pas d'être à
Frapesle lorsque je pouvais voir les fenêtres de sa
chambre; je m'habillai, descendis à pas de loup, et
sortis du château par la porte d'une tour où se trouvait un escalier en colimaçon. Le froid de la nuit
me rasséréna. Je passai l'Indre sur le pont du moulin
Rouge, et j'arrivai dans la bienheureuse toue en face

de Clochegourde où brillait une lumière à la dernière
fenêtre du côté d'Azay. Je retrouvai mes anciennes
contemplations, mais paisibles, mais entremêlées par
les roulades du chantre des nuits amoureuses, et par la
note unique du rossignol des eaux. Il s'éveillait en moi
des idées qui glissaient comme des fantômes en enle-
vant les crêpes qui jusqu'alors m'avaient dérobé mon
bel avenir. L'âme et les sens étaient également charmés.
Avec quelle violence mes désirs montèrent jusqu'à
elle! Combien de fois je me dis comme un insensé
son refrain : — L'aurai-je? Si durant les jours précé-
dents l'univers s'était agrandi pour moi, dans une
seule nuit il eut un centre. A elle, se rattachèrent mes
vouloirs et mes ambitions, je souhaitai d'être tout pour
elle, afin de refaire et de remplir son cœur déchiré.
Belle fut cette nuit passée sous ses fenêtres, au milieu
du murmure des eaux passant à travers les vannes
des moulins, et entrecoupé par la voix des heures
sonnées au clocher de Saché! Pendant cette nuit baignée
de lumière où cette fleur sidérale m'éclaira la vie, je
lui fiançai mon âme avec la foi du pauvre chevalier
castillan de qui nous nous moquons dans Cervantès,
et par laquelle nous commençons l'amour. A la première lueur dans le ciel, au premier cri d'oiseau, je
me sauvai dans le parc de Frapesle; je ne fus aperçu
par aucun homme de la campagne, personne ne soup-
çonna mon escapade, et je dormis jusqu'au moment
où la cloche annonça le déjeuner. Malgré la chaleur,
après le déjeuner, je descendis dans la prairie afin
d'aller revoir l'Indre et ses îles, la vallée et ses coteaux
dont je parus un admirateur passionné; mais avec cette
vélocité de pieds qui défie celle du cheval échappé,
je retrouvai mon bateau, mes saules et mon Clochegourde. Tout y était silencieux et frémissant comme

est la campagne à midi. Les feuillages immobiles se
découpaient nettement sur le fond bleu du ciel; les
insectes qui vivent de lumière, demoiselles vertes,
cantharides, volaient à leurs frênes, à leurs roseaux;
les troupeaux ruminaient à l'ombre, les terres rouges
de la vigne brûlaient, et les couleuvres glissaient le
long des talus. Quel changement dans ce paysage si
frais et si coquet avant mon sommeil! Tout à coup je
sautai hors de la barque et remontai le chemin pour
tourner autour de Clochegourde d'où je croyais avoir
vu sortir le comte. Je ne me trompais point, il allait
le long d'une haie, et gagnait sans doute une
porte donnant sur le chemin d'Azay qui longe la
rivière.

— Comment vous portez-vous ce matin, monsieur
le comte?

Il me regarda d'un air heureux, il ne s'entendait pas
souvent nommer ainsi.

— Bien, dit-il, mais vous aimez donc la campagne,
pour vous promener par cette chaleur.

— Ne m'a-t-on pas envoyé ici pour vivre en plein
air?

— Hé! bien, voulez-vous venir voir couper mes
seigles?

— Mais volontiers, lui dis-je. Je suis, je vous
l'avoue, d'une ignorance incroyable. Je ne distingue
pas le seigle du blé, ni le peuplier du tremble; je ne
sais rien des cultures, ni des différentes manières
d'exploiter une terre.

— Hé! bien, venez, dit-il joyeusement en revenant
sur ses pas. Entrez par la petite porte d'en haut.

Il remonta le long de sa haie en dedans, moi en
dehors.

— Vous n'apprendriez rien chez monsieur de Ches-

sel, me dit-il, il est trop grand seigneur pour s'occuper
d'autre chose que de recevoir les comptes de son régisseur.

Il me montra donc ses cours et ses bâtiments, les
jardins d'agrément, les vergers et les potagers. Enfin,
il me mena vers cette longue allée d'acacias et de
vernis du Japon, bordée par la rivière, où j'aperçus à
l'autre bout, sur un banc, madame de Mortsauf
occupée avec ses deux enfants. Une femme est bien
belle sous ces menus feuillages tremblants et découpés!
Surprise peut-être de mon naïf empressement, elle ne
se dérangea pas, sachant bien que nous irions à elle.
Le comte me fit admirer la vue de la vallée, qui, de
là, présente un aspect tout différent de ceux qu'elle
avait déroulés selon les hauteurs où nous avions passé.
Là, vous eussiez dit d'un petit coin de la Suisse. La
prairie, sillonnée par les ruisseaux qui se jettent dans
l'Indre, se découvre dans sa longueur, et se perd en
lointains vaporeux. Du côté de Montbazon, l'œil aperçoit une immense étendue verte, et sur tous les autres
points se trouve arrêté par des collines, par des masses
d'arbres, par des rochers. Nous allongeâmes le pas
pour aller saluer madame de Mortsauf, qui laissa
tomber tout à coup le livre où lisait Madeleine, et
prit sur ses genoux Jacques en proie à une toux
convulsive.

— Hé! bien, qu'y a-t-il? s'écria le comte en devenant blême.

— Il a mal à la gorge, répondit la mère qui semblait ne pas me voir, ce ne sera rien.

Elle lui tenait à la fois la tête et le dos, et de ses
yeux sortaient deux rayons qui versaient la vie à cette
pauvre faible créature.

— Vous êtes d'une incroyable imprudence, reprit

le comte avec aigreur, vous l'exposez au froid de la rivière et l'asseyez sur un banc de pierre.

— Mais, mon père, le banc brûle, s'écria Madeleine.

— Ils étouffaient là-haut, dit la comtesse.

— Les femmes veulent toujours avoir raison! dit-il en me regardant.

Pour éviter de l'approuver ou de l'improuver par mon regard, je contemplais Jacques qui se plaignait de souffrir dans la gorge, et que sa mère emporta. Avant de nous quitter, elle put entendre son mari.

— Quand on a fait des enfants si mal portants, on devrait savoir les soigner! dit-il.

Paroles profondément injustes; mais son amour-propre le poussait à se justifier aux dépens de sa femme. La comtesse volait en montant les rampes et les perrons. Je la vis disparaissant par la porte-fenêtre. Monsieur de Mortsauf s'était assis sur le banc, la tête inclinée, songeur; ma situation devenait intolérable, il ne me regardait ni ne me parlait. Adieu cette promenade pendant laquelle je comptais me mettre si bien dans son esprit. Je ne me souviens pas d'avoir passé dans ma vie un quart d'heure plus horrible que celui-là. Je suais à grosses gouttes, me disant : « M'en irai-je? ne m'en irai-je pas? » Combien de pensées tristes s'élevèrent en lui pour lui faire oublier d'aller savoir comment se trouvait Jacques! Il se leva brusquement et vint auprès de moi. Nous nous retournâmes pour regarder la riante vallée.

— Nous remettrons à un autre jour notre promenade, monsieur le comte, lui dis-je alors avec douceur.

— Sortons! répondit-il. Je suis malheureusement habitué à voir souvent de semblables crises, moi qui donnerais ma vie sans aucun regret pour conserver celle de cet enfant.

— Jacques va mieux, il dort, mon ami, dit la voix d'or. Madame de Mortsauf se montra soudain au bout de l'allée, elle arriva sans fiel, sans amertume, et me rendit mon salut. Je vois avec plaisir, me dit-elle, que vous aimez Clochegourde.

— Voulez-vous, ma chère, que je monte à cheval et que j'aille chercher monsieur Deslandes? lui dit-il en témoignant le désir de se faire pardonner son injustice.

— Ne vous tourmentez point, dit-elle. Jacques n'a pas dormi cette nuit, voilà tout. Cet enfant est très nerveux, il a fait un vilain rêve, et j'ai passé tout le temps à lui conter des histoires pour le rendormir. Sa toux est purement nerveuse, je l'ai calmée avec une pastille de gomme, et le sommeil l'a gagné.

— Pauvre femme! dit-il en lui prenant la main dans les siennes et lui jetant un regard mouillé, je n'en savais rien.

— A quoi bon vous inquiéter pour des riens? allez à vos seigles. Vous savez! Si vous n'êtes pas là, les métayers laisseront les glaneuses étrangères au bourg entrer dans le champ avant que les gerbes n'en soient enlevées.

— Je vais faire mon premier cours d'agriculture, madame, lui dis-je.

— Vous êtes à bonne école, répondit-elle en montrant le comte de qui la bouche se contracta pour exprimer ce sourire de contentement que l'on nomme familièrement *faire la bouche en cœur*.

Deux mois après seulement, je sus qu'elle avait passé cette nuit en d'horribles anxiétés, elle avait craint que son fils n'eût le croup. Et moi, j'étais dans ce bateau, mollement bercé par des pensées d'amour, imaginant que de sa fenêtre, elle me verrait adorant la lueur de cette bougie qui éclairait alors son front labouré par de mortelles alarmes. Le croup régnait à Tours, et y faisait d'affreux ravages. Quand nous fûmes à la porte, le comte me dit d'une voix émue : — Madame de Mortsauf est un ange! Ce mot me fit chanceler. Je ne connaissais encore que superficiellement cette famille, et le remords si naturel dont est saisie une âme jeune en pareille occasion, me cria : « De quel droit troublerais-tu cette paix profonde? »

Heureux de rencontrer pour auditeur un jeune homme sur lequel il pouvait remporter de faciles triomphes, le comte me parla de l'avenir que le retour des Bourbons préparait à la France. Nous eûmes une conversation vagabonde dans laquelle j'entendis de vrais enfantillages qui me surprirent étrangement. Il ignorait des faits d'une évidence géométrique; il avait peur des gens instruits; les supériorités, il les niait; il se moquait, peut-être avec raison, des progrès; enfin je reconnus en lui une grande quantité de fibres douloureuses qui obligeaient à prendre tant de précautions pour ne le point blesser, qu'une conversation suivie devenait un travail d'esprit. Quand j'eus pour ainsi dire palpé ses défauts, je m'y pliai avec autant de souplesse qu'en mettait la comtesse à les caresser. A une autre époque de ma vie, je l'eusse indubitablement froissé; mais, timide comme un enfant, croyant ne rien savoir, ou croyant que les hommes faits savaient tout, je m'ébahissais des merveilles obtenues à Clochegourde par ce patient agriculteur. J'écoutais ses plans avec admiration. Enfin, flatterie involontaire qui me valut la bienveillance du vieux gentilhomme, j'enviais cette jolie terre, sa position, ce paradis terrestre, en le mettant bien au-dessus de Frapesle.

— Frapesle, lui dis-je, est une massive argenterie, mais Clochegourde est un écrin de pierres précieuses!

Phrase qu'il répéta souvent depuis en citant l'auteur.

— Hé! bien, avant que nous y vinssions, c'était une désolation, disait-il.

J'étais tout oreilles quand il me parlait de ses semis, de ses pépinières. Neuf aux travaux de la campagne, je l'accablais de questions sur les prix des choses, sur les moyens d'exploitation, et il me parut heureux d'avoir à m'apprendre tant de détails.

— Que vous enseigne-t-on donc? me demandait-il avec étonnement.

Dès cette première journée, le comte dit à sa femme en rentrant : — Monsieur Félix est un charmant jeune homme!

Le soir, j'écrivis à ma mère de m'envoyer des habillements et du linge, en lui annonçant que je restais à Frapesle. Ignorant la grande révolution qui s'accomplissait alors, et ne comprenant pas l'influence qu'elle devait exercer sur mes destinées, je croyais retourner à Paris pour y achever mon Droit et l'Ecole ne reprenait ses cours que dans les premiers jours du mois de novembre, j'avais donc deux mois et demi devant moi.

Pendant les premiers moments de mon séjour, je tentai de m'unir intimement au comte, et ce fut un temps d'impressions cruelles. Je découvris en cet homme une irascibilité sans cause, une promptitude d'action dans un cas désespéré, qui m'effrayèrent. Il se rencontrait en lui des retours soudains du gentilhomme si valeureux à l'armée de Condé, quelques éclairs paraboliques de ces volontés qui peuvent, au jour des circonstances graves, trouer la politique à la manière des bombes, et qui, par les hasards de la droiture et du courage, font d'un homme condamné à vivre dans sa gentilhommière un d'Elbée, un Bonchamp, un Charette. Devant certaines suppositions, son nez se contractait,

son front s'éclairait, et ses yeux lançaient une foudre
aussitôt amollie. J'avais peur qu'en surprenant le langage de mes yeux, monsieur de Mortsauf ne me tuât
sans réflexion. A cette époque, j'étais exclusivement
tendre. La volonté, qui modifie si étrangement les
hommes, commençait seulement à poindre en moi. Mes
excessifs désirs m'avaient communiqué ces rapides
ébranlements de la sensibilité qui ressemblent aux
secousses de la peur. La lutte ne me faisait pas
trembler, mais je ne voulais pas perdre la vie sans
avoir goûté le bonheur d'un amour partagé. Les difficultés et mes désirs grandissaient sur deux lignes
parallèles. Comment parler de mes sentiments? J'étais
en proie à de navrantes perplexités. J'attendais un
hasard, j'observais, je me familiarisais avec les enfants
de qui je me fis aimer, je tâchais de m'identifier aux
choses de la maison. Insensiblement le comte se contint
moins avec moi. Je connus donc ses soudains changements d'humeur, ses profondes tristesses sans motif,
ses soulèvements brusques, ses plaintes amères et cas-
santes, sa froideur haineuse, ses mouvements de folie
réprimés, ses gémissements d'enfants, ses cris d'homme
au désespoir, ses colères imprévues. La nature morale
se distingue de la nature physique en ceci, que rien
n'y est absolu : l'intensité des effets est en raison de la
portée des caractères, ou des idées que nous groupons
autour d'un fait. Mon maintien à Clochegourde,
l'avenir de ma vie, dépendaient de cette volonté fantasque. Je ne saurais vous exprimer quelles angoisses
pressaient mon âme, alors aussi facile à s'épanouir
qu'à se contracter, quand en entrant, je me disais :
Comment va-t-il me recevoir? Quelle anxiété de cœur
me brisait alors que tout à coup un orage s'amassait sur
ce front neigeux! C'était un qui-vive continuel. Je

tombai donc sous le despotisme de cet homme. Mes
souffrances me firent deviner celles de madame de
Mortsauf. Nous commençâmes à échanger des regards
d'intelligence, mes larmes coulaient quelquefois quand
elle retenait les siennes. La comtesse et moi, nous
nous éprouvâmes ainsi par la douleur. Combien de
découvertes n'ai-je pas faites durant ces quarante
premiers jours pleins d'amertumes réelles, de joies
tacites, d'espérances tantôt abîmées, tantôt surnageant!
Un soir je la trouvai religieusement pensive devant un
coucher de soleil qui rougissait si voluptueusement les
cimes en laissant voir la vallée comme un lit, qu'il était
impossible de ne pas écouter la voix de cet éternel
Cantique des Cantiques par lequel la nature convie
ses créatures à l'amour. La jeune fille reprenait-elle des
illusions envolées? la femme souffrait-elle de quelque
comparaison secrète? Je crus voir dans sa pose un
abandon profitable aux premiers aveux, et lui dis :
— Il est des journées difficiles!

— Vous avez lu dans mon âme, me dit-elle, mais
comment?

— Nous nous touchons par tant de points! répondis-je. N'appartenons-nous pas au petit nombre de
créatures privilégiées pour la douleur et pour le plaisir,
de qui les qualités sensibles vibrent toutes à l'unisson
en produisant de grands retentissements intérieurs, et
dont la nature nerveuse est en harmonie constante avec
le principe des choses! Mettez-les dans un milieu où
tout est dissonance, ces personnes souffrent horriblement, comme aussi leur plaisir va jusqu'à l'exaltation
quand elles rencontrent les idées, les sensations ou les
êtres qui leur sont sympathiques. Mais il est pour nous
un troisième état dont les malheurs ne sont connus que
des âmes affectées par la même maladie, et chez les-

quelles se rencontrent de fraternelles compréhensions.
Il peut nous arriver de n'être impressionnés ni en bien
ni en mal. Un orgue expressif doué de mouvement
s'exerce alors en nous dans le vide, se passionne sans
objet, rend des sons sans produire de mélodie, jette des
accents qui se perdent dans le silence! espèce de contradiction terrible d'une âme qui se révolte contre l'inuti-
lité du néant. Jeux accablants dans lesquels notre
puissance s'échappe tout entière sans aliment, comme
le sang par une blessure inconnue. La sensibilité coule
à torrents, il en résulte d'horribles affaiblissements,
d'indicibles mélancolies pour lesquelles le confessionnal
n'a pas d'oreilles. N'ai-je pas exprimé nos communes
douleurs?

Elle tressaillit, et, sans cesser de regarder le couchant,
elle me répondit : — Comment si jeune savez-vous ces
choses? Avez-vous donc été femme?

— Ah! lui répondis-je d'une voix émue, mon
enfance a été comme une longue maladie.

— J'entends tousser Madeleine, me dit-elle en me
quittant avec précipitation.

La comtesse me vit assidu chez elle sans en prendre
de l'ombrage, par deux raisons. D'abord elle était pure
comme un enfant, et sa pensée ne se jetait dans aucun
écart. Puis j'amusais le comte, je fus une pâture à ce
lion sans ongles et sans crinière. Enfin, j'avais fini par
trouver une raison de venir qui nous parut plausible
à tous. Je ne savais pas le trictrac, monsieur de Mortsauf me proposa de me l'enseigner, j'acceptai. Dans le
moment où se fit notre accord, la comtesse ne put
s'empêcher de m'adresser un regard de compassion qui
voulait dire : « Mais vous vous jetez dans la gueule
du loup! » Si je n'y compris rien d'abord, le troisième
jour je sus à quoi je m'étais engagé. Ma patience que

rien ne lasse, ce fruit de mon enfance, se mûrit pendant ce temps d'épreuves. Ce fut un bonheur pour le
comte que de se livrer à de cruelles railleries quand je
ne mettais pas en pratique le principe ou la règle qu'il
m'avait expliqué; si je réfléchissais, il se plaignait de
l'ennui que cause un jeu lent; si je jouais vite, il se
fâchait d'être pressé; si je faisais des écoles, il me disait,
en en profitant, que je me dépêchais trop. Ce fut une
tyrannie de magister, un despotisme de férule dont je
ne puis vous donner une idée qu'en me comparant à
Epictète tombé sous le joug d'un enfant méchant.
Quand nous jouâmes de l'argent, ses gains constants lui
causèrent des joies déshonorantes, mesquines. Un mot
de sa femme me consolait de tout, et le rendait promptement au sentiment de la politesse et des convenances.
Bientôt je tombai dans les brasiers d'un supplice im-
prévu. A ce métier, mon argent s'en alla. Quoique le
comte restât toujours entre sa femme et moi jusqu'au
moment où je les quittais, quelquefois fort tard, j'avais
toujours l'espérance de trouver un moment où je me
glisserais dans son cœur; mais pour obtenir cette heure
attendue avec la douloureuse patience du chasseur,
ne fallait-il pas continuer ces taquines parties où mon
âme était constamment déchirée, et qui emportaient
tout mon argent! Combien de fois déjà n'étions-nous
pas demeurés silencieux, occupés à regarder un effet
de soleil dans la prairie, des nuées dans un ciel gris, les
collines vaporeuses, ou les tremblements de la lune
dans les pierreries de la rivière, sans nous dire autre
chose que : — La nuit est belle!

— La nuit est femme, madame.

— Quelle tranquillité!

— Oui, l'on ne peut pas être tout à fait malheureux
ici.

A cette réponse elle revenait à sa tapisserie. J'avais
fini par entendre en elle des remuements d'entrailles
causés par une affection qui voulait sa place. Sans
argent, adieu les soirées. J'avais écrit à ma mère de
m'en envoyer; ma mère me gronda et ne m'en donna
pas pour huit jours. A qui donc en demander? Et il
s'agissait de ma vie! Je retrouvai donc, au sein de mon
premier grand bonheur, les souffrances qui m'avaient
assailli partout; mais à Paris, au collège, à la pension,
j'y avais échappé par une pensive abstinence, mon
malheur avait été négatif; à Frapesle, il devint actif;
je connus alors l'envie du vol, ces crimes rêvés, ces
épouvantables rages qui sillonnent l'âme et que nous
devons étouffer sous peine de perdre notre propre
estime. Les souvenirs des cruelles méditations, des
angoisses que m'imposa la parcimonie de ma mère,
m'ont inspiré pour les jeunes gens la sainte indulgence
de ceux qui, sans avoir failli, sont arrivés sur le bord
de l'abîme comme pour en mesurer la profondeur.
Quoique ma probité, nourrie de sueurs froides, se soit
fortifiée en ces moments où la vie s'entr'ouvre et laisse
voir l'aride gravier de son lit, toutes les fois que la
terrible justice humaine a tiré son glaive sur le cou
d'un homme, je me suis dit : « Les lois pénales ont
été faites par des gens qui n'ont pas connu le malheur. » En cette extrémité, je découvris, dans la bibliothèque de monsieur de Chessel, le traité du trictrac, et
l'étudiai; puis mon hôte voulut bien me donner quelques leçons; moins durement mené, je pus faire des
progrès, appliquer les règles et les calculs que j'appris
par cœur. En peu de jours je fus en état de dompter
mon maître, mais quand je le gagnai, son humeur
devint exécrable; ses yeux étincelèrent comme ceux
des tigres, sa figure se crispa, ses sourcils jouèrent

comme je n'ai vu jouer les sourcils de personne. Ses
plaintes furent celles d'un enfant gâté. Parfois il jetait
les dés, se mettait en fureur, trépignait, mordait son
cornet et me disait des injures. Ces violences eurent
un terme. Quand j'eus acquis un jeu supérieur, je
conduisis la bataille à mon gré; je m'arrangeai pour
qu'à la fin tout fût à peu près égal, en le laissant
gagner durant la première moitié de la partie, et
rétablissant l'équilibre pendant la seconde moitié. La
fin du monde aurait moins surpris le comte que la
rapide supériorité de son écolier; mais il ne la reconnut jamais. Le dénoûment constant de nos parties fut
une pâture nouvelle dont son esprit s'empara.

— Décidément, disait-il, ma pauvre tête se fatigue.
Vous gagnez toujours vers la fin de la partie, parce
qu'alors j'ai perdu mes moyens.

La comtesse, qui savait le jeu, s'aperçut de mon
manège dès la première fois, et devina d'immenses
témoignages d'affection. Ces détails ne peuvent être
appréciés que par ceux à qui les horribles difficultés
du trictrac sont connues. Que ne disait pas cette petite
chose! Mais l'amour, comme le Dieu de Bossuet, met
au-dessus des plus riches victoires le verre d'eau du
pauvre, l'effort du soldat qui périt ignoré. La comtesse
me jeta l'un de ces remercîments muets qui brisent un
cœur jeune : elle m'accorda le regard qu'elle réservait
à ses enfants! Depuis cette bienheureuse soirée, elle
me regarda toujours en me parlant. Je ne saurais expliquer dans quel état je fus en m'en allant. Mon âme
avait absorbé mon corps, je ne pesais pas, je ne marchais point, je volais. Je sentais en moi-même ce
regard, il m'avait inondé de lumière, comme son
adieu, monsieur! avait fait retentir en mon âme les
harmonies que contient l'*O filii, ô filiæ!* de la résur-

rection pascale. Je naissais à une nouvelle vie. J'étais
donc quelque chose pour elle! Je m'endormis en des
langes de pourpre. Des flammes passèrent devant mes
yeux fermés en se poursuivant dans les ténèbres
comme les jolis vermisseaux de feu qui courent les
uns après les autres sur les cendres du papier brûlé.
Dans mes rêves, sa voix devint je ne sais quoi de palpable, une atmosphère qui m'enveloppa de lumière et
de parfums, une mélodie qui me caressa l'esprit. Le
lendemain, son accueil exprima la plénitude des sentiments octroyés, et je fus dès lors initié dans les secrets
de sa voix. Ce jour devait être un des plus marquants
de ma vie. Après le dîner, nous nous promenâmes sur
les hauteurs, nous allâmes dans une lande où rien ne
pouvait venir, le sol en était pierreux, desséché, sans
terre végétale; néanmoins il s'y trouvait quelques
chênes et des buissons pleins de sinelles[1]; mais, au
lieu d'herbes, s'étendait un tapis de mousses fauves,
crépues, allumées par les rayons du soleil couchant,
et sur lequel les pieds glissaient. Je tenais Madeleine
par la main pour la soutenir, et madame de Mortsauf
donnait le bras à Jacques. Le comte, qui allait en
avant, se retourna, frappa la terre avec sa canne, et me
dit avec un accent horrible : — Voilà ma vie! Oh!
mais avant de vous avoir connue, reprit-il en jetant
un regard d'excuse sur sa femme. Réparation tardive,
la comtesse avait pâli. Quelle femme n'aurait pas chancelé comme elle en recevant ce coup?

— Quelles délicieuses odeurs arrivent ici, et les beaux
effets de lumière! m'écriai-je; je voudrais bien avoir
à moi cette lande, j'y trouverais peut-être des trésors
en la sondant; mais la plus certaine richesse serait
votre voisinage. Qui d'ailleurs ne payerait pas cher
une vue si harmonieuse à l'œil, et cette rivière serpen-

tine où l'âme se baigne entre les frênes et les aulnes?
Voyez la différence des goûts? Pour vous, ce coin de
terre est une lande; pour moi, c'est un paradis.

Elle me remercia d'un regard.

— Eglogue! fit-il d'un ton amer, ici n'est pas la vie
d'un homme qui porte votre nom. Puis il s'interrompit
et dit : — Entendez-vous les cloches d'Azay? J'entends
positivement sonner des cloches.

Madame de Mortsauf me regarda d'un air effrayé,
Madeleine me serra la main.

— Voulez-vous que nous rentrions faire un trictrac?
lui dis-je, le bruit des dés vous empêchera d'entendre
celui des cloches.

Nous revînmes à Clochegourde en parlant à bâtons
rompus. Le comte se plaignait de douleurs vives sans
les préciser. Quand nous fûmes au salon, il y eut entre
nous tous une indéfinissable incertitude. Le comte était
plongé dans un fauteuil, absorbé dans une contemplation respectée par sa femme, qui se connaissait aux
symptômes de la maladie et savait en prévoir les accès.
J'imitai son silence. Si elle ne me pria point de m'en
aller, peut-être crut-elle que la partie de trictrac
égaierait le comte et dissiperait ces fatales susceptibi-
lités nerveuses dont les éclats la tuaient. Rien n'était
plus difficile que de faire faire au comte cette partie
de trictrac, dont il avait toujours grande envie. Semblable à une petite-maîtresse, il voulait être prié, forcé,
pour ne pas avoir l'air d'être obligé, peut-être par cela
même qu'il en était ainsi. Si, par suite d'une conversation intéressante, j'oubliais pour un moment mes
salamalek, il devenait maussade, âpre, blessant, et
s'irritait de la conversation en contredisant tout. Averti
par sa mauvaise humeur, je lui proposais une partie;
alors il coquetait : « D'abord il était trop tard, disait-il,

puis je ne m'en souciais pas. » Enfin des simagrées
désordonnées, comme chez les femmes qui finissent
par vous faire ignorer leurs véritables désirs. Je m'hu-
miliais, je le suppliais de m'entretenir dans une
science si facile à oublier faute d'exercice. Cette fois
j'eus besoin d'une gaieté folle pour le décider à jouer.
Il se plaignait d'étourdissements qui l'empêcheraient
de calculer, il avait le crâne serré comme dans un étau,
il entendait des sifflements, il étouffait et poussait des
soupirs énormes. Enfin il consentit à s'attabler. Madame de Mortsauf nous quitta pour coucher ses enfants
et faire dire les prières à sa maison. Tout alla bien
pendant son absence, je m'arrangeai pour que monsieur
de Mortsauf gagnât, et son bonheur le dérida brusquement. Le passage subit d'une tristesse qui lui arrachait
de sinistres prédictions sur lui-même, à cette joie
d'homme ivre, à ce rire fou et presque sans raison,
m'inquiéta, me glaça. Je ne l'avais jamais vu dans un
accès si franchement accusé. Notre connaissance intime
avait porté ses fruits, il ne se gênait plus avec moi.
Chaque jour il essayait de m'envelopper dans sa tyrannie, d'assurer une nouvelle pâture à son humeur, car il
semble vraiment que les maladies morales soient des
créatures qui ont leurs appétits, leurs instincts, et
veulent augmenter l'espace de leur empire comme un
propriétaire veut augmenter son domaine. La comtesse
descendit, et vint près du trictrac pour mieux éclairer
sa tapisserie, mais elle se mit à son métier dans une
appréhension mal déguisée. Un coup funeste, et que je
ne pus empêcher, changea la face du comte : de gaie,
elle devint sombre; de pourpre, elle devint jaune, ses
yeux vacillèrent. Puis arriva un dernier malheur que
je ne pouvais ni prévoir ni réparer. Monsieur de Mortsauf amena pour lui-même un dé foudroyant qui

décida sa ruine. Aussitôt il se leva, jeta la table sur
moi, la lampe à terre, frappa du poing sur la console,
et sauta par le salon, je ne saurais dire qu'il marcha.
Le torrent d'injures, d'imprécations, d'apostrophes, de
phrases incohérentes qui sortit de sa bouche, aurait
fait croire à quelque antique possession, comme au
Moyen Age. Jugez de mon attitude!

— Allez dans le jardin, me dit-elle en me pressant la
main.

Je sortis sans que le comte s'aperçût de ma dispari-
tion. De la terrasse où je me rendis à pas lents, j'entendis les éclats de sa voix et ses gémissements qui
partaient de sa chambre contiguë à la salle à manger.
A travers la tempête, j'entendis aussi la voix de l'ange
qui, par intervalles, s'élevait comme un chant de rossignol au moment où la pluie va cesser. Je me promenais
sous les acacias par la plus belle nuit du mois d'août
finissant, en attendant que la comtesse m'y rejoignît.
Elle allait venir, son geste me l'avait promis. Depuis
quelques jours une explication flottait entre nous, et
semblait devoir éclater au premier mot qui ferait jaillir
la source trop pleine en nos âmes. Quelle honte retar-
dait l'heure de notre parfaite entente? Peut-être
aimait-elle autant que je l'aimais ce tressaillement
semblable aux émotions de la peur, qui meurtrit la
sensibilité, pendant ces moments où l'on retient sa
vie près de déborder, où l'on hésite à dévoiler son
intérieur, en obéissant à la pudeur qui agite les jeunes
filles avant qu'elles ne se montrent à l'époux aimé.
Nous avions agrandi nous-mêmes par nos pensées accu-
mulées cette première confidence devenue nécessaire.
Une heure se passa. J'étais assis sur la balustrade en
briques, quand le retentissement de son pas mêlé au
bruit onduleux de sa robe flottante anima l'air calme

du soir. C'est des sensations auxquelles le cœur ne
suffit pas.

— Monsieur de Mortsauf est maintenant endormi,
me dit-elle. Quand il est ainsi, je lui donne une tasse
d'eau dans laquelle on a fait infuser quelques têtes de
pavots, et les crises sont assez éloignées pour que ce
remède si simple ait toujours la même vertu. Monsieur,
me dit-elle en changeant de ton et prenant sa plus
persuasive inflexion de voix, un hasard malheureux
vous a livré des secrets jusqu'ici soigneusement gardés,
promettez-moi d'ensevelir dans votre cœur le souvenir
de cette scène. Faites-le pour moi, je vous en prie. Je
ne vous demande pas de serment, dites-moi le *oui* de
l'homme d'honneur, je serai contente.

— Ai-je donc besoin de prononcer ce *oui?* lui dis-je.
Ne nous sommes-nous jamais compris?

— Ne jugez point défavorablement monsieur de
Mortsauf en voyant les effets de longues souffrances
endurées pendant l'émigration, reprit-elle. Demain
il ignorera complètement les choses qu'il aura dites,
et vous le trouverez excellent et affectueux.

— Cessez, madame, lui répondis-je, de vouloir justifier le comte, je ferai tout ce que vous voudrez. Je me
jetterais à l'instant dans l'Indre, si je pouvais ainsi renouveler monsieur de Mortsauf et vous rendre à une
vie heureuse. La seule chose que je ne puisse refaire
est mon opinion, rien n'est plus fortement tissu en
moi. Je vous donnerais ma vie, je ne puis vous donner
ma conscience; je puis ne pas l'écouter, mais puis-je
l'empêcher de parler? or, dans mon opinion, monsieur
de Mortsauf est...

— Je vous entends, dit-elle, en m'interrompant avec
une brusquerie insolite, vous avez raison. Le comte est
nerveux comme une petite-maîtresse, reprit-elle pour

adoucir l'idée de la folie en adoucissant le mot, mais il n'est ainsi que par intervalles, une fois au plus par année, lors des grandes chaleurs. Combien de maux a causés l'émigration! Combien de belles existences perdues! Il eût été, j'en suis certaine, un grand homme de guerre, l'honneur de son pays.

— Je le sais, lui dis-je en l'interrompant à mon tour, et lui faisant comprendre qu'il était inutile de me tromper.

Elle s'arrêta, posa l'une de ses mains sur son front, et me dit : — Qui vous a donc ainsi produit dans notre intérieur? Dieu veut-il m'envoyer un secours, une vive amitié qui me soutienne? reprit-elle en appuyant sa main sur la mienne avec force, car vous êtes bon, généreux... Elle leva les yeux vers le ciel, comme pour invoquer un visible témoignage qui lui confirmât ses secrètes espérances, et les reporta sur moi. Electrisé par ce regard qui jetait une âme dans la mienne, j'eus, selon la jurisprudence mondaine, un manque de tact; mais, chez certaines âmes, n'est-ce pas souvent précipitation généreuse au-devant d'un danger, envie de prévenir un choc, crainte d'un malheur qui n'arrive pas, et plus souvent encore n'est-ce pas l'interrogation brusque faite à un cœur, un coup donné pour savoir s'il résonne à l'unisson? Plusieurs pensées s'élevèrent en moi comme des lueurs, et me conseillèrent de laver la tache qui souillait ma candeur, au moment où je prévoyais une complète initiation.

— Avant d'aller plus loin, lui dis-je d'une voix altérée par des palpitations facilement entendues dans le profond silence où nous étions, permettez-moi de purifier un souvenir du passé?

— Taisez-vous, me dit-elle vivement en me mettant sur les lèvres un doigt qu'elle ôta aussitôt. Elle me re-

garda fièrement comme une femme trop haut située
pour que l'injure puisse l'atteindre, et me dit d'une
voix troublée : — Je sais de quoi vous voulez parler. Il
s'agit du premier, du dernier, du seul outrage que
j'aurai reçu! Ne me parlez jamais de ce bal. Si la
chrétienne vous a pardonné, la femme souffre encore.

— Ne soyez pas plus impitoyable que ne l'est Dieu,
lui dis-je en gardant entre mes cils les larmes qui me
vinrent aux yeux.

— Je dois être plus sévère, je suis plus faible, répondit-elle.

— Mais, repris-je avec une manière de révolte enfantine, écoutez-moi, quand ce ne serait que pour la première, la dernière et la seule fois de votre vie.

— Eh! bien, dit-elle, parlez! Autrement, vous croi-
riez que je crains de vous entendre.

Sentant alors que ce moment était unique en notre
vie, je lui dis avec cet accent qui commande l'attention,
que les femmes au bal m'avaient été toutes indifférentes
comme celles que j'avais aperçues jusqu'alors; mais
qu'en la voyant, moi de qui la vie était si studieuse, de
qui l'âme était si peu hardie, j'avais été comme emporté par une frénésie qui ne pouvait être condamnée
que par ceux qui ne l'avaient jamais éprouvée, que
jamais cœur d'homme ne fut si bien empli du désir
auquel ne résiste aucune créature et qui fait tout
vaincre, même la mort...

— Et le mépris? dit-elle en m'arrêtant.

— Vous m'avez donc méprisé? lui demandai-je.

— Ne parlons plus de ces choses, dit-elle.

— Mais parlons-en! lui répondis-je avec une exaltation causée par une douleur surhumaine. Il s'agit de
tout moi-même, de ma vie inconnue, d'un secret que
vous devez connaître; autrement je mourrais de

désespoir! Ne s'agit-il pas aussi de vous, qui, sans le
savoir, avez été la Dame aux mains de laquelle reluit
la couronne promise aux vainqueurs du tournoi?

Je lui contai mon enfance et ma jeunesse, non
comme je vous l'ai dite, en la jugeant à distance; mais
avec les paroles ardentes du jeune homme de qui les
blessures saignaient encore. Ma voix retentit comme
la hache des bûcherons dans une forêt. Devant elle
tombèrent à grand bruit les années mortes, les longues
douleurs qui les avaient hérissées de branches sans
feuillages. Je lui peignis avec des mots enfiévrés une
foule de détails terribles dont je vous ai fait grâce.
J'étalai le trésor de mes vœux brillants, l'or vierge de
mes désirs, tout un cœur brûlant conservé sous les
glaces de ces Alpes entassées par un continuel hiver.
Lorsque, courbé sous le poids de mes souffrances redites
avec les charbons d'Isaïe, j'attendis un mot de cette
femme qui m'écoutait la tête baissée, elle éclaira les
ténèbres par un regard, elle anima les mondes terrestres et divins par un seul mot.

— Nous avons eu la même enfance! dit-elle en me
montrant un visage où reluisait l'auréole des martyrs.
Après une pause où nos âmes se marièrent dans cette
même pensée consolante : Je n'étais donc pas seul à
souffrir! la comtesse me dit de sa voix réservée pour
parler à ses chers petits, comment elle avait eu le tort
d'être une fille quand les fils étaient morts. Elle
m'expliqua les différences que son état de fille sans
cesse attachée aux flancs d'une mère mettait entre ses
douleurs et celles d'un enfant jeté dans le monde des
collèges. Ma solitude avait été comme un paradis,
comparée au contact de la meule, sous laquelle son
âme fut sans cesse meurtrie, jusqu'au jour où sa véritable mère, sa bonne tante, l'avait sauvée en l'arra-

chant à ce supplice dont elle me raconta les renaissantes douleurs. C'était les inexplicables pointilleries
insupportables aux natures nerveuses qui ne reculent
pas devant un coup de poignard et meurent sous l'épée
de Damoclès : tantôt une expansion généreuse arrêtée
par un ordre glacial, tantôt un baiser froidement reçu;
un silence imposé, reproché tour à tour; des larmes
dévorées qui lui restaient sur le cœur; enfin les mille
tyrannies du couvent, cachées aux yeux des étrangers
sous les apparences d'une maternité glorieusement
exaltée. Sa mère tirait vanité d'elle, et la vantait; mais
elle payait cher le lendemain ces flatteries nécessaires
au triomphe de l'institutrice. Quand, à force d'obéissance et de douceur, elle croyait avoir vaincu le cœur
de la mère, et qu'elle s'ouvrait à elle, le tyran reparaissait armé de ces confidences. Un espion n'eût pas
été si lâche ni si traître. Tous ses plaisirs de jeune fille,
ses fêtes lui avaient été chèrement vendues, car elle
était grondée d'avoir été heureuse, comme elle l'eût été
pour une faute. Jamais les enseignements de sa noble
éducation ne lui avaient été donnés avec amour, mais
avec une blessante ironie. Elle n'en voulait point à sa
mère, elle se reprochait seulement de ressentir moins
d'amour que de terreur pour elle. Peut-être, pensait
cet ange, ces sévérités étaient-elles nécessaires? ne
l'avaient-elles pas préparée à sa vie actuelle? En
l'écoutant, il me semblait que la harpe de Job de
laquelle j'avais tiré de sauvages accords, maintenant
maniée par des doigts chrétiens, y répondait en chantant les litanies de la Vierge au pied de la croix.

— Nous vivions dans la même sphère avant de nous
retrouver ici, vous partie de l'orient et moi de l'occident.

Elle agita la tête par un mouvement désespéré :

— A vous l'orient, à moi l'occident, dit-elle. Vous
vivrez heureux, je mourrai de douleur! Les hommes
font eux-mêmes les événements de leur vie, et la
mienne est à jamais fixée. Aucune puissance ne peut
briser cette lourde chaîne à laquelle la femme tient
par un anneau d'or, emblème de la pureté des épouses.

Nous sentant alors jumeaux du même sein, elle ne
conçut point que les confidences se fissent à demi
entre frères abreuvés aux mêmes sources. Après le
soupir naturel aux cœurs purs au moment où ils
l'ouvrent, elle me raconta les premiers jours de son
mariage, ses premières déceptions, tout le *renouveau*
du malheur. Elle avait, comme moi, connu les petits
faits, si grands pour les âmes dont la limpide substance
est ébranlée tout entière au moindre choc, de même
qu'une pierre jetée dans un lac en agite également la
surface et la profondeur. En se mariant, elle possédait
ses épargnes, ce peu d'or qui représente les heures
joyeuses, les mille désirs du jeune âge; en un jour de
détresse, elle l'avait généreusement donné sans dire
que c'était des souvenirs et non des pièces d'or; jamais
son mari ne lui en avait tenu compte, il ne se savait
pas son débiteur! En échange de ce trésor englouti
dans les eaux dormantes de l'oubli, elle n'avait pas
obtenu ce regard mouillé qui solde tout, qui pour les
âmes généreuses est comme un éternel joyau dont les
feux brillent aux jours difficiles. Comme elle avait
marché de douleur en douleur! Monsieur de Mortsauf
oubliait de lui donner l'argent nécessaire à la maison;
il se réveillait d'un rêve quand, après avoir vaincu
toutes ses timidités de femme, elle lui en demandait;
et jamais il ne lui avait une seule fois évité ces cruels
serrements de cœur! Quelle terreur vint la saisir au
moment où la nature maladive de cet homme ruiné

s'était dévoilée! elle avait été brisée par le premier
éclat de ses folles colères. Par combien de réflexions
dures n'avait-elle point passé avant de regarder comme
nul son mari, cette imposante figure qui domine
l'existence d'une femme! De quelles horribles calamités
furent suivies ses deux couches! Quel saisissement à
l'aspect de deux enfants mort-nés? Quel courage pour
se dire : « Je leur soufflerai la vie! je les enfanterai
de nouveau tous les jours! ». Puis quel désespoir de
sentir un obstacle dans le cœur et dans la main d'où
les femmes tirent leurs secours! Elle avait vu cet
immense malheur déroulant ses savanes épineuses à
chaque difficulté vaincue. A la montée de chaque
rocher, elle avait aperçu de nouveaux déserts à franchir, jusqu'au jour où elle eut bien connu son mari,
l'organisation de ses enfants, et le pays où elle devait
vivre; jusqu'au jour où, comme l'enfant arraché par
Napoléon aux tendres soins du logis, elle eut habitué
ses pieds à marcher dans la boue et dans la neige,
accoutumé son front aux boulets, toute sa personne
à la passive obéissance du soldat. Ces choses que je
vous résume, elle me les dit alors dans leur ténébreuse
étendue, avec leur cortège de faits désolants, de batailles conjugales perdues, d'essais infructueux.

— Enfin, me dit-elle en terminant, il faudrait demeurer ici quelques mois pour savoir combien de peines
me coûtent les améliorations de Clochegourde, combien
de patelineries fatigantes pour lui faire vouloir la chose
la plus utile à ses intérêts! Quelle malice d'enfant le
saisit quand une chose due à mes conseils ne réussit
pas tout d'abord! Avec quelle joie il s'attribue le bien!
Quelle patience m'est nécessaire pour toujours entendre des plaintes quand je me tue à lui sarcler ses
heures, à lui embaumer son air, à lui sabler, à lui

fleurir les chemins qu'il a semés de pierres! Ma récompense est ce terrible refrain : « — Je vais mourir, la vie me pèse! » S'il a le bonheur d'avoir du monde chez lui, tout s'efface, il est gracieux et poli. Pourquoi n'est-il pas ainsi pour sa famille? Je ne sais comment expliquer ce manque de loyauté chez un homme parfois vraiment chevaleresque. Il est capable d'aller secrètement à franc étrier me chercher à Paris une parure comme il le fit dernièrement pour le bal de la ville. Avare pour sa maison, il serait prodigue pour moi, si je le voulais. Ce devrait être l'inverse : je n'ai besoin de rien, et sa maison est lourde. Dans le désir de lui rendre la vie heureuse, et sans songer que je serais mère, peut-être l'ai-je habitué à me prendre pour sa victime; moi qui en usant de quelques cajoleries, le mènerais comme un enfant, si je pouvais m'abaisser à jouer un rôle qui me semble infâme! Mais l'intérêt de la maison exige que je sois calme et sévère comme une statue de la Justice, et cependant, moi aussi, j'ai l'âme expansive et tendre!

— Pourquoi, lui dis-je, n'usez-vous pas de cette influence pour vous rendre maîtresse de lui, pour le gouverner?

— S'il ne s'agissait que de moi seule, je ne saurais ni vaincre son silence obtus, opposé pendant des heures entières à des arguments justes, ni répondre à des observations sans logique, de véritables raisons d'enfant. Je n'ai de courage ni contre la faiblesse ni contre l'enfance; elles peuvent me frapper sans que je leur résiste; peut-être opposerais-je la force à la force, mais je suis sans énergie contre ceux que je plains. S'il fallait contraindre Madeleine à quelque chose pour la sauver je mourrais avec elle. La pitié détend toutes mes fibres et mollifie mes nerfs. Aussi les violentes secousses de ces dix années m'ont-elles abattue; maintenant ma sensibilité si souvent attaquée est parfois sans consistance, rien ne la régénère; parfois l'énergie, avec laquelle je supportais les orages, me manque. Oui, parfois je suis vaincue. Faute de repos et de bains de mer où je retremperais mes fibres, je périrai. Monsieur de Mortsauf m'aura tuée et il mourra de ma mort.

— Pourquoi ne quittez-vous pas Clochegourde pour quelques mois? Pourquoi n'iriez-vous pas, accompagnée de vos enfants, au bord de la mer?

— D'abord, monsieur de Mortsauf se croirait perdu si je m'éloignais. Quoiqu'il ne veuille pas croire à sa situation, il en a la conscience. Il se rencontre en lui l'homme et le malade, deux natures différentes dont les contradictions expliquent bien des bizarreries! Puis, il aurait raison de trembler. Tout irait mal ici. Vous avez vu peut-être en moi la mère de famille occupée à protéger ses enfants contre le milan qui plane sur eux. Tâche écrasante, augmentée des soins exigés par monsieur de Mortsauf qui va toujours demandant : — Où est madame? Ce n'est rien. Je suis aussi le précepteur de Jacques, la gouvernante de Madeleine. Ce n'est rien encore! Je suis intendant et régisseur. Vous connaîtrez un jour la portée de mes paroles quand vous saurez que l'exploitation d'une terre est ici la plus fatigante des industries. Nous avons peu de revenus en argent, nos fermes sont cultivées à moitié, système qui veut une surveillance continuelle. Il faut vendre soi-même ses grains, ses bestiaux, ses récoltes de toute nature. Nous avons pour concurrents nos propres fermiers qui s'entendent au cabaret avec les consommateurs, et font les prix après avoir vendu les premiers. Je vous ennuierais si je vous expliquais

les mille difficultés de notre agriculture. Quel que soit
mon dévouement, je ne puis veiller à ce que nos
colons n'amendent pas leurs propres terres avec nos
fumiers; je ne puis, ni aller voir si nos métiviers ne
s'entendent pas avec eux lors du partage des récoltes,
ni savoir le moment opportun pour la vente. Or, si
vous venez à penser au peu de mémoire de monsieur
de Mortsauf, aux peines que vous m'avez vue prendre
pour l'obliger à s'occuper de ses affaires, vous comprendrez la lourdeur de mon fardeau, l'impossibilité
de le déposer un moment. Si je m'absentais, nous
serions ruinés. Personne ne l'écouterait; la plupart du
temps, ses ordres se contredisent; d'ailleurs personne ne
l'aime, il est trop grondeur, il fait trop l'absolu; puis,
comme tous les gens faibles, il écoute trop facilement
ses inférieurs pour inspirer autour de lui l'affection
qui unit les familles. Si je partais, aucun domestique
ne resterait ici huit jours. Vous voyez bien que je suis
attachée à Clochegourde comme ces bouquets de
plomb le sont à nos toits. Je n'ai pas eu d'arrière-
pensée avec vous, monsieur. Toute la contrée ignore
les secrets de Clochegourde, et maintenant vous les
savez. N'en dites rien que de bon et d'obligeant, et
vous aurez mon estime, ma reconnaissance, ajouta-t-elle
encore d'une voix adoucie. A ce prix, vous pouvez
toujours revenir à Clochegourde, vous y trouverez
des cœurs amis.

— Mais, dis-je, moi je n'ai jamais souffert! Vous
seule...

— Non! reprit-elle en laissant échapper ce sourire
des femmes résignées qui fendrait le granit, ne vous
étonnez pas de cette confidence, elle vous montre la
vie comme elle est, et non comme votre imagination
vous l'a fait espérer. Nous avons tous nos défauts et

nos qualités. Si j'eusse épousé quelque prodigue, il
m'aurait ruinée. Si j'eusse été donnée à quelque jeune
homme ardent et voluptueux, il aurait eu des succès,
peut-être n'aurais-je pas su le conserver, il m'aurait
abandonnée, je serais morte de jalousie. Je suis jalouse!
dit-elle avec un accent d'exaltation qui ressemblait
au coup de tonnerre d'un orage qui passe! Hé! bien,
monsieur [1] m'aime autant qu'il peut m'aimer; tout ce
que son cœur enferme d'affection, il le verse à mes
pieds, comme la Madeleine a versé le reste de ses
parfums aux pieds du Sauveur. Croyez-le! une vie
d'amour est une fatale exception à la loi terrestre;
toute fleur périt, les grandes joies ont un lendemain
mauvais, quand elles ont un lendemain. La vie réelle
est une vie d'angoisses : son image est dans cette ortie,
venue au pied de la terrasse, et qui, sans soleil, demeure verte sur sa tige. Ici, comme dans les patries
du nord, il est des sourires dans le ciel, rares il est
vrai, mais qui paient de bien des peines. Enfin les
femmes qui sont exclusivement mères ne s'attachent-
elles pas plus par les sacrifices que par les plaisirs? Ici
j'attire sur moi les orages que je vois prêts à fondre
sur les gens ou sur mes enfants, et j'éprouve en les
détournant je ne sais quel sentiment qui me donne
une force secrète. La résignation de la veille a toujours
préparé celle du lendemain. Dieu ne me laisse d'ailleurs
point sans espoir. Si d'abord la santé de mes enfants
m'a désespérée, aujourd'hui plus ils avancent dans la
vie, mieux ils se portent. Après tout, notre demeure
s'est embellie, la fortune se répare. Qui sait si la vieillesse de monsieur ne sera pas heureuse par moi?
Croyez-le! l'être qui se présente devant le Grand Juge,
une palme verte à la main, lui ramenant consolés
ceux qui maudissaient la vie, cet être a converti ses

douleurs en délices. Si mes souffrances servent au bonheur de la famille, est-ce bien des souffrances?

— Oui, lui dis-je, mais elles étaient nécessaires comme le sont les miennes pour me faire apprécier les saveurs du fruit mûri dans nos roches; maintenant peut-être le goûterons-nous ensemble, peut-être en admirerons-nous les prodiges? ces torrents d'affection dont il inonde les âmes, cette sève qui ranime les feuilles jaunissantes. La vie ne pèse plus alors, elle n'est plus à nous. Mon Dieu! ne m'entendez-vous pas? repris-je en me servant du langage mystique auquel notre éducation religieuse nous avait habitués. Voyez par quelles voies nous avons marché l'un vers l'autre? quel aimant nous a dirigés sur l'océan des eaux amères, vers la source d'eau douce, coulant au pied des monts sur un sable pailleté, entre deux rives vertes et fleuries? N'avons-nous pas, comme les Mages, suivi la même étoile? Nous voici devant la crèche d'où s'éveille un divin enfant qui lancera ses flèches au front des arbres nus, qui nous ranimera le monde par ses cris joyeux, qui par des plaisirs incessants donnera du goût à la vie, rendra aux nuits leur sommeil, aux jours leur allégresse. Qui donc a serré chaque année de nouveaux nœuds entre nous? Ne sommes-nous pas plus que frère et sœur? Ne déliez jamais ce que le ciel a réuni. Les souffrances dont vous parlez étaient le grain répandu à flots par la main du Semeur pour faire éclore la moisson déjà dorée par le plus beau des soleils. Voyez! voyez! N'irons-nous pas ensemble tout cueillir brin à brin? Quelle force en moi, pour que j'ose vous parler ainsi! Répondez-moi donc, ou je ne repasserai pas l'Indre.

— Vous m'avez évité le mot *amour*, dit-elle en m'in-

terrompant d'une voix sévère; mais vous avez parlé
d'un sentiment que j'ignore et qui ne m'est point
permis. Vous êtes un enfant, je vous pardonne encore,
mais pour la dernière fois. Sachez-le, monsieur, mon
cœur est comme enivré de maternité! Je n'aime monsieur de Mortsauf ni par devoir social, ni par calcul
de béatitudes éternelles à gagner; mais par un irrésistible sentiment qui l'attache à toutes les fibres de
mon cœur. Ai-je été violentée à mon mariage? Il fut
décidé par ma sympathie pour les infortunes. N'était-ce
pas aux femmes à réparer les maux du temps, à consoler ceux qui coururent sur la brèche et revinrent
blessés? Que vous dirai-je? j'ai ressenti je ne sais
quel contentement égoïste en voyant que vous m'amu-
siez : n'est-ce pas la maternité pure? Ma confession
ne vous a-t-elle donc pas assez montré les *trois* enfants
auxquels je ne dois jamais faillir, sur lesquels je dois
faire pleuvoir une rosée réparatrice, et faire rayonner
mon âme sans en laisser adultérer la moindre parcelle?
N'aigrissez pas le lait d'une mère! Quoique l'épouse
soit invulnérable en moi, ne me parlez donc plus
ainsi. Si vous ne respectiez pas cette défense si simple,
je vous en préviens, l'entrée de cette maison vous serait
à jamais fermée. Je croyais à de pures amitiés, à des
fraternités volontaires, plus certaines que ne le sont les
fraternités imposées. Erreur! Je voulais un ami qui ne
fût pas un juge, un ami pour m'écouter en ces moments
de faiblesse où la voix qui gronde est une voix meurtrière, un ami saint avec qui je n'eusse rien à craindre.
La jeunesse est noble, sans mensonges, capable de
sacrifices, désintéressée : en voyant votre persistance,
j'ai cru, je l'avoue, à quelque dessein du ciel; j'ai cru
que j'aurais une âme qui serait à moi seule comme un
prêtre est à tous, un cœur où je pourrais épancher

mes douleurs quand elles surabondent, crier quand mes
cris sont irrésistibles et m'étoufferaient si je conti-
nuais à les dévorer. Ainsi mon existence, si précieuse
à ces enfants, aurait pu se prolonger jusqu'au jour
où Jacques serait devenu homme. Mais n'est-ce pas
être trop égoïste? La Laure de Pétrarque peut-elle
se recommencer? Je me suis trompée, Dieu ne le veut
pas. Il faudra mourir à mon poste, comme le soldat
sans ami. Mon confesseur est rude, austère; et... ma
tante n'est plus!

Deux grosses larmes éclairées par un rayon de lune
sortirent de ses yeux, roulèrent sur ses joues, en atteignirent le bas; mais je tendis la main assez à temps
pour les recevoir, et les bus avec une avidité pieuse
qu'excitèrent ces paroles déjà signées par dix ans de
larmes secrètes, de sensibilité dépensée, de soins
constants, d'alarmes perpétuelles, l'héroïsme le plus
élevé de votre sexe! Elle me regarda d'un air doucement stupide.

— Voici, lui dis-je, la première, la sainte communion
de l'amour. Oui, je viens de participer à vos douleurs,
de m'unir à votre âme, comme nous nous unissons
au Christ en buvant sa divine substance. Aimer sans
espoir est encore un bonheur. Ah! quelle femme sur
la terre pourrait me causer une joie aussi grande que
celle d'avoir aspiré ces larmes! J'accepte ce contrat
qui doit se résoudre en souffrances pour moi. Je me
donne à vous sans arrière-pensée, et serai ce que vous
voudrez que je sois.

Elle m'arrêta par un geste, et me dit de sa voix
profonde : — Je consens à ce pacte, si vous voulez ne
jamais presser les liens qui nous attacheront.

— Oui, lui dis-je, mais moins vous m'accorderez, plus
certainement dois-je posséder.

— Vous commencez par une méfiance, répondit-elle
en exprimant la mélancolie du doute.

— Non, mais par une jouissance pure. Ecoutez! je
voudrais de vous un nom qui ne fût à personne,
comme doit être le sentiment que nous nous vouons.

— C'est beaucoup, dit-elle, mais je suis moins petite
que vous ne le croyez. Monsieur de Mortsauf m'appelle
Blanche. Une seule personne au monde, celle que j'ai
le plus aimée, mon adorable tante, me nommait Henriette. Je redeviendrai donc Henriette pour vous.

Je lui pris la main et la baisai. Elle me l'abandonna
dans cette confiance qui rend la femme si supérieure
à nous, confiance qui nous accable. Elle s'appuya sur
la balustrade en briques et regarda l'Indre.

— N'avez-vous pas tort, mon ami, dit-elle, d'aller du
premier bond au bout de la carrière? Vous avez
épuisé, par votre première aspiration, une coupe
offerte avec candeur. Mais un vrai sentiment ne se
partage pas, il doit être entier, ou il n'est pas. Monsieur de Mortsauf, me dit-elle après un moment de
silence, est par-dessus tout loyal et fier. Peut-être
seriez-vous tenté, pour moi, d'oublier ce qu'il a dit;
s'il n'en sait rien, moi demain je l'en instruirai. Soyez
quelque temps sans vous montrer à Clochegourde, il
vous en estimera davantage. Dimanche prochain, au
sortir de l'église, il ira lui-même à vous; je le connais,
il effacera ses torts et vous aimera de l'avoir traité
comme un homme responsable de ses actions et de ses
paroles.

— Cinq jours sans vous voir, sans vous entendre!

— Ne mettez jamais cette chaleur aux paroles que
vous me direz, dit-elle.

Nous fîmes deux fois le tour de la terrasse en silence.
Puis elle me dit d'un ton de commandement qui me

prouvait qu'elle prenait possession de mon âme : — Il est tard, séparons-nous.

Je voulais lui baiser la main, elle hésita, me la rendit, et me dit d'une voix de prière : — Ne la prenez que lorsque je vous la donnerai, laissez-moi mon libre arbitre, sans quoi je serais une chose à vous, et cela ne doit pas être.

— Adieu, lui dis-je.

Je sortis par la petite porte d'en bas qu'elle m'ouvrit. Au moment où elle l'allait fermer, elle la rouvrit, me tendit sa main en me disant : — En vérité, vous avez été bien bon ce soir, vous avez consolé tout mon avenir; prenez, mon ami, prenez!

Je baisai sa main à plusieurs reprises; et quand je levai les yeux, je vis des larmes dans les siens. Elle remonta sur la terrasse et me regarda un moment à travers la prairie. Quand je fus dans le chemin de Frapesle, je vis encore sa robe blanche éclairée par la lune; puis, quelques instants après, une lumière illumina sa chambre.

— O mon Henriette! me dis-je, à toi l'amour le plus pur qui jamais aura brillé sur cette terre!

Je regagnai Frapesle en me retournant à chaque pas. Je sentais en moi je ne sais quel contentement ineffable. Une brillante carrière s'ouvrait enfin au dévouement dont est gros tout jeune cœur, et qui chez moi fut si longtemps une force inerte! Semblable au prêtre qui, par un seul pas, s'est avancé dans une vie nouvelle, j'étais consacré, voué. Un simple *oui, madame!* m'avait engagé à garder pour moi seul en mon cœur un amour irrésistible, à ne jamais abuser de l'amitié pour amener à petits pas cette femme dans l'amour. Tous les sentiments nobles réveillés faisaient entendre en moi-même leurs voix confuses. Avant de me retrou-

ver à l'étroit dans une chambre, je voulus voluptueusement rester sous l'azur ensemencé d'étoiles, entendre
encore en moi-même ces chants de ramier blessé, les
tons simples de cette confidence ingénue, rassembler
dans l'air les effluves de cette âme qui toutes devaient
venir à moi. Combien elle me parut grande, cette
femme, avec son oubli profond du moi, sa religion
pour les êtres blessés, faibles ou souffrants, avec son
dévouement allégé des chaînes légales! Elle était là,
sereine sur son bûcher de sainte et de martyre! J'admirais sa figure qui m'apparut au milieu des ténèbres,
quand soudain je crus deviner un sens à ses paroles,
une mystérieuse signifiance qui me la rendit complètement sublime. Peut-être voulait-elle que je fusse
pour elle ce qu'elle était pour son petit monde? Peut-
être voulait-elle tirer de moi sa force et sa consolation, me mettant ainsi dans sa sphère, sur sa ligne ou
plus haut? Les astres, disent quelques hardis construc-
teurs des mondes, se communiquent ainsi le mouvement et la lumière. Cette pensée m'éleva soudain à
des hauteurs éthérées. Je me retrouvai dans le ciel
de mes anciens songes, et je m'expliquai les peines
de mon enfance par le bonheur immense où je
nageais.

Génies éteints dans les larmes, cœurs méconnus,
saintes Clarisse Harlowe ignorées, enfants désavoués,
proscrits innocents, vous tous qui êtes entrés dans la
vie par ses déserts, vous qui partout avez trouvé les
visages froids, les cœurs fermés, les oreilles closes, ne
vous plaignez jamais! vous seuls pouvez connaître
l'infini de la joie au moment où pour vous un cœur
s'ouvre, une oreille vous écoute, un regard vous
répond. Un seul jour efface les mauvais jours. Les
douleurs, les méditations, les désespoirs, les mélancolies

passées et non pas oubliées sont autant de liens par lesquels l'âme s'attache à l'âme confidente. Belle de nos désirs réprimés, une femme hérite alors des soupirs et des amours perdus, elle nous restitue agrandies toutes les affections trompées, elle explique les chagrins antérieurs comme la soulte exigée par le destin pour les éternelles félicités qu'elle donne au jour des fiançailles de l'âme. Les anges seuls disent le nom nouveau dont il faudrait nommer ce saint amour, de même que vous seuls, chers martyrs, saurez bien ce que madame de Mortsauf était soudain devenue pour moi, pauvre, seul!

Cette scène s'était passée un mardi, j'attendis jusqu'au dimanche sans passer l'Indre dans mes promenades. Pendant ces cinq jours, de grands événements arrivèrent à Clochegourde. Le comte reçut le brevet de maréchal de camp, la croix de Saint-Louis [1], et une pension de quatre mille francs. Le duc de Lenoncourt-Givry, nommé pair de France, recouvra deux forêts, reprit son service à la cour, et sa femme rentra dans ses biens non vendus qui avaient fait partie du domaine de la couronne impériale. La comtesse de Mortsauf devenait ainsi l'une des plus riches héritières du Maine. Sa mère était venue lui apporter cent mille francs économisés sur les revenus de Givry, le montant de sa dot qui n'avait point été payée, et dont le comte ne parlait jamais, malgré sa détresse. Dans les choses de la vie extérieure, la conduite de cet homme attestait le plus fier de tous les désintéressements. En joignant à cette somme ses économies, le comte pouvait acheter deux domaines voisins qui valaient environ neuf mille livres de rente. Son fils devant succéder à la pairie de son grand-père, il pensa tout à coup à lui constituer un majorat qui se composerait de la fortune terri-

toriale des deux familles sans nuire à Madeleine, à
laquelle la faveur du duc de Lenoncourt ferait sans
doute faire un beau mariage. Ces arrangements et ce
bonheur jetèrent quelque baume sur les plaies de
l'émigré. La duchesse de Lenoncourt à Clochegourde
fut un événement dans le pays. Je songeais doulou-
reusement que cette femme était une grande dame, et
j'aperçus alors dans sa fille l'esprit de caste que couvrait à mes yeux la noblesse de ses sentiments. Qu'étais-
je, moi pauvre, sans autre avenir que mon courage
et mes facultés? Je ne pensais aux conséquences de
la restauration, ni pour moi, ni pour les autres. Le
dimanche, de la chapelle réservée où j'étais à l'église
avec monsieur, madame de Chessel et l'abbé de Quélus,
je lançais des regards avides sur une autre chapelle
latérale où se trouvaient la duchesse et sa fille, le
comte et les enfants. Le chapeau de paille qui me
cachait mon idole ne vacilla pas, et cet oubli de moi
sembla m'attacher plus vivement que tout le passé.
Cette grande Henriette de Lenoncourt, qui maintenant était ma chère Henriette, et de qui je voulais fleurir la vie, priait avec ardeur; la foi communiquait à
son attitude je ne sais quoi d'abîmé, de prosterné, une
pose de statue religieuse, qui me pénétra.

Suivant l'habitude des cures de village, les vêpres
devaient se dire quelque temps après la messe. Au
sortir de l'église, madame de Chessel proposa naturellement à ses voisins de passer les deux heures d'attente
à Frapesle, au lieu de traverser deux fois l'Indre et
la prairie par la chaleur. L'offre fut agréée. Monsieur
de Chessel donna le bras à la duchesse, madame de
Chessel accepta celui du comte, je présentai le mien
à la comtesse, et je sentis pour la première fois ce
beau bras frais à mes flancs. Pendant le retour de la

paroisse à Frapesle, trajet qui se faisait à travers les bois de Saché où la lumière filtrée dans les feuillages produisait, sur le sable des allées, ces jolis jours qui ressemblent à des soieries peintes, j'eus des sensations d'orgueil et des idées qui me causèrent de violentes palpitations.

— Qu'avez-vous? me dit-elle après quelques pas faits dans un silence que je n'osais rompre. Votre cœur bat trop vite...

— J'ai appris des événements heureux pour vous, lui dis-je, et comme ceux qui aiment bien, j'ai des craintes vagues. Vos grandeurs ne nuiront-elles point à vos amitiés?

— Moi! dit-elle, fi! Encore une idée semblable, et je ne vous mépriserais pas, je vous aurais oublié pour toujours.

Je la regardai, en proie à une ivresse qui dut être communicative.

— Nous profitons du bénéfice de lois que nous n'avons ni provoquées ni demandées, mais nous ne serons ni mendiants ni avides; et d'ailleurs vous savez bien, reprit-elle, que ni moi ni monsieur de Mortsauf nous ne pouvons sortir de Clochegourde. Par mon conseil il a refusé le commandement auquel il avait droit dans la Maison Rouge [1]. Il nous suffit que mon père ait sa charge! Notre modestie forcée, dit-elle en souriant avec amertume, a déjà bien servi notre enfant. Le roi, près duquel mon père est de service, a dit fort gracieusement qu'il reporterait sur Jacques la faveur dont nous ne voulions pas. L'éducation de Jacques, à laquelle il faut songer, est maintenant l'objet d'une grave discussion; il va représenter deux maisons, les Lenoncourt et les Mortsauf. Je ne puis avoir d'ambition que pour lui, voici donc mes inquiétudes augmentées. Non seulement Jacques doit vivre, mais il doit encore devenir digne de son nom, deux obligations qui se contrarient. Jusqu'à présent j'ai pu suffire à son éducation en mesurant les travaux à ses forces, mais d'abord où trouver un précepteur qui me convienne? puis, plus tard, quel ami me le conservera dans cet horrible Paris où tout est piège pour l'âme et danger pour le corps? Mon ami, me dit-elle d'une voix émue, à voir votre front et vos yeux, qui ne devinerait en vous l'un de ces oiseaux qui doivent habiter les hauteurs? prenez votre élan, soyez un jour le parrain de notre cher enfant. Allez à Paris. Si votre frère et votre père ne vous secondent point, notre famille, ma mère surtout, qui a le génie des affaires, sera certes très influente; profitez de notre crédit! vous ne manquerez alors ni d'appui, ni de secours dans la carrière que vous choisirez! mettez donc le superflu de vos forces dans une noble ambition...

— Je vous entends, lui dis-je en l'interrompant, mon ambition deviendra ma maîtresse. Je n'ai pas besoin de ceci pour être tout à vous. Non, je ne veux pas être récompensé de ma sagesse ici par des faveurs là-bas. J'irai, je grandirai seul, par moi-même. J'accepterais tout de vous; des autres, je ne veux rien.

— Enfantillage! dit-elle en murmurant mais en retenant mal un sourire de contentement.

— D'ailleurs, je me suis voué, lui dis-je. En méditant notre situation, j'ai pensé à m'attacher à vous par des liens qui ne puissent jamais se dénouer.

Elle eut un léger tremblement et s'arrêta pour me regarder.

— Que voulez-vous dire? fit-elle en laissant aller les deux couples qui nous précédaient et gardant ses enfants près d'elle.

— Hé! bien, répondis-je, dites-moi franchement comment vous voulez que je vous aime.

— Aimez-moi comme m'aimait ma tante, de qui je vous ai donné les droits en vous autorisant à m'appeler du nom qu'elle avait choisi pour elle parmi les miens.

— J'aimerai donc sans espérance, avec un dévouement complet. Hé! bien, oui, je ferai pour vous ce que l'homme fait pour Dieu. Ne l'avez-vous pas demandé? Je vais entrer dans un séminaire, j'en sortirai prêtre, et j'élèverai Jacques. Votre Jacques, ce sera comme un autre moi : conceptions politiques, pensée, énergie, patience, je lui donnerai tout. Ainsi, je demeurerai près de vous, sans que mon amour, pris dans la religion comme une image d'argent dans du cristal, puisse être suspecté. Vous n'avez à craindre aucune de ces ardeurs immodérées qui saisissent un homme et par lesquelles une fois déjà je me suis laissé vaincre. Je me consumerai dans la flamme, et vous aimerai d'un amour purifié.

Elle pâlit, et dit à mots pressés : — Félix, ne vous engagez pas en des liens qui, un jour, seraient un obstacle à votre bonheur. Je mourrais de chagrin d'avoir été la cause de ce suicide. Enfant, un désespoir d'amour est-il donc une vocation? Attendez les épreuves de la vie pour juger de la vie; je le veux, je l'ordonne. Ne vous mariez ni avec l'Eglise ni avec une femme, ne vous mariez d'aucune manière, je vous le défends. Restez libre. Vous avez vingt et un ans. A peine savez-vous ce que vous réserve l'avenir. Mon Dieu! vous aurais-je mal jugé? Cependant j'ai cru que deux mois suffisaient à connaître certaines âmes.

— Quel espoir avez-vous? lui dis-je en jetant des éclairs par les yeux.

— Mon ami, acceptez mon aide, élevez-vous, faites fortune, et vous saurez quel est mon espoir. Enfin, dit-elle en paraissant laisser échapper un secret, ne quittez jamais la main de Madeleine que vous tenez en ce moment.

Elle s'était penchée à mon oreille pour me dire ces paroles qui prouvaient combien elle était occupée de mon avenir.

— Madeleine? lui dis-je, jamais!

Ces deux mots nous rejetèrent dans un silence plein d'agitations. Nos âmes étaient en proie à ces bouleversements qui les sillonnent de manière à y laisser d'éternelles empreintes. Nous étions en vue d'une porte en bois par laquelle on entrait dans le parc de Frapesle, et dont il me semble encore voir les deux pilastres ruinés, couverts de plantes grimpantes et de mousses, d'herbes et de ronces. Tout à coup une idée, celle de la mort du comte passa comme une flèche dans ma cervelle, et je lui dis : — Je vous comprends.

— C'est bien heureux, répondit-elle d'un ton qui me fit voir que je lui supposais une pensée qu'elle n'aurait jamais.

Sa pureté m'arracha une larme d'admiration que l'égoïsme de la passion rendit bien amère. En faisant un retour sur moi, je songeai qu'elle ne m'aimait pas assez pour souhaiter sa liberté. Tant que l'amour recule devant un crime, il nous semble avoir des bornes, et l'amour doit être infini. J'eus une horrible contraction de cœur.

— Elle ne m'aime pas, pensais-je.

Pour ne pas laisser lire dans mon âme, j'embrassai Madeleine sur ses cheveux.

— J'ai peur de votre mère, dis-je à la comtesse pour reprendre l'entretien.

— Et moi aussi, répondit-elle en faisant un geste plein d'enfantillage, mais n'oubliez pas de toujours la nommer madame la duchesse et de lui parler à la troisième personne. La jeunesse actuelle a perdu l'habitude de ces formes polies, reprenez-les; faites cela pour moi. D'ailleurs, il est de si bon goût de respecter les femmes, quel que soit leur âge, et de reconnaître les distinctions sociales sans les mettre en question. Les honneurs que vous rendez aux supériorités établies ne sont-ils pas la garantie de ceux qui vous sont dus? Tout est solidaire dans la Société. Le cardinal de la Rovère et Raphaël d'Urbin étaient autrefois deux puissances également révérées. Vous avez sucé dans vos lycées le lait de la Révolution, et vos idées politiques peuvent s'en ressentir, mais en avançant dans la vie, vous apprendrez combien les principes de liberté mal définis sont impuissants à créer le bonheur des peuples. Avant de songer, en ma qualité de Lenoncourt, à ce qu'est ou ce que doit être une aristocratie, mon bon sens de paysanne me dit que les Sociétés n'existent que par la hiérarchie. Vous êtes dans un moment de la vie où il faut choisir bien! Soyez de votre parti. Surtout, ajouta-t-elle en riant, quand il triomphe.

Je fus vivement touché par ces paroles où la profondeur politique se cachait sous la chaleur de l'affection, alliance qui donne aux femmes un si grand pouvoir de séduction; elles savent toutes prêter aux raisonnements les plus aigus les formes du sentiment. Il semblait que, dans son désir de justifier les actions du comte, Henriette eût prévu les réflexions qui devaient sourdre en mon âme au moment où je vis, pour la première fois, les effets de la courtisanerie. Monsieur de Mortsauf, roi dans son castel, entouré de son auréole historique, avait pris à mes yeux des proportions gran-

dioses, et j'avoue que je fus singulièrement étonné de la
distance qu'il mit entre la duchesse et lui, par des manières au moins obséquieuses. L'esclave a sa vanité, il
ne veut obéir qu'au plus grand des despotes; je me
sentais comme humilié de voir l'abaissement de celui
qui me faisait trembler en dominant tout mon amour.
Ce mouvement intérieur me fit comprendre le supplice
des femmes de qui l'âme généreuse est accouplée à celle
d'un homme de qui elles enterrent journellement les
lâchetés. Le respect est une barrière qui protège également le grand et le petit, chacun de son côté peut se
regarder en face. Je fus respectueux avec la duchesse,
à cause de ma jeunesse; mais là où les autres voyaient
une duchesse, je vis la mère de mon Henriette et mis
une sorte de sainteté dans mes hommages. Nous
entrâmes dans la grande cour de Frapesle, où nous
trouvâmes la compagnie. Le comte de Mortsauf me
présenta fort gracieusement à la duchesse, qui m'exa-
mina d'un air froid et réservé. Madame de Lenoncourt
était alors une femme de cinquante-six ans, parfaitement conservée et qui avait de grandes manières. En
voyant ses yeux d'un bleu dur, ses tempes rayées, son
visage maigre et macéré, sa taille imposante et droite,
ses mouvements rares, sa blancheur fauve qui se re-
voyait si éclatante dans sa fille, je reconnus la race
froide d'où procédait ma mère, aussi promptement
qu'un minéralogiste reconnaît le fer de Suède. Son
langage était celui de la vieille cour, elle prononçait les
oit en *ait* et disait *frait* pour *froid, porteux* au lieu de
porteurs. Je ne fus ni courtisan, ni gourmé; je me
conduisis si bien, qu'en allant à vêpres la comtesse mé
dit à l'oreille : — Vous êtes parfait!

Le comte vint à moi, me prit par la main et me dit :
— Nous ne sommes pas fâchés, Félix? Si j'ai eu quel-

ques vivacités, vous les pardonnerez à votre vieux
camarade. Nous allons rester ici probablement à dîner,
et nous vous inviterons pour jeudi, la veille du départ
de la duchesse. Je vais à Tours y terminer quelques
affaires. Ne négligez pas Clochegourde. Ma belle-mère
est une connaissance que je vous engage à cultiver.
Son salon donnera le ton au faubourg Saint-Germain.
Elle a les traditions de la grande compagnie, elle possède une immense instruction, connaît le blason du
premier comme du dernier gentilhomme en Europe.

Le bon goût du comte, peut-être les conseils de son
génie domestique, se montrèrent dans les circonstances
nouvelles où le mettait le triomphe de sa cause. Il n'eut
ni arrogance ni blessante politesse, il fut sans emphase,
et la duchesse fut sans airs protecteurs. Monsieur et
madame de Chessel acceptèrent avec reconnaissance le
dîner du jeudi suivant. Je plus à la duchesse, et ses
regards m'apprirent qu'elle examinait en moi un
homme de qui sa fille avait parlé. Quand nous revînmes de vêpres, elle me questionna sur ma famille
et me demanda si le Vandenesse occupé déjà dans la
diplomatie était mon parent. — Il est mon frère, lui
dis-je. Elle devint alors affectueuse à demi. Elle m'apprit que ma grand'tante, la vieille marquise de Listomère, était une Grandlieu. Ses manières furent polies
comme l'avaient été celles de monsieur de Mortsauf le
jour où il me vit pour la première fois. Son regard
perdit cette expression de hauteur par laquelle les
princes de la terre vous font mesurer la distance qui se
trouve entre eux et vous. Je ne savais presque rien de
ma famille. La duchesse m'apprit que mon grand-oncle,
vieil abbé que je ne connaissais même pas de nom,
faisait partie du conseil privé, mon frère avait reçu de
l'avancement; enfin, par un article de la Charte que

je ne connaissais pas encore, mon père redevenait
marquis de Vandenesse.

— Je ne suis qu'une chose, le serf de Clochegourde,
dis-je tout bas à la comtesse.

Le coup de baguette de la Restauration s'accomplissait avec une rapidité qui stupéfiait les enfants élevés
sous le régime impérial. Cette révolution ne fut rien
pour moi. La moindre parole, le plus simple geste de
madame de Mortsauf étaient les seuls événements auxquels j'attachais de l'importance. J'ignorais ce qu'était
le conseil privé; je ne connaissais rien à la politique ni
aux choses du monde; je n'avais d'autre ambition que
celle d'aimer Henriette, mieux que Pétrarque n'aimait
Laure. Cette insouciance me fit prendre pour un enfant
par la duchesse. Il vint beaucoup de monde à Frapesle,
nous y fûmes trente personnes à dîner. Quel enivrement
pour un jeune homme de voir la femme qu'il aime être
la plus belle entre toutes, devenir l'objet de regards
passionnés, et de se savoir seul à recevoir la lueur de
ses yeux chastement réservée; de connaître assez toutes
les nuances de sa voix pour trouver dans sa parole, en
apparence légère ou moqueuse, les preuves d'une pensée
constante, même quand on se sent au cœur une jalousie
dévorante contre les distractions du monde. Le comte,
heureux des attentions dont il se vit l'objet, fut
presque jeune; sa femme en espéra quelque changement
d'humeur; moi je riais avec Madeleine qui, semblable
aux enfants chez lesquels le corps succombe sous les
étreintes de l'âme, me faisait rire par des observations
étonnantes et pleines d'un esprit moqueur sans mali-
gnité, mais qui n'épargnait personne. Ce fut une belle
journée. Un mot, un espoir né le matin avait rendu
la nature lumineuse; et me voyant si joyeux, Henriette
était joyeuse.

— Ce bonheur à travers sa vie grise et nuageuse lui sembla bien bon, me dit-elle le lendemain.

Le lendemain je passai naturellement la journée à Clochegourde; j'en avais été banni pendant cinq jours, j'avais soif de ma vie, Le comte était parti dès six heures pour aller faire dresser ses contrats d'acquisitions à Tours. Un grave sujet de discorde s'était ému entre la mère et la fille. La duchesse voulait que la comtesse la suivît à Paris, où elle devait obtenir pour elle une charge à la cour, où le comte, en revenant sur son refus, pouvait occuper de hautes fonctions. Henriette, qui passait pour une femme heureuse, ne voulait dévoiler à personne, pas même au cœur d'une mère, ses horribles souffrances, ni trahir l'incapacité de son mari. Pour que sa mère ne pénétrât point le secret de son ménage, elle avait envoyé monsieur de Mortsauf à Tours, où il devait se débattre avec les notaires. Moi seul, comme elle l'avait dit, connaissais les secrets de Clochegourde. Après avoir expérimenté combien l'air pur, le ciel bleu de cette vallée calmaient les irritations de l'esprit ou les amères douleurs de la maladie, et quelle influence l'habitation de Clochegourde exerçait sur la santé de ses enfants, elle opposait des refus motivés que combattait la duchesse, femme envahissante, moins chagrine qu'humiliée du mauvais mariage de sa fille. Henriette aperçut que sa mère s'inquiétait peu de Jacques et de Madeleine, affreuse découverte! Comme toutes les mères habituées à continuer sur la femme mariée le despotisme qu'elles exerçaient sur la jeune fille, la duchesse procédait par des considérations qui n'admettaient point de répliques; elle affectait tantôt une amitié captieuse afin d'arracher un consentement à ses vues, tantôt une amère froideur pour avoir par la crainte ce que la douceur ne lui obtenait

pas; puis, voyant ses efforts inutiles, elle déploya le
même esprit d'ironie que j'avais observé chez ma mère.
En dix jours, Henriette connut tous les déchirements
que causent aux jeunes femmes les révoltes nécessaires
à l'établissement de leur indépendance. Vous qui, pour
votre bonheur, avez la meilleure des mères, vous ne
sauriez comprendre ces choses. Pour avoir une idée de
cette lutte entre une femme sèche, froide, calculée, am-
bitieuse, et sa fille, pleine de cette onctueuse et fraîche
bonté qui ne tarit jamais, il faudrait vous figurer le lys
auquel mon cœur l'a sans cesse comparée, broyé dans
les rouages d'une machine en acier poli. Cette mère
n'avait jamais eu rien de cohérent avec sa fille; elle ne
sut deviner aucune des véritables difficultés qui l'obligeaient à ne pas profiter des avantages de la Restauration, et à continuer sa vie solitaire. Elle crut à quelque amourette entre sa fille et moi. Ce mot, dont elle
se servit pour exprimer ses soupçons, ouvrit entre ces
deux femmes des abîmes que rien ne pouvait combler
désormais. Quoique les familles enterrent soigneusement ces intolérables dissidences, pénétrez-y; vous trouverez dans presque toutes des plaies profondes, incu-
rables, qui diminuent les sentiments naturels : ou c'est
des passions réelles, attendrissantes, que la convenance
des caractères rend éternelles et qui donnent à la mort
un contre-coup dont les noires meurtrissures sont
ineffaçables; ou des haines latentes qui glacent lentement le cœur et sèchent les larmes au jour des adieux
éternels. Tourmentée hier, tourmentée aujourd'hui,
frappée par tous, même par ses deux anges souffrants
qui n'étaient complices ni des maux qu'ils enduraient
ni de ceux qu'ils causaient, comment cette pauvre âme
n'aurait-elle pas aimé celui qui ne la frappait point
et qui voulait l'environner d'une triple haie d'épines,

afin de la défendre des orages, de tout contact, de
toute blessure? Si je souffrais de ces débats, j'en étais
parfois heureux en sentant qu'elle se rejetait dans mon
cœur, car Henriette me confia ses nouvelles peines. Je
pus alors apprécier son calme dans la douleur, et la
patience énergique qu'elle savait déployer. Chaque jour
j'appris mieux le sens de ces mots : — Aimez-moi,
comme m'aimait ma tante.

— Vous n'avez donc point d'ambition? me dit à
dîner la duchesse d'un air dur.

— Madame, lui répondis-je en lui lançant un regard
sérieux, je me sens une force à dompter le monde; mais
je n'ai que vingt et un ans, et je suis tout seul.

Elle regarda sa fille d'un air étonné, elle croyait que,
pour me garder près d'elle, sa fille éteignait en moi
toute ambition. Le séjour que fit la duchesse de Lenoncourt à Clochegourde fut un temps de gêne perpétuelle.
La comtesse me recommandait le décorum, elle
s'effrayait d'une parole doucement dite; et, pour lui
plaire, il fallait endosser le harnais de la dissimulation.
Le grand jeudi vint, ce fut un jour d'ennuyeux céré-
monial, un de ces jours que haïssent les amants habitués aux cajoleries du laisser-aller quotidien, accoutumés
à voir leur chaise à sa place et la maîtresse du logis
toute à eux. L'amour a horreur de tout ce qui n'est
pas lui-même. La duchesse alla jouir des pompes de la
cour, et tout rentra dans l'ordre à Clochegourde.

Ma petite brouille avec le comte avait eu pour
résultat de m'y implanter encore plus avant que par
le passé : j'y pus venir à tout moment sans exciter la
moindre défiance, et les antécédents de ma vie me
portèrent à m'étendre comme une plante grimpante
dans la belle âme où s'ouvrait pour moi le monde
enchanteur des sentiments partagés. A chaque heure,

de moment en moment, notre fraternel mariage, fondé
sur la confiance, devint plus cohérent; nous nous éta-
blissions chacun dans notre position : la comtesse m'enveloppait dans les nourricières protections, dans les
blanches draperies d'un amour tout maternel; tandis
que mon amour, séraphique en sa présence, devenait
loin d'elle mordant et altéré comme un fer rouge; je
l'aimais d'un double amour qui décochait tour à tour
les mille flèches du désir, et les perdait au ciel où elles
se mouraient dans un éther infranchissable. Si vous me
demandez pourquoi, jeune et plein de fougueux vouloirs, je demeurai dans les abusives croyances de
l'amour platonique, je vous avouerai que je n'étais
pas assez homme encore pour tourmenter cette femme,
toujours en crainte de quelque catastrophe chez ses
enfants; toujours attendant un éclat, une orageuse
variation d'humeur chez son mari; frappée par lui,
quand elle n'était pas affligée par la maladie de Jacques
ou de Madeleine; assise au chevet de l'un d'eux quand
son mari calmé pouvait lui laisser prendre un peu de
repos. Le son d'une parole trop vive ébranlait son
être, un désir l'offensait; pour elle, il fallait être
amour voilé, force mêlée de tendresse, enfin tout ce
qu'elle était pour les autres. Puis, vous le dirai-je, à
vous si bien femme, cette situation comportait des
langueurs enchanteresses, des moments de suavité
divine et les contentements qui suivent de tacites
immolations. Sa conscience était contagieuse, son dévouement sans récompense terrestre imposait par sa
persistance; cette vive et secrète piété qui servait de
lien à ses autres vertus, agissait à l'entour comme un
encens spirituel. Puis j'étais jeune! assez jeune pour
concentrer ma nature dans le baiser qu'elle me permettait si rarement de mettre sur sa main dont elle

ne voulut jamais me donner que le dessus et jamais la
paume, limite où pour elle commençaient peut-être les
voluptés sensuelles. Si jamais deux âmes ne s'étrei-
gnirent avec plus d'ardeur, jamais le corps ne fut plus
intrépidement ni plus victorieusement dompté. Enfin,
plus tard, j'ai reconnu la cause de ce bonheur plein. A
mon âge, aucun intérêt ne me distrayait le cœur,
aucune ambition ne traversait le cours de ce sentiment
déchaîné comme un torrent et qui faisait onde de tout
ce qu'il emportait. Oui, plus tard, nous aimons la
femme dans une femme; tandis que de la première
femme aimée, nous aimons tout : ses enfants sont les
nôtres, sa maison est la nôtre, ses intérêts sont nos
intérêts, son malheur est notre plus grand malheur;
nous aimons sa robe et ses meubles; nous sommes plus
fâchés de voir ses blés versés que de savoir notre
argent perdu; nous sommes prêts à gronder le visiteur
qui dérange nos curiosités sur la cheminée. Ce saint
amour nous fait vivre dans un autre, tandis que plus
tard, hélas! nous attirons une autre vie en nous-mêmes,
en demandant à la femme d'enrichir de ses jeunes
sentiments nos facultés appauvries. Je fus bientôt de
la maison, et j'éprouvai pour la première fois une
de ces douceurs infinies qui sont à l'âme tourmentée
ce qu'est un bain pour le corps fatigué; l'âme est alors
rafraîchie sur toutes ses surfaces, caressée dans ses
plis les plus profonds. Vous ne sauriez me comprendre,
vous êtes femmes, et il s'agit ici d'un bonheur que vous
donnez, sans jamais recevoir le pareil. Un homme seul
connaît le friand plaisir d'être, au sein d'une maison
étrangère, le privilégié de la maîtresse, le centre secret
de ses affections: les chiens n'aboient plus après vous,
les domestiques reconnaissent, aussi bien que les chiens,
les insignes cachés que vous portez; les enfants, chez

lesquels rien n'est faussé, qui savent que leur part ne
s'amoindrira jamais, et que vous êtes bienfaisant à la
lumière de leur vie, ces enfants possèdent un esprit
divinateur; ils se font chat pour vous, ils ont de ces
bonnes tyrannies qu'ils réservent aux êtres adorés et
adorants; ils ont des discrétions spirituelles et sont
d'innocents complices; ils viennent à vous sur la pointe
des pieds, vous sourient et s'en vont sans bruit. Pour
vous, tout s'empresse, tout vous aime et vous rit. Les
passions vraies semblent être de belles fleurs qui font
d'autant plus de plaisir à voir que les terrains où elles
se produisent sont plus ingrats. Mais si j'eus les délicieux bénéfices de cette naturalisation dans une famille
où je trouvais des parents selon mon cœur, j'en eus
aussi les charges. Jusqu'alors monsieur de Mortsauf
s'était gêné pour moi; je n'avais vu que les masses de
ses défauts; j'en sentis bientôt l'application dans toute
son étendue, et vis combien la comtesse avait été noblement charitable en me dépeignant ses luttes quoti-
diennes. Je connus alors tous les angles de ce caractère intolérable : j'entendis ces criailleries continuelles
à propos de rien, ces plaintes sur des maux dont aucun
signe n'existait au dehors, ce mécontentement inné qui
déflorait la vie et ce besoin incessant de tyrannie qui
lui aurait fait dévorer chaque année de nouvelles victimes. Quand nous nous promenions le soir, il diri-
geait lui-même la promenade; mais quelle qu'elle fût,
il s'y était toujours ennuyé; de retour au logis, il mettait
sur les autres le fardeau de sa lassitude; sa femme en
avait été la cause en le menant contre son gré là où
elle voulait aller; ne se souvenant plus de nous avoir
conduits, il se plaignait d'être gouverné par elle dans
les moindres détails de la vie, de ne pouvoir garder ni
une volonté ni une pensée à lui, d'être un zéro dans

sa maison. Si ses duretés rencontraient une silencieuse
patience, il se fâchait en sentant une limite à son
pouvoir; il demandait aigrement si la religion n'ordon-
nait pas aux femmes de complaire à leurs maris, s'il
était convenable de mépriser le père de ses enfants. Il
finissait toujours par attaquer chez sa femme une corde
sensible; et quand il l'avait fait résonner, il semblait
goûter un plaisir particulier à ces nullités domina-
trices. Quelquefois il affectait un mutisme morne, un
abattement morbide, qui soudain effrayait sa femme
de laquelle il recevait alors des soins touchants. Semblable à ces enfants gâtés qui exercent leur pouvoir
sans se soucier des alarmes maternelles, il se laissait
dorloter comme Jacques et Madeleine dont il était
jaloux. Enfin, à la longue, je découvris que dans les
plus petites, comme dans les plus grandes circonstances,
le comte agissait envers ses domestiques, ses enfants et
sa femme, comme envers moi au jeu de trictrac. Le
jour où j'embrassai dans leurs racines et dans leurs
rameaux ces difficultés qui, semblables à des lianes,
étouffaient, comprimaient les mouvements et la respiration de cette famille, emmaillottaient de fils légers
mais multipliés la marche du ménage, et retardaient
l'accroissement de la fortune en compliquant les actes
les plus nécessaires, j'eus une admirative épouvante qui
domina mon amour, et le refoula dans mon cœur.
Qu'étais-je, mon Dieu? Les larmes que j'avais bues
engendrèrent en moi comme une ivresse sublime, et je
trouvai du bonheur à épouser les souffrances de cette
femme. Je m'étais plié naguère au despotisme du comte
comme un contrebandier paie ses amendes; désormais,
je m'offris volontairement aux coups du despote, pour être
au plus près d'Henriette. La comtesse me devina, me
laissa prendre une place à ses côtés, et me récompensa

par la permission de partager ses douleurs, comme jadis
l'apostat repenti, jaloux de voler au ciel de conserve
avec ses frères, obtenait la grâce de mourir dans le
cirque.

— Sans vous j'allais succomber à cette vie, me dit
Henriette un soir où le comte avait été, comme les
mouches par un jour de grande chaleur, plus piquant,
plus acerbe, plus changeant qu'à l'ordinaire.

Le comte s'était couché. Nous restâmes, Henriette et
moi, pendant une partie de la soirée, sous nos acacias;
les enfants jouaient autour de nous, baignés dans les
rayons du couchant. Nos paroles rares et purement
exclamatives nous révélaient la mutualité des pensées
par lesquelles nous nous reposions de nos communes
souffrances. Quand les mots manquaient, le silence servait fidèlement nos âmes qui pour ainsi dire entraient
l'une chez l'autre sans obstacle, mais sans y être conviées
par le baiser; savourant toutes deux les charmes d'une
torpeur pensive, elles s'engageaient dans les ondula-
tions d'une même rêverie, se plongeaient ensemble dans
la rivière, en sortaient rafraîchies comme deux nymphes
aussi parfaitement unies que la jalousie le peut désirer,
mais sans aucun lien terrestre. Nous allions dans un
gouffre sans fond, nous revenions à la surface, les
mains vides, en nous demandant par un regard : —
« Aurons-nous un seul jour à nous parmi tant de
jours? » Quand la volupté nous cueille de ces fleurs
nées sans racines, pourquoi la chair murmure-t-elle?
Malgré l'énervante poésie du soir qui donnait aux
briques de la balustrade ces tons orangés, si calmants
et si purs; malgré cette religieuse atmosphère qui nous
communiquait en sons adoucis les cris des deux enfants,
et nous laissait tranquilles, le désir serpenta dans mes
veines comme le signal d'un feu de joie. Après trois

mois, je commençais à ne plus me contenter de la part qui m'était faite, et je caressais doucement la main d'Henriette en essayant de transborder ainsi les riches voluptés qui m'embrasaient. Henriette redevint madame de Mortsauf et me retira sa main; quelques pleurs roulèrent dans mes yeux, elle les vit et me jeta un regard tiède en portant sa main à mes lèvres.

— Sachez donc bien, me dit-elle, que ceci me coûte des larmes! L'amitié qui veut une si grande faveur est bien dangereuse.

J'éclatai, je me répandis en reproches, je parlai de mes souffrances et du peu d'allégement que je demandais pour les supporter. J'osai lui dire qu'à mon âge, si les sens étaient tout âme. l'âme aussi avait un sexe; que je saurais mourir, mais non mourir les lèvres closes. Elle m'imposa silence en me lançant son regard fier, où je crus lire le : *Et moi, suis-je sur des roses?* du Cacique. Peut-être aussi me trompai-je. Depuis le jour où, devant la porte de Frapesle, je lui avais à tort prêté cette pensée qui faisait naître notre bonheur d'une tombe, j'avais honte de tacher son âme par des souhaits empreints de passion brutale. Elle prit la parole; et, d'une lèvre emmiellée, me dit qu'elle ne pouvait pas être tout pour moi, que je devais le savoir. Je compris, au moment où elle disait ces paroles, que, si je lui obéissais, je creuserais des abîmes entre nous deux. Je baissai la tête. Elle continua, disant qu'elle avait la certitude religieuse de pouvoir aimer un frère, sans offenser ni Dieu ni les hommes; qu'il y avait quelque douceur à faire de ce culte une image réelle de l'amour divin, qui, selon son bon Saint-Martin, est la vie du monde. Si je ne pouvais pas être pour elle quelque chose comme son vieux confesseur, moins qu'un amant, mais plus qu'un frère, il fallait ne plus nous voir. Elle saurait mourir en portant à Dieu ce surcroît de souffrances vives, supportées non sans larmes ni déchirements.

— J'ai donné, dit-elle en finissant, plus que je ne devais pour n'avoir plus rien à laisser prendre, et j'en suis déjà punie.

Il fallut la calmer, promettre de ne jamais lui causer une peine, et de l'aimer à vingt ans comme les vieillards aiment leur dernier enfant.

Le lendemain je vins de bonne heure. Elle n'avait plus de fleurs pour les vases de son salon gris. Je m'élançai dans les champs, dans les vignes, et j'y cherchai des fleurs pour lui composer deux bouquets; mais tout en les cueillant une à une, les coupant au pied, les admirant, je pensai que les couleurs et les feuillages avaient une harmonie, une poésie qui se faisait jour dans l'entendement en charmant le regard, comme les phrases musicales réveillent mille souvenirs au fond des cœurs aimants et aimés. Si la couleur est la lumière organisée, ne doit-elle pas avoir un sens comme les combinaisons de l'air ont le leur? Aidé par Jacques et Madeleine, heureux tous trois de conspirer une surprise pour notre chérie, j'entrepris, sur les dernières marches du perron où nous établîmes le quartier général de nos fleurs, deux bouquets par lesquels j'essayai de peindre un sentiment. Figurez-vous une source de fleurs sortant des deux vases par un bouillonnement, retombant en vagues frangées, et du sein de laquelle s'élançaient mes vœux en roses blanches, en lys à la coupe d'argent. Sur cette fraîche étoffe brillaient les bleuets, les myosotis, les vipérines, toutes les fleurs bleues dont les nuances, prises dans le ciel, se marient si bien avec le blanc; n'est-ce pas deux innocences, celle qui ne sait rien et celle qui sait tout, une pensée de l'enfant, une pensée du martyr? L'amour a son blason, et la comtesse le déchiffra secrètement. Elle me jeta l'un de ces regards incisifs qui ressemblent au cri d'un malade touché dans sa plaie : elle était à la fois honteuse et ravie. Quelle récompense dans ce regard! La rendre heureuse, lui rafraîchir le cœur, quel encouragement! J'inventai donc la théorie du père Castel au profit de l'amour, et retrouvai pour elle une science perdue en Europe où les fleurs de l'écritoire remplacent les pages écrites en Orient avec des couleurs embaumées. Quel charme que de faire exprimer ses sensations par ces filles du soleil, les sœurs des fleurs écloses sous les rayons de l'amour! Je m'entendis bientôt avec les productions de la flore champêtre comme un homme que j'ai rencontré plus tard à Grandlieu s'entendait avec les abeilles.

Deux fois par semaine, pendant le reste de mon séjour, à Frapesle, je recommençai le long travail de cette œuvre poétique à l'accomplissement de laquelle étaient nécessaires toutes les variétés des graminées desquelles je fis une étude approfondie, moins en botaniste qu'en poète, étudiant plus leur esprit que leur forme. Pour trouver une fleur là où elle venait, j'allais souvent à d'énormes distances, au bord des eaux, dans les vallons, au sommet des rochers, en pleines landes, butinant des pensées au sein des bois et des bruyères. Dans ces courses, je m'initiai moi-même à des plaisirs inconnus au savant qui vit dans la méditation, à l'agriculteur occupé de spécialités, à l'artisan cloué dans les villes, au commerçant attaché à son comptoir, mais connus de quelques forestiers, de quelques bûcherons, de quelques rêveurs. Il est dans la nature des effets dont les signifiances sont sans bornes, et qui s'élèvent à la hauteur des plus grandes conceptions morales. Soit une bruyère fleurie, couverte des

diamants de la rosée qui la trempe, et dans laquelle se
joue le soleil, immensité parée pour un seul regard qui
s'y jette à propos. Soit un coin de forêt environné de
roches ruineuses, coupé de sables, vêtu de mousses,
garni de genévriers, qui vous saisit par je ne sais quoi
de sauvage, de heurté, d'effrayant, et d'où sort le cri de
l'orfraie. Soit une lande chaude, sans végétation, pier-
reuse, à pans raides, dont les horizons tiennent de ceux
du désert, et où je rencontrais une fleur sublime et
solitaire, une pulsatille au pavillon de soie violette étalé
pour ses étamines d'or; image attendrissante de ma
blanche idole, seule dans sa vallée! Soit de grandes
mares d'eau sur lesquelles la nature jette aussitôt des
taches vertes, espèce de transition entre la plante et
l'animal, où la vie arrive en quelques jours, des plantes
et des insectes flottant là, comme un monde dans
l'éther! Soit encore une chaumière avec son jardin
plein de choux, sa vigne, ses palis, suspendue au-dessus
d'une fondrière, encadrée par quelques maigres champs
de seigle, figure de tant d'humbles existences! Soit une
longue allée de forêt semblable à quelque nef de
cathédrale, où les arbres sont des piliers, où leurs
branches forment les arceaux de la voûte, au bout de
laquelle une clairière lointaine aux jours mélangés
d'ombres ou nuancés par les teintes rouges du couchant point à travers les feuilles et montre comme les
vitraux coloriés d'un chœur plein d'oiseaux qui
chantent. Puis au sortir de ces bois frais et touffus,
une jachère crayeuse où sur des mousses ardentes et
sonores, des couleuvres repues rentrent chez elles
en levant leurs têtes élégantes et fines. Jetez sur ces
tableaux, tantôt des torrents de soleil ruisselant comme
des ondes nourrissantes, tantôt des amas de nuées grises
alignées comme les rides au front d'un vieillard, tantôt

les tons froids d'un ciel faiblement orangé, sillonné de
bandes d'un bleu pâle; puis écoutez : vous entendrez
d'indéfinissables harmonies au milieu d'un silence qui
confond. Pendant les mois de septembre et d'octobre,
je n'ai jamais construit un seul bouquet qui m'ait coûté
moins de trois heures de recherches, tant j'admirais,
avec le suave abandon des poètes, ces fugitives allé-
gories où pour moi se peignaient les phases les plus
contrastantes de la vie humaine, majestueux spectacles
où va maintenant fouiller ma mémoire. Souvent
aujourd'hui je marie à ces grandes scènes le souvenir
de l'âme alors épandue sur la nature. J'y promène
encore la souveraine dont la robe blanche ondoyait
dans les taillis, flottait sur les pelouses, et dont la
pensée s'élevait, comme un fruit promis, de chaque
calice plein d'étamines amoureuses.

Aucune déclaration, nulle preuve de passion insensée
n'eut de contagion plus violente que ces symphonies de
fleurs, où mon désir trompé me faisait déployer les
efforts que Beethoven exprimait avec ses notes; retours
profonds sur lui-même, élans prodigieux vers le ciel.
Madame de Mortsauf n'était plus qu'Henriette à leur
aspect. Elle y revenait sans cesse, elle s'en nourrissait,
elle y reprenait toutes les pensées que j'y avais mises,
quand pour les recevoir, elle relevait la tête de dessus son
métier à tapisserie en disant : — Mon Dieu, que cela
est beau! Vous comprendrez cette délicieuse correspondance par le détail d'un bouquet, comme d'après
un fragment de poésie vous comprendriez Saadi [1]. Avez-
vous senti dans les prairies, au mois de mai, ce parfum
qui communique à tous les êtres l'ivresse de la fécondation, qui fait qu'en bateau vous trempez vos mains
dans l'onde, que vous livrez au vent votre chevelure,
et que vos pensées reverdissent comme les touffes fores-

tières? Une petite herbe, la flouve odorante, est un des
plus puissants principes de cette harmonie voilée. Aussi
personne ne peut-il la garder impunément près de soi.
Mettez dans un bouquet ses lames luisantes et rayées
comme une robe à filets blancs et verts, d'inépuisables
exhalations remueront au fond de votre cœur les roses
en bouton que la pudeur y écrase. Autour du col
évasé de la porcelaine, supposez une forte marge uni-
quement composée des touffes blanches particulières
au sédum des vignes en Touraine; vague image des
formes souhaitées, roulées comme celles d'une esclave
soumise. De cette assise sortent les spirales des liserons
à cloches blanches, les brindilles de la bugrane rose,
mêlées de quelques fougères, de quelques jeunes pousses
de chêne aux feuilles magnifiquement colorées et
lustrées; toutes s'avancent prosternées, humbles comme
des saules pleureurs, timides et suppliantes comme des
prières. Au-dessus, voyez les fibrilles déliées, fleuries,
sans cesse agitées de l'amourette purpurine qui verse à
flots ses anthères presque jaunes; les pyramides neigeuses du paturin des champs et des eaux, la verte
chevelure des bromes stériles, les panaches effilés de
ces agrostis nommés les épis du vent; violâtres espérances dont se couronnent les premiers rêves et qui se
détachent sur le fond gris de lin où la lumière rayonne
autour de ces herbes en fleurs. Mais déjà plus haut,
quelques roses du Bengale clairsemées parmi les folles
dentelles du daucus, les plumes de la linaigrette, les
marabouts de la reine des prés, les ombellules du cer-
feuil sauvage, les blonds cheveux de la clématite en
fruits, les mignons sautoirs de la croisette au blanc de
lait, les corymbes des mille-feuilles, les tiges diffuses
de la fumeterre aux fleurs roses et noires, les vrilles
de la vigne, les brins tortueux des chèvrefeuilles; enfin

tout ce que ces naïves créatures ont de plus échevelé,
de plus déchiré, des flammes et de triples dards, des
feuilles lancéolées, déchiquetées, des tiges tourmentées
comme les désirs entortillés au fond de l'âme. Du sein
de ce prolixe torrent d'amour qui déborde, s'élance
un magnifique double pavot rouge accompagné de ses
glands prêts à s'ouvrir, déployant les flammèches de son
incendie au-dessus des jasmins étoilés et dominant la
pluie incessante du pollen, beau nuage qui papillote
dans l'air en reflétant le jour dans ses mille parcelles
luisantes! Quelle femme enivrée par la senteur
d'Aphrodise cachée dans la flouve, ne comprendra ce
luxe d'idées soumises, cette blanche tendresse troublée
par des mouvements indomptés, et ce rouge désir de
l'amour qui demande un bonheur refusé dans les
luttes cent fois recommencées de la passion contenue,
infatigable, éternelle? Mettez ce discours dans la
lumière d'une croisée, afin d'en montrer les frais
détails, les délicates oppositions, les arabesques, afin
que la souveraine émue y voie une fleur plus épanouie
et d'où tombe une larme; elle sera bien près de s'abandonner, il faudra qu'un ange ou la voix de son enfant
la retienne au bord de l'abîme. Que donne-t-on à Dieu?
des parfums, de la lumière et des chants, les expressions les plus épurées de notre nature. Eh! bien, tout
ce qu'on offre à Dieu n'était-il pas offert à l'amour
dans ce poème de fleurs lumineuses qui bourdonnait
incessamment ses mélodies au cœur, en y caressant des
voluptés cachées, des espérances inavouées, des illusions
qui s'enflamment et s'éteignent comme des fils de la
Vierge par une nuit chaude?

Ces plaisirs neutres nous furent d'un grand secours
pour tromper la nature irritée par les longues contemplations de la personne aimée, par ces regards qui

jouissent en rayonnant jusqu'au fond des formes péné-
trées. Ce fut pour moi, je n'ose dire pour elle, comme
ces fissures par lesquelles jaillissent les eaux contenues
dans un barrage invincible, et qui souvent empêchent
un malheur en faisant une part à la nécessité. L'abstinence a des épuisements mortels que préviennent
quelques miettes tombées une à une de ce ciel qui, de
Dan [1] à Sahara, donne la manne au voyageur. Cependant à l'aspect de ces bouquets, j'ai souvent surpris
Henriette les bras pendants, abîmée en ces rêveries
orageuses pendant lesquelles les pensées gonflent le
sein, animent le front, viennent par vagues, jaillissent
écumeuses, menacent et laissent une lassitude énervante. Jamais depuis je n'ai fait de bouquet pour personne! Quand nous eûmes créé cette langue à notre
usage, nous éprouvâmes un contentement semblable à
celui de l'esclave qui trompe son maître.

Pendant le reste de ce mois, quand j'accourais par
les jardins, je voyais parfois sa figure collée aux vitres;
et quand j'entrais au salon, je la trouvais à son métier.
Si je n'arrivais pas à l'heure convenue sans que jamais
nous l'eussions indiquée, parfois sa forme blanche errait
sur la terrasse : et quand je l'y surprenais, elle me
disait : — Je suis venue au devant de vous. Ne
faut-il pas avoir un peu de coquetterie pour le dernier
enfant?

Les cruelles parties de trictrac avaient été interrom-
pues entre le comte et moi. Ses dernières acquisitions
l'obligeaient à une foule de courses, de reconnaissances,
de vérifications, de bornages et d'arpentages; il était
occupé d'ordres à donner, de travaux champêtres qui
voulaient l'œil du maître, et qui se décidaient entre sa
femme et lui. Nous allâmes souvent, la comtesse et moi,
le retrouver dans les nouveaux domaines avec ses deux

enfants qui durant le chemin couraient après des
insectes, des cerfs-volants, des couturières, et faisaient
aussi leurs bouquets, ou, pour être exact, leurs bottes
de fleurs. Se promener avec la femme qu'on aime, lui
donner le bras, lui choisir son chemin! ces joies illimitées suffisent à une vie. Le discours est alors si
confiant! Nous allions seuls, nous revenions avec le
général, surnom de raillerie douce que nous donnions
au comte quand il était de bonne humeur. Ces deux
manières de faire la route nuançaient notre plaisir
par des oppositions dont le secret n'est connu que des
cœurs gênés dans leur union. Au retour, les mêmes
félicités, un regard, un serrement de main, étaient
entremêlés d'inquiétudes. La parole, si libre pendant
l'aller, avait au retour de mystérieuses significations,
quand l'un de nous trouvait, après quelque intervalle,
une réponse à des interrogations insidieuses, ou qu'une
discussion commencée se continuait sous ces formes
énigmatiques auxquelles se prête si bien notre langue
et que créent ingénieusement les femmes. Qui n'a
goûté le plaisir de s'entendre ainsi comme dans une
sphère inconnue où les esprits se séparent de la foule
et s'unissent en trompant les lois vulgaires? Un jour
j'eus un fol espoir promptement dissipé quand, à une
demande du comte, qui voulait savoir de quoi nous
parlions, Henriette répondit par une phrase à double
sens dont il se paya. Cette innocente raillerie amusa
Madeleine et fit après coup rougir sa mère, qui m'apprit par un regard sévère qu'elle pouvait me retirer son
âme comme elle m'avait naguère retiré sa main, voulant demeurer une irréprochable épouse. Mais cette
union purement spirituelle a tant d'attraits que le
lendemain nous recommençâmes.

Les heures, les journées, les semaines s'enfuyaient

ainsi pleines de félicités renaissantes. Nous arrivâmes
à l'époque des vendanges, qui sont en Touraine de
véritables fêtes. Vers la fin du mois de septembre, le
soleil, moins chaud que durant la moisson, permet de
demeurer aux champs sans avoir à craindre ni le
hâle ni la fatigue. Il est plus facile de cueillir les
grappes que de scier les blés. Les fruits sont tous mûrs.
La moisson est faite, le pain devient moins cher, et
cette abondance rend la vie heureuse. Enfin les craintes
qu'inspirait le résultat des travaux champêtres où
s'enfouit autant d'argent que de sueur, ont disparu
devant la grange pleine et les celliers prêts à s'emplir.
La vendange est alors comme le joyeux dessert du
festin récolté, le ciel y sourit toujours en Touraine, où
les automnes sont magnifiques. Dans ce pays hospita-
lier, les vendangeurs sont nourris au logis. Ces repas
étant les seuls où ces pauvres gens aient, chaque
année, des aliments substantiels et bien préparés, ils y
tiennent comme dans les familles patriarcales les enfants
tiennent aux galas des anniversaires. Aussi courent-ils
en foule dans les maisons où les maîtres les traitent
sans lésinerie. La maison est donc pleine de monde et
de provisions. Les pressoirs sont constamment ouverts.
Il semble que tout soit animé par ce mouvement d'ouvriers tonneliers, de charrettes chargées de filles rieuses,
de gens qui, touchant des salaires meilleurs que pendant le reste de l'année, chantent à tout propos. D'ailleurs, autre cause de plaisirs, les rangs sont confondus :
femmes, enfants, maîtres et gens, tout le monde parti-
cipe à la dive cueillette. Ces diverses circonstances
peuvent expliquer l'hilarité transmise d'âge en âge,
qui se développe en ces derniers beaux jours de l'année
et dont le souvenir inspira jadis à Rabelais la forme
bachique de son grand ouvrage. Jamais les enfants,

Jacques et Madeleine toujours malades, n'avaient été
en vendange; j'étais comme eux, ils eurent je ne sais
quelle joie enfantine de voir leurs émotions partagées;
leur mère avait promis de nous y accompagner. Nous
étions allés à Villaines, où se fabriquent les paniers
du pays, nous en commander de fort jolis; il était
question de vendanger à nous quatre quelques chaînées
réservées à nos ciseaux; mais il était convenu qu'on ne
mangerait pas trop de raisin. Manger dans les vignes
le gros *co*[1] de Touraine paraissait chose si délicieuse,
que l'on dédaignait les plus beaux raisins sur la table.
Jacques me fit jurer de n'aller voir vendanger nulle
part, et de me réserver pour le clos de Clochegourde.
Jamais ces deux petits êtres, habituellement souffrants
et pâles, ne furent plus frais, ni roses, ni aussi agissants
et remuants que durant cette matinée. Ils babillaient
pour babiller, allaient, trottaient, revenaient sans raison apparente; mais, comme les autres enfants, ils
semblaient avoir trop de vie à secouer; monsieur et
madame de Mortsauf ne les avaient jamais vus ainsi.
Je redevins enfant avec eux, plus enfant qu'eux peut-
être, car j'espérais aussi ma récolte. Nous allâmes par
le plus beau temps vers les vignes, et nous y restâmes
une demi-journée. Comme nous nous disputions à qui
trouverait les plus belles grappes, à qui remplirait
plus vite son panier! C'était des allées et venues des
ceps à la mère, il ne se cueillait pas une grappe qu'on
ne la lui montrât. Elle se mit à rire du bon rire plein
de sa jeunesse, quand arrivant près de sa fille, avec mon
panier, je lui dis comme Madeleine : — Et les miens,
maman? Elle me répondit : — Cher enfant, ne
t'échauffe pas trop! Puis me passant la main tour à tour
sur le cou et dans les cheveux, elle me donna un petit
coup sur la joue en ajoutant : — Tu es en nage! Ce

fut la seule fois que j'entendis cette caresse de la voix,
le *tu* des amants. Je regardai les jolies haies couvertes
de fruits rouges, de sinelles et de mûrons; j'écoutai les
cris des enfants, je contemplai la troupe des vendangeuses, la charrette pleine de tonneaux et les hommes
chargés de hottes!... Ah! je gravai tout dans ma mémoire, tout jusqu'au jeune amandier sous lequel elle
se tenait, fraîche, colorée, rieuse, sous son ombrelle
dépliée. Puis je me mis à cueillir des grappes, à remplir mon panier, à l'aller vider dans le tonneau de
vendange avec une application corporelle, silencieuse
et soutenue, par une marche lente et mesurée qui
laissa mon âme libre. Je goûtai l'ineffable plaisir d'un
travail extérieur qui voiture la vie en réglant le cours
de la passion, bien près, sans ce mouvement mécanique,
de tout incendier. Je sus combien le labeur uniforme
contient de sagesse, et je compris les règles monas-
tiques.

Pour la première fois depuis longtemps, le comte
n'eut ni maussaderie, ni cruauté. Son fils si bien portant, le futur duc de Lenoncourt-Mortsauf, blanc et
rose, barbouillé de raisin, lui réjouissait le cœur. Ce
jour étant le dernier de la vendange, le général promit
de faire danser le soir devant Clochegourde en l'honneur
des Bourbons revenus; la fête fut ainsi complète pour
tout le monde. En revenant la comtesse prit mon bras;
elle s'appuya sur moi de manière à faire sentir à mon
cœur tout le poids du sien, mouvement de mère qui
voulait communiquer sa joie, et me dit à l'oreille :
— Vous nous portez bonheur!

Certes, pour moi qui savais ses nuits sans sommeil,
ses alarmes et sa vie antérieure où elle était soutenue
par la main de Dieu, mais où tout était aride et fati-
gant, cette phrase accentuée par sa voix si riche déve-

loppait des plaisirs qu'aucune femme au monde ne
pouvait plus me rendre.

— L'uniformité malheureuse de mes jours est rom-
pue, la vie devient belle avec des espérances, me dit-
elle après une pause. Oh! ne me quittez pas! ne tra-
hissez jamais mes innocentes superstitions! soyez l'aîné
qui devient la providence de ses frères!

Ici, Natalie, rien n'est romanesque : pour y découvrir l'infini des sentiments profonds, il faut dans sa
jeunesse avoir jeté la sonde dans ces grands lacs au
bord desquels on a vécu. Si pour beaucoup d'êtres
les passions ont été des torrents de lave écoulés entre
des rives desséchées, n'est-il pas des âmes où la passion
contenue par d'insurmontables difficultés a rempli d'une
eau pure le cratère du volcan?

Nous eûmes encore une fête semblable. Madame de
Mortsauf voulait habituer ses enfants aux choses de
la vie, et leur donner connaissance des pénibles labeurs
par lesquels s'obtient l'argent; elle leur avait donc
constitué des revenus soumis aux chances de l'agriculture : à Jacques appartenait le produit des noyers,
à Madeleine celui des châtaigniers. A quelques jours
de là, nous eûmes la récolte des marrons et celle des
noix. Aller gauler les marronniers de Madeleine,
entendre tomber les fruits que leur bogue faisait
rebondir sur le velours mat et sec des terrains ingrats
où vient le châtaignier; voir la gravité sérieuse avec
laquelle la petite fille examinait le tas en estimant
leur valeur, qui pour elle représentait les plaisirs
qu'elle se donnait sans contrôle; les félicitations de
Manette la femme de charge, qui seule suppléait la
comtesse auprès de ses enfants; les enseignements que
préparait le spectacle des peines nécessaires pour
recueillir les moindres biens, si souvent mis en péril

par les alternatives du climat, ce fut une scène où les
ingénues félicités de l'enfance paraissaient charmantes
au milieu des teintes graves de l'automne commencé.
Madeleine avait son grenier à elle, où je voulus voir
serrer sa brune chevance, en partageant sa joie. Eh!
bien, je tressaille encore aujourd'hui en me rappelant
le bruit que faisait chaque hottée de marrons, roulant
sur la bourre jaunâtre mêlée de terre qui servait de
plancher. Le comte en prenait pour la maison; les
métiviers, les gens, chacun autour de Clochegourde
procurait des acheteurs à la Mignonne, épithète amie
que dans le pays les paysans accordent volontiers même
à des étrangers, mais qui semblait appartenir exclusivement à Madeleine.

Jacques fut moins heureux pour la cueillette de ses
noyers, il plut pendant quelques jours; mais je le
consolais en lui conseillant de garder ses noix, pour
les vendre un peu plus tard. Monsieur de Chessel
m'avait appris que les noyers ne donnaient rien dans
le Brehémont, ni dans le pays d'Amboise, ni dans
celui de Vouvray. L'huile de noix est de grand usage
en Touraine. Jacques devait trouver au moins quarante
sous de chaque noyer, il en avait deux cents, la somme
était donc considérable! Il voulait s'acheter un équipement pour monter à cheval. Son désir émut une
discussion publique où son père lui fit faire des
réflexions sur l'instabilité des revenus, sur la nécessité
de créer des réserves pour les années où les arbres
seraient inféconds, afin de se procurer un revenu
moyen. Je reconnus l'âme de la comtesse dans son
silence; elle était joyeuse de voir Jacques écoutant son
père, et le père reconquérant un peu de la sainteté
qui lui manquait, grâce à ce sublime mensonge qu'elle
avait préparé. Ne vous ai-je pas dit, en vous peignant

cette femme, que le langage terrestre serait impuissant
à rendre ses traits et son génie! Quand ces sortes de
scènes arrivent, l'âme savoure leurs délices sans les
analyser; mais avec quelle vigueur elles se détachent
plus tard sur le fond ténébreux d'une vie agitée!
pareilles à des diamants, elles brillent serties par des
pensées pleines d'alliage, regrets fondus dans le souvenir des bonheurs évanouis! Pourquoi les noms des
deux domaines récemment achetés, dont monsieur et
madame de Mortsauf s'occupaient tant, la Cassine et
la Rhétorière, m'émeuvent-ils plus que les plus beaux
noms de la Terre-Sainte ou de la Grèce? *Qui aime, le*
die! s'est écrié La Fontaine. Ces noms possèdent les
vertus talismaniques des paroles constellées en usage
dans les évocations, ils m'expliquent la magie, ils
réveillent des figures endormies qui se dressent aussitôt
et me parlent, ils me mettent dans cette heureuse
vallée, ils créent un ciel et des paysages; mais les évocations ne se sont-elles pas toujours passées dans les
régions du monde spirituel? Ne vous étonnez donc pas
de me voir vous entretenant de scènes si familières.
Les moindres détails de cette vie simple et presque
commune ont été comme autant d'attaches faibles en
apparence par lesquelles je me suis étroitement uni à
la comtesse.

Les intérêts de ses enfants causaient à la comtesse
autant de chagrins que lui en donnait leur faible
santé. Je reconnus bientôt la vérité de ce qu'elle
m'avait dit relativement à son rôle secret dans les
affaires de la maison, auxquelles je m'initiai lentement en apprenant sur le pays des détails que doit
savoir l'homme d'Etat. Après dix ans d'efforts, madame
de Mortsauf avait changé la culture de ses terres; elle
les avait *mis en quatre,* expression dont on se sert

dans le pays pour expliquer les résultats de la nouvelle méthode suivant laquelle les cultivateurs ne
sèment de blé que tous les quatre ans, afin de faire
rapporter chaque année un produit à la terre. Pour
vaincre l'obstination des paysans, il avait fallu résilier
des baux, partager ses domaines en quatre grandes
métairies, et les avoir *à moitié*, le cheptel particulier à
la Touraine et aux pays d'alentour. Le propriétaire
donne l'habitation, les bâtiments d'exploitation et les
semences, à des colons de bonne volonté avec lesquels
il partage les frais de culture et les produits. Ce partage est surveillé par un *métivier*, l'homme chargé de
prendre la moitié due au propriétaire, système coû-
teux et compliqué par une comptabilité que varie à
tout moment la nature des partages. La comtesse avait
fait cultiver par monsieur de Mortsauf une cinquième
ferme composée des terres réservées, sises autour de
Clochegourde, autant pour l'occuper que pour démontrer par l'évidence des faits, à ses *fermiers à moitié*,
l'excellence des nouvelles méthodes. Maîtresse de diriger
les cultures, elle avait fait lentement, et avec sa persistance de femme, rebâtir deux de ses métairies sur le
plan des fermes de l'Artois et de la Flandre. Il est aisé
de deviner son dessein. Après l'expiration des baux
à moitié, la comtesse voulait composer deux belles
fermes de ses quatre métairies, et les louer en argent
à des gens actifs et intelligents, afin de simplifier les
revenus de Clochegourde. Craignant de mourir la
première, elle tâchait de laisser au comte des revenus
faciles à percevoir, et à ses enfants des biens qu'aucune
impéritie ne pourrait faire péricliter. En ce moment
les arbres fruitiers plantés depuis dix ans étaient en
plein rapport. Les haies qui garantissaient les domaines
de toute contestation future étaient poussées. Les peu-

pliers, les ormes, tout était bien venu. Avec ses nouvelles acquisitions et en introduisant partout le nouveau système d'exploitation, la terre de Clochegourde,
divisée en quatre grandes fermes, dont deux restaient
à bâtir, était susceptible de rapporter seize mille
francs en écus, à raison de quatre mille francs
par chaque ferme; sans compter le clos de vigne,
ni les deux cents arpents de bois qui les joi-
gnaient, ni la ferme modèle. Les chemins de ses
quatre fermes pouvaient tous aboutir à une grande
avenue qui de Clochegourde irait en droite ligne
s'embrancher sur la route de Chinon. La distance
entre cette avenue et Tours n'étant que de cinq lieues,
les fermiers ne devaient pas lui manquer, surtout au
moment où tout le monde parlait des améliorations
faites par le comte, de ses succès, et de la bonification
de ses terres. Dans chacun des deux domaines achetés, elle voulait faire jeter une quinzaine de mille
francs pour convertir les maisons de maître en deux
grandes fermes, afin de les mieux louer après les avoir
cultivées pendant une année ou deux, en y envoyant
pour régisseur un certain Martineau, le meilleur, le
plus probe de ses métiviers, lequel allait se trouver
sans place; car les baux à moitié de ses quatre métairies finissaient, et le moment de les réunir en deux
fermes et de louer en argent était venu. Ses idées si
simples, mais compliquées de trente et quelque mille
francs à dépenser, étaient en ce moment l'objet de
longues discussions entre elle et le comte; querelles
affreuses, et dans lesquelles elle n'était soutenue que
par l'intérêt de ses deux enfants. Cette pensée : — « Si
je mourais demain, qu'adviendrait-il? » lui donnait des
palpitations. Les âmes douces et paisibles chez lesquelles
la colère est impossible, qui veulent faire régner

autour d'elles leur profonde paix intérieure, savent
seules combien de force est nécessaire pour ces luttes,
quelles abondantes vagues de sang affluent au cœur
avant d'entamer le combat, quelle lassitude s'empare
de l'être quand après avoir lutté rien n'est obtenu. Au
moment où ses enfants étaient moins étiolés, moins
maigres, plus agiles, car la saison des fruits avait
produit ses effets sur eux; au moment où elle les
suivait d'un œil mouillé dans leurs jeux, en éprouvant
un contentement qui renouvelait ses forces en lui
rafraîchissant le cœur, la pauvre femme subissait les
pointilleries injurieuses et les attaques lancinantes d'une
âcre opposition. Le comte, effrayé de ces changements,
en niait les avantages et la possibilité par un entête-
ment compact. A des raisonnements concluants, il
répondait par l'objection d'un enfant qui mettrait en
question l'influence du soleil en été. La comtesse
l'emporta. La victoire du bon sens sur la folie calma
ses plaies, elle oublia ses blessures. Ce jour elle s'alla
promener à la Cassine et à la Rhétorière, afin d'y
décider les constructions. Le comte marchait seul en
avant, les enfants nous séparaient, et nous étions tous
deux en arrière suivant lentement, car elle me parlait
de ce ton doux et bas qui faisait ressembler ses phrases
à des flots menus, murmurés par la mer sur un sable fin.

« Elle était certaine du succès, me disait-elle. Il
allait s'établir une concurrence pour le service de
Tours à Chinon, entreprise par un homme actif, par
un messager, cousin de Manette, qui voulait avoir
une grande ferme sur la route. Sa famille était nom-
breuse : le fils aîné conduirait les voitures, le second
ferait les roulages; le père, placé sur la route, à La
Rabelaye, une des fermes à louer et située au centre,
pourrait veiller au relais et cultiverait bien les terres en

les amendant avec les fumiers que lui donneraient ses
écuries. Quant à la seconde ferme, la Baude, celle qui
se trouvait à deux pas de Clochegourde, un de leurs
quatre colons, homme probe, intelligent, actif et qui
sentait les avantages de la nouvelle culture, offrait
déjà de la prendre à bail. Quant à la Cassine et à la
Rhétorière, ces terres étaient les meilleures du pays;
une fois les fermes bâties et les cultures en pleine
valeur, il suffirait de les afficher à Tours. En deux
ans, Clochegourde vaudrait ainsi vingt-quatre mille
francs de rente environ; la Gravelotte, cette ferme du
Maine, retrouvée par monsieur de Mortsauf, venait
d'être prise à sept mille francs pour neuf ans; la pension
de maréchal de camp était de quatre mille francs; si
ces revenus ne constituaient pas encore une fortune,
ils procuraient une grande aisance; plus tard, d'autres
améliorations lui permettraient peut-être d'aller un
jour à Paris pour y surveiller l'éducation de Jacques,
dans deux ans, quand la santé de l'héritier présomptif
serait affermie. »

Avec quel tremblement elle prononça le mot *Paris!*
J'étais au fond de ce projet, elle voulait se séparer le
moins possible de l'ami. Sur ce mot je m'enflammai,
je lui dis qu'elle ne me connaissait pas; que, sans lui
en parler, j'avais comploté d'achever mon éducation
en travaillant nuit et jour, afin d'être le précepteur de
Jacques; car je ne supporterais pas l'idée de savoir
dans son intérieur un jeune homme. A ces mots, elle
devint sérieuse.

— Non, Félix, dit-elle, cela ne sera pas plus que
votre prêtrise. Si vous avez par un seul mot atteint la
mère jusqu'au fond de son cœur, la femme vous aime
trop sincèrement pour vous laisser devenir victime
de votre attachement. Une déconsidération sans re-

mède serait le loyer de ce dévouement, et je n'y pourrais rien. Oh! non, que je ne vous sois funeste en rien! Vous, vicomte de Vandenesse, précepteur? Vous! dont la noble devise est : *Ne se vend!* Fussiez-vous un Richelieu, vous vous seriez à jamais barré la vie. Vous causeriez les plus grands chagrins à votre famille. Mon ami, vous ne savez pas ce qu'une femme comme ma mère sait mettre d'impertinence dans un regard protecteur, d'abaissement dans une parole, de mépris dans un salut.

— Et si vous m'aimez, que me fait le monde?

Elle feignit de ne pas avoir entendu, et dit en continuant : — Quoique mon père soit excellent et disposé à m'accorder ce que je lui demande, il ne vous pardonnerait pas de vous être mal placé dans le monde et se refuserait à vous y protéger. Je ne voudrais pas vous voir précepteur du Dauphin! Acceptez la société comme elle est, ne commettez point de fautes dans la vie. Mon ami, cette proposition insensée de...

— D'amour, lui dis-je à voix basse.

— Non, de charité, dit-elle en retenant ses larmes, cette pensée folle m'éclaire sur votre caractère : votre cœur vous nuira. Je réclame, dès ce moment, le droit de vous apprendre certaines choses; laissez à mes yeux de femme le soin de voir quelquefois pour vous. Oui, du fond de mon Clochegourde, je veux assister, muette et ravie, à vos succès. Quant au précepteur, eh! bien, soyez tranquille, nous trouverons un bon vieil abbé, quelque ancien savant jésuite, et mon père sacrifiera volontiers une somme pour l'éducation de l'enfant qui doit porter son nom. Jacques est mon orgueil. Il a pourtant onze ans, dit-elle, après une pause. Mais il en est de lui comme de vous : en vous voyant, je vous avais donné treize ans.

Nous étions arrivés à la Cassine où Jacques, Madeleine et moi nous la suivions comme des petits suivent leur mère; mais nous la gênions, je la laissai pour un moment et m'en allai dans le verger où Martineau l'aîné, son garde, examinait de compagnie avec Martineau cadet, le métivier, si les arbres devaient être ou non abattus; ils discutaient ce point comme s'il s'agissait de leurs propres biens. Je vis alors combien la comtesse était aimée. J'exprimai mon idée à un pauvre journalier qui, le pied sur sa bêche et le coude posé sur le manche, écoutait les deux docteurs en Pomologie.

— Ah! oui, monsieur, me répondit-il, c'est une bonne femme, et pas fière, comme toutes ces guenons d'Azay qui nous verraient crever comme des chiens plutôt que de nous céder un sou sur une toise de fossé! Le jour où cette femme quittera le pays, la sainte Vierge en pleurera, et nous aussi. Elle sait ce qui lui est dû; mais elle connait nos peines, et y a égard.

Avec quel plaisir je donnai tout mon argent à cet homme!

Quelques jours après, il vint un poney pour Jacques, que son père, excellent cavalier, voulait plier lentement aux fatigues de l'équitation. L'enfant eut un joli habillement de cavalier, acheté sur le produit des noyers. Le matin où il prit la première leçon, accompagné de son père, aux cris de Madeleine étonnée qui sautait sur le gazon autour duquel courait Jacques, ce fut pour la comtesse la première grande fête de sa maternité. Jacques avait une collerette brodée par sa mère, une petite redingote en drap bleu de ciel serrée par une ceinture de cuir verni, un pantalon blanc à plis et une toque écossaise d'où ses cheveux cendrés s'échappaient en grosses boucles : il était ravissant à voir. Aussi tous les gens de la maison se groupèrent-

ils en partageant cette félicité domestique. Le jeune
héritier souriait à sa mère en passant, et se tenait
sans peur. Ce premier acte d'homme chez cet enfant
de qui la mort parut si souvent prochaine, l'espérance
d'un bel avenir, garanti par cette promenade qui le
lui montrait si beau, si joli, si frais, quelle délicieuse
récompense! la joie du père, qui redevenait jeune
et souriait pour la première fois depuis longtemps, le
bonheur peint dans les yeux de tous les gens de la
maison, le cri d'un vieux piqueur de Lenoncourt qui
revenait de Tours, et qui, voyant la manière dont
l'enfant tenait la bride, lui dit : — « Bravo, monsieur
le vicomte! » c'en fut trop, madame de Mortsauf
fondit en larmes. Elle, si calme dans ses douleurs, se
trouva faible pour supporter la joie en admirant son
enfant chevauchant sur ce sable où souvent elle l'avait
pleuré par avance, en le promenant au soleil. En ce
moment elle s'appuya sur mon bras, sans remords, et
me dit : — Je crois n'avoir jamais souffert. Ne nous
quittez pas aujourd'hui.

La leçon finie, Jacques se jeta dans les bras de sa
mère qui le reçut et le garda sur elle avec la force
que prête l'excès des voluptés, et ce fut des baisers,
des caresses sans fin. J'allai faire avec Madeleine deux
bouquets magnifiques pour en décorer la table en
l'honneur du cavalier. Quand nous revînmes au salon,
la comtesse me dit : — Le quinze octobre sera certes
un grand jour! Jacques a pris sa première leçon
d'équitation, et je viens de faire le dernier point de
mon meuble.

— Hé! bien, Blanche, dit le comte en riant, je
veux vous le payer.

Il lui offrit le bras, et l'amena dans la première
cour où elle vit une calèche que son père lui donnait,

et pour laquelle le comte avait acheté deux chevaux
en Angleterre, amenés avec ceux du duc de Lenoncourt. Le vieux piqueur avait tout préparé dans la
première cour pendant la leçon. Nous étrennâmes la
voiture, en allant voir le tracé de l'avenue qui devait
mener en droite ligne de Clochegourde à la route de
Chinon, et que les récentes acquisitions permettaient
de faire à travers les nouveaux domaines. En revenant,
la comtesse me dit d'un air plein de mélancolie :
— Je suis trop heureuse, pour moi le bonheur est
comme une maladie, il m'accable, et j'ai peur qu'il ne
s'efface comme un rêve.

J'aimais trop passionnément pour ne pas être jaloux,
et je ne pouvais lui rien donner, moi! Dans ma rage,
je cherchais un moyen de mourir pour elle. Elle me
demanda quelles pensées voilaient mes yeux, je les lui
dis naïvement, elle en fut plus touchée que de tous
les présents, et jeta du baume dans mon cœur quand,
après m'avoir emmené sur le perron, elle me dit à
l'oreille : — Aimez-moi comme m'aimait ma tante,
ne sera-ce pas me donner votre vie? et si je la prends
ainsi, n'est-ce pas me faire votre obligée à toute
heure?

— Il était temps de finir ma tapisserie, reprit-elle
en rentrant dans le salon où je lui baisai la main
comme pour renouveler mes serments. Vous ne savez
peut-être pas, Félix, pourquoi je me suis imposé ce
long ouvrage? Les hommes trouvent dans les occupations de leur vie des ressources contre les chagrins, le
mouvement des affaires les distrait; mais nous autres
femmes, nous n'avons dans l'âme aucun point d'appui
contre nos douleurs. Afin de pouvoir sourire à mes
enfants et à mon mari quand j'étais en proie à de
tristes images, j'ai senti le besoin de régulariser la

souffrance par un mouvement physique. J'évitais ainsi les atonies qui suivent les grandes dépenses de force, aussi bien que les éclairs de l'exaltation. L'action de lever le bras en temps égaux berçait ma pensée et communiquait à mon âme, où grondait l'orage, la paix du flux et du reflux en réglant ainsi ses émotions. Chaque point avait la confidence de mes secrets, comprenez-vous? Hé! bien, en faisant mon dernier fauteuil, je pensais trop à vous! oui, beaucoup trop, mon ami. Ce que vous mettez dans vos bouquets, moi je le disais à mes dessins.

Le dîner fut gai. Jacques, comme tous les enfants dont on s'occupe, me sauta au cou, en voyant les fleurs que je lui avais cueillies en guise de couronne. Sa mère affecta de me bouder à cause de cette infidélité; ce bouquet jalousé, avec quelle grâce, vous le savez! le cher enfant le lui offrit. Le soir, nous fîmes tous trois un tric trac, moi seul contre monsieur et madame de Mortsauf, et le comte fut charmant. Enfin, à la tombée du jour, ils me reconduisirent jusqu'au chemin de Frapesle, par une de ces tranquilles soirées dont les harmonies font gagner en profondeur aux sentiments ce qu'ils perdent en vivacité. Ce fut une journée unique en la vie de cette pauvre femme, un point brillant que vint souvent caresser son souvenir aux heures difficiles. En effet, les leçons d'équitation devinrent bientôt un sujet de discorde. La comtesse craignit avec raison les dures apostrophes du père pour le fils. Jacques maigrissait déjà, ses beaux yeux bleus se cernaient; pour ne pas causer de chagrin à sa mère, il aimait mieux souffrir en silence. Je trouvai un remède à ses maux en lui conseillant de dire à son père qu'il était fatigué, quand le comte se mettrait en colère; mais ces palliatifs furent insuffisants; il fallut

substituer le vieux piqueur au père qui ne se laissa
pas arracher son écolier sans des tiraillements. Les
criailleries et les discussions revinrent; le comte trouva
des textes à ses plaintes continuelles dans le peu de
reconnaissance des femmes; il jeta vingt fois par jour
la calèche, les chevaux et les livrées au nez de sa
femme. Enfin il arriva l'un de ces événements auxquels
les caractères de ce genre et les maladies de cette
espèce aiment à se prendre : la dépense dépassa de
moitié les prévisions à la Cassine et à la Rhétorière, où
des murs et des planchers mauvais s'écroulèrent. Un
ouvrier vint maladroitement annoncer cette nouvelle
à monsieur de Mortsauf, au lieu de la dire à la comtesse. Ce fut l'objet d'une querelle commencée doucement, mais qui s'envenima par degrés, et où l'hypocondrie du comte, apaisée depuis quelques jours,
demanda ses arrérages à la pauvre Henriette.

Ce jour-là, j'étais parti de Frapesle à dix heures et
demie, après le déjeuner, pour venir faire à Clochegourde un bouquet avec Madeleine. L'enfant m'avait
apporté sur la balustrade de la terrasse les deux vases,
et j'allais des jardins aux environs, courant après les
fleurs d'automne, si belles, si rares. En revenant
de ma dernière course, je ne vis plus mon petit lieu-
tenant à ceinture rose, à pèlerine dentelée, et j'entendis
des cris à Clochegourde.

— Le général, me dit Madeleine en pleurs, et chez
elle ce mot était un mot de haine contre son père, le
général gronde notre mère, allez donc la défendre.

Je volai par les escaliers et j'arrivai dans le salon
sans être aperçu ni salué par le comte ni par sa femme.
En entendant les cris aigus du fou, j'allai fermer toutes
les portes, puis je revins, j'avais vu Henriette aussi
blanche que sa robe.

— Ne vous mariez jamais, Félix, me dit le comte;
une femme est conseillée par le diable; la plus vertueuse inventerait le mal s'il n'existait pas, toutes
sont des bêtes brutes.

J'entendis alors des raisonnements sans commencement ni fin. Se prévalant de ses négations antérieures,
monsieur de Mortsauf répéta les niaiseries des paysans
qui se refusaient aux nouvelles méthodes. Il prétendit
que s'il avait dirigé Clochegourde, il serait deux fois
plus riche qu'il ne l'était. En formulant ces blasphèmes
violemment et injurieusement, il jurait, il sautait d'un
meuble à l'autre, il les déplaçait et les cognait; puis au
milieu d'une phrase il s'interrompait pour parler de sa
moelle qui le brûlait, ou de sa cervelle qui s'échappait
à flots, comme son argent. Sa femme le ruinait. Le
malheureux, des trente et quelques mille livres de
rentes qu'il possédait, elle lui en avait apporté déjà
plus de vingt. Les biens du duc et ceux de la duchesse
valaient plus de cinquante mille francs de rente,
réservés à Jacques. La comtesse souriait superbement
et regardait le ciel.

— Oui, s'écria-t-il, Blanche, vous êtes mon bourreau,
vous m'assassinez; je vous pèse; tu veux te débarrasser
de moi, tu es un monstre d'hypocrisie. Elle rit! Savez-
vous pourquoi elle rit, Félix?

Je gardai le silence et baissai la tête.

— Cette femme, reprit-il en faisant la réponse à sa
demande, elle me sèvre de tout bonheur, elle est
autant à moi qu'à vous, et prétend être ma femme!
Elle porte mon nom et ne remplit aucun des devoirs
que les lois divines et humaines lui imposent, elle
ment ainsi aux hommes et à Dieu. Elle m'excède de
courses et me lasse pour que je la laisse seule; je lui
déplais, elle me hait, et met tout son art à rester

jeune fille; elle me rend fou par les privations qu'elle
me cause, car tout se porte alors à ma pauvre tête; elle
me tue à petit feu, et se croit une sainte, ça communie
tous les mois.

La comtesse pleurait en ce moment à chaudes larmes,
humiliée par l'abaissement de cet homme auquel elle
disait pour toute réponse : — Monsieur! monsieur!
monsieur!

Quoique les paroles du comte m'eussent fait rougir
pour lui comme pour Henriette, elles me remuèrent
violemment le cœur, car elles répondaient aux sentiments de chasteté, de délicatesse qui sont pour ainsi
dire l'étoffe des premières amours.

— Elle est vierge à mes dépens, disait le comte.

A ce mot, la comtesse s'écria : — Monsieur!

— Qu'est-ce que c'est, dit-il, que votre monsieur
impérieux? ne suis-je pas le maître? faut-il enfin vous
l'apprendre?

Il s'avança sur elle en lui présentant sa tête de
loup blanc devenue hideuse, car ses yeux jaunes
eurent une expression qui le fit ressembler à une bête
affamée sortant d'un bois. Henriette se coula de son
fauteuil à terre pour recevoir le coup qui n'arriva
pas; elle s'était étendue sur le parquet en perdant
connaissance, toute brisée. Le comte fut comme un
meurtrier qui sent rejaillir à son visage le sang de sa
victime, il resta tout hébété. Je pris la pauvre femme
dans mes bras, le comte me la laissa prendre comme s'il
se fût trouvé indigne de la porter; mais il alla devant
moi pour m'ouvrir la porte de la chambre contiguë
au salon, chambre sacrée où je n'étais jamais entré.
Je mis la comtesse debout, et la tins un moment dans
un bras, en passant l'autre autour de sa taille, pendant
que monsieur de Mortsauf ôtait la fausse couverture,

l'édredon, l'appareil du lit; puis, nous la soulevâmes
et l'étendîmes tout habillée. En revenant à elle, Henriette nous pria par un geste de détacher sa ceinture;
monsieur de Mortsauf trouva des ciseaux et coupa tout,
je lui fis respirer des sels, elle ouvrit les yeux. Le comte
s'en alla, plus honteux que chagrin. Deux heures se
passèrent en un silence profond. Henriette avait sa
main dans la mienne et me la pressait sans pouvoir
parler. De temps en temps elle levait les yeux pour
me dire par un regard qu'elle voulait demeurer calme
et sans bruit; puis il y eut un moment de trêve où elle
se releva sur son coude, et me dit à l'oreille : — Le
malheureux! si vous saviez...

Elle se remit la tête sur l'oreiller. Le souvenir de ses
peines passées joint à ses douleurs actuelles lui rendit
des convulsions nerveuses que je n'avais calmées que
par le magnétisme de l'amour; effet qui m'était encore
inconnu, mais dont j'usai par instinct. Je la maintins
avec une force tendrement adoucie; et pendant cette
dernière crise, elle me jeta des regards qui me firent
pleurer. Quand ces mouvements nerveux cessèrent, je
rétablis ses cheveux en désordre, que je maniai pour
la seule et unique fois de ma vie; puis je repris encore
sa main et contemplai longtemps cette chambre à la
fois brune et grise, ce lit simple à rideaux de perse,
cette table couverte d'une toilette parée à la mode
ancienne, ce canapé mesquin à matelas piqué. Que de
poésie dans ce lieu! Quel abandon du luxe pour sa
personne! son luxe était la plus exquise propreté.
Noble cellule de religieuse mariée pleine de résignation
sainte, où le seul ornement était le crucifix de son lit,
au-dessus duquel se voyait le portrait de sa tante;
puis, de chaque côté du bénitier, ses deux enfants
dessinés par elle au crayon, et leurs cheveux du temps

où ils étaient petits. Quelle retraite pour une femme de qui l'apparition dans le grand monde eût fait pâlir les plus belles! Tel était le boudoir où pleurait toujours la fille d'une illustre famille, inondée en ce moment d'amertume et se refusant à l'amour qui l'aurait consolée. Malheur secret, irréparable! Et des larmes chez la victime pour le bourreau, et des larmes chez le bourreau pour la victime. Quand les enfants et la femme de chambre entrèrent, je sortis. Le comte m'attendait, il m'admettait déjà comme un pouvoir médiateur entre sa femme et lui; et il me saisit par les mains en me criant : — Restez, restez, Félix!

— Malheureusement, lui dis-je, monsieur de Chessel a du monde, il ne serait pas convenable que ses convives cherchassent les motifs de mon absence; mais après le dîner je reviendrai.

Il sortit avec moi, me reconduisit jusqu'à la porte d'en bas sans me dire un mot; puis il m'accompagna jusqu'à Frapesle, sans savoir ce qu'il faisait. Enfin, là je lui dis : — Au nom du ciel, monsieur le comte, laissez-lui diriger votre maison, si cela peut lui plaire, et ne la tourmentez plus.

— Je n'ai pas longtemps à vivre, me dit-il d'un air sérieux; elle ne souffrira pas longtemps par moi, je sens que ma tête éclate.

Et il me quitta dans un accès d'égoïsme involontaire. Après le dîner, je revins savoir des nouvelles de madame de Mortsauf, que je trouvai déjà mieux. Si telles étaient, pour elle, les joies du mariage, si de semblables scènes se renouvelaient souvent, comment pouvait-elle vivre? Quel lent assassinat impuni! Pendant cette soirée, je compris par quelles tortures inouïes le comte énervait sa femme. Devant quel tribunal apporter de tels litiges? Ces réflexions m'hébétaient, je ne pus rien dire à Hen-

riette; mais je passai la nuit à lui écrire. Des trois ou
quatre lettres que je fis, il m'est resté ce commencement
dont je ne fus pas content; mais s'il me parut ne rien
exprimer, ou trop parler de moi quand je ne devais
m'occuper que d'elle, il vous dira dans quel état était
mon âme.

A MADAME DE MORTSAUF

« Combien de choses n'avais-je pas à vous dire en
» arrivant, auxquelles je pensais pendant le chemin
» et que j'oublie en vous voyant! Oui, dès que je vous
» vois, chère Henriette, je ne trouve plus mes paroles
» en harmonie avec les reflets de votre âme qui gran-
» dissent votre beauté; puis, j'éprouve près de vous
» un bonheur tellement infini, que le sentiment actuel
» efface les sentiments de la vie antérieure. Chaque
» fois, je nais à une vie plus étendue et suis comme le
» voyageur qui, en montant quelque grand rocher,
» découvre à chaque pas un nouvel horizon. A chaque
» nouvelle conversation, n'ajouté-je pas à mes immenses
» trésors un nouveau trésor? Là, je crois, est le secret
» des longs, des inépuisables attachements. Je ne puis
» donc vous parler de vous que loin de vous. En
» votre présence, je suis trop ébloui pour voir, trop
» heureux pour interroger mon bonheur, trop plein
» de vous pour être moi, trop éloquent par vous pour
» parler, trop ardent à saisir le moment présent pour
» me souvenir du passé. Sachez bien cette constante
» ivresse pour m'en pardonner les erreurs. Près de
» vous, je ne puis que sentir. Néanmoins j'oserai vous
» dire, ma chère Henriette, que jamais, dans les nom-
» breuses joies que vous avez faites, je n'ai ressenti

» de félicités semblables aux délices qui remplirent
» mon âme hier quand, après cette tempête horrible
» où vous avez lutté contre le mal avec un courage
» surhumain, vous êtes revenue à moi seul, au milieu
» du demi-jour de votre chambre, où cette malheureuse
» scène m'a conduit. Moi seul ai su de quelles lueurs
» peut briller une femme quand elle arrive des portes
» de la mort aux portes de la vie, et que l'aurore d'une
» renaissance vient nuancer son front. Combien votre
» voix était harmonieuse! Combien les mots, même
» les vôtres, me semblaient petits alors que dans le
» son de votre voix adorée reparaissaient les ressenti-
» ments vagues d'une douleur passée, mêlés aux conso-
» lations divines par lesquelles vous m'avez enfin ras-
» suré, en me donnant ainsi vos premières pensées.
» Je vous connaissais brillant de toutes les splendeurs
» humaines; mais hier j'ai entrevu une nouvelle Hen-
» riette qui serait à moi si Dieu le voulait. Hier j'ai
» entrevu je ne sais quel être dégagé des entraves
» corporelles qui nous empêchent de secouer les feux
» de l'âme. Tu étais bien belle dans ton abattement,
» bien majestueuse dans ta faiblesse. Hier j'ai trouvé
» quelque chose de plus beau que ta beauté, quelque
» chose de plus doux que ta voix; des lumières plus
» étincelantes que ne l'est la lumière de tes yeux, des
» parfums pour lesquels il n'est point de mots; hier
» ton âme a été visible et palpable. Ah! j'ai bien souf-
» fert de n'avoir pu t'ouvrir mon cœur pour t'y faire
» revivre. Enfin, hier, j'ai quitté la terreur respectueuse
» que tu m'inspires, cette défaillance ne nous avait-
» elle pas rapprochés? Alors j'ai su ce que c'était que
» respirer en respirant avec toi, quand la crise te per-
» mit d'aspirer notre air. Combien de prières élevées
» au ciel en un moment! Si je n'ai pas expiré en tra-

» versant les espaces que j'ai franchis pour aller
» demander à Dieu de te laisser encore à moi, l'on ne
» meurt ni de joie ni de douleur. Ce moment m'a laissé
» des souvenirs ensevelis dans mon âme et qui ne
» reparaîtront jamais à sa surface sans que mes yeux
» se mouillent de pleurs; chaque joie en augmentera
» le sillon, chaque douleur les fera plus profonds.
» Oui, les craintes dont mon âme fut agitée hier
» seront un terme de comparaison pour toutes mes
» douleurs à venir, comme les joies que tu m'as pro-
» diguées, chère éternelle pensée de ma vie! domine-
» ront toutes les joies que la main de Dieu daignera
» m'épancher. Tu m'as fait comprendre l'amour divin,
» cet amour sûr qui, plein de sa force et de sa durée,
» ne connaît ni soupçons ni jalousies. »

Une mélancolie profonde me rongeait l'âme, le spectacle de cette vie intérieure était navrant pour un
cœur jeune et neuf aux émotions sociales; trouver cet
abîme à l'entrée du monde, un abîme sans fond, une
mer morte. Cet horrible concert d'infortunes me suggéra
des pensées infinies, et j'eus à mon premier pas dans
la vie sociale une immense mesure à laquelle les autres
scènes rapportées ne pouvaient plus être que petites.
Ma tristesse fit juger à monsieur et madame de Chessel
que mes amours étaient malheureuses, et j'eus le
bonheur de ne nuire en rien à ma grande Henriette
par ma passion.

Le lendemain, quand j'entrai dans le salon, elle y
était seule; elle me contempla pendant un instant en
me tendant la main, et me dit : — L'ami sera donc
toujours trop tendre? Ses yeux devinrent humides,
elle se leva, puis me dit avec un ton de supplication
désespérée : — Ne m'écrivez plus ainsi!

Monsieur de Mortsauf était prévenant. La comtesse

avait repris son courage et son front serein; mais son teint trahissait ses souffrances de la veille, qui étaient calmées sans être éteintes. Elle me dit le soir, en nous promenant dans les feuilles sèches de l'automne qui résonnaient sous nos pas : — La douleur est infinie, la joie a des limites. Mot qui révélait ses souffrances, par la comparaison qu'elle en faisait avec ses félicités fugitives.

— Ne médisez pas de la vie, lui dis-je : vous ignorez l'amour, et il a des voluptés qui rayonnent jusque dans les cieux.

— Taisez-vous, dit-elle, je n'en veux rien connaître. Le Groenlandais mourrait en Italie! Je suis calme et heureuse près de vous, je puis vous dire toutes mes pensées; ne détruisez pas ma confiance. Pourquoi n'auriez-vous pas la vertu du prêtre et le charme de l'homme libre?

— Vous feriez avaler des coupes de ciguë, lui dis-je en lui mettant la main sur mon cœur qui battait à coups pressés.

— Encore! s'écria-t-elle en retirant sa main comme si elle eût ressenti quelque vive douleur. Voulez-vous donc m'ôter le triste plaisir de faire étancher le sang de mes blessures par une main amie? N'ajoutez pas à mes souffrances, vous ne les savez pas toutes! les plus secrètes sont les plus difficiles à dévorer. Si vous étiez femme, vous comprendriez en quelle mélancolie mêlée de dégoût tombe une âme fière, alors qu'elle se voit l'objet d'attentions qui ne réparent rien et avec lesquelles *on* croit tout réparer. Pendant quelques jours je vais être courtisée, *on* va vouloir se faire pardonner le tort que l'*on* s'est donné. Je pourrais alors obtenir un assentiment aux volontés les plus déraisonnables. Je suis humiliée par cet abaissement, par ces caresses

qui cessent le jour où l'*on* croit que j'ai tout oublié.
Ne devoir la bonne grâce de son maître qu'à ses
fautes...

— A ses crimes, dis-je vivement.

— N'est-ce pas une affreuse condition d'existence?
dit-elle en me jetant un triste sourire. Puis, je ne sais
pas user de ce pouvoir passager. En ce moment, je
ressemble aux chevaliers qui ne portaient pas de
coup à leur adversaire tombé. Voir à terre celui que
nous devons honorer, le relever pour en recevoir de
nouveaux coups, souffrir de sa chute plus qu'il n'en
souffre lui-même, et se trouver déshonorée si l'on profite
d'une passagère influence, même dans un but d'utilité;
dépenser sa force, épuiser les trésors de l'âme en ces
luttes sans noblesse, ne régner qu'au moment où l'on
reçoit de mortelles blessures! Mieux vaut la mort. Si
je n'avais pas d'enfants, je me laisserais aller au courant
de cette vie; mais, sans mon courage inconnu, que
deviendraient-ils? je dois vivre pour eux, quelque
douloureuse que soit la vie. Vous me parlez d'amour?...
eh! mon ami, songez donc en quel enfer je tomberais
si je donnais à cet être sans pitié, comme le sont tous
les gens faibles, le droit de me mépriser? Je ne supporterais pas un soupçon! La pureté de ma conduite
fait ma force. La vertu, cher enfant, a des eaux saintes
où l'on se retrempe et d'où l'on sort renouvelé par
l'amour de Dieu!

— Ecoutez, chère Henriette, je n'ai plus qu'une
semaine à demeurer ici, je veux que...

— Ah! vous nous quittez... dit-elle en m'interrompant.

— Mais ne dois-je pas savoir ce que mon père
décidera de moi? Voici bientôt trois mois...

— Je n'ai pas compté les jours, me répondit-elle

avec l'abandon de la femme émue. Elle se recueillit et me dit ; — Marchons, allons à Frapesle.

Elle appela le comte, ses enfants, demanda son châle; puis, quand tout fut prêt, elle si lente, si calme, eut une activité de Parisienne, et nous partîmes en troupe pour aller à Frapesle y faire une visite que la comtesse ne devait pas. Elle s'efforça de parler à madame de Chessel, qui heureusement fut très prolixe dans ses réponses. Le comte et monsieur de Chessel s'entretinrent de leurs affaires. J'avais peur que monsieur de Mortsauf ne vantât sa voiture et son attelage, mais il fut d'un goût parfait; son voisin le questionna sur les travaux qu'il entreprenait à la Cassine et à la Rhétorière. En entendant la demande, je regardai le comte en croyant qu'il s'abstiendrait d'un sujet de conversation si fatal en souvenirs, si cruellement amer pour lui; mais il prouva combien il était urgent d'améliorer l'état de l'agriculture dans le canton, de bâtir de belles fermes dont les locaux fussent sains et salubres; enfin, il s'attribua glorieusement les idées de sa femme. Je contemplai la comtesse en rougissant. Ce manque de délicatesse chez un homme qui dans certaines occasions en montrait tant, cet oubli de la scène mortelle, cette adoption des idées contre lesquelles il s'était si violemment élevé, cette croyance en soi me pétrifiaient.

Quand monsieur de Chessel lui dit : — Croyez-vous pouvoir retrouver vos dépenses?

— Au delà! fit-il avec un geste affirmatif.

De semblables crises ne s'expliquaient que par le mot *démence*. Henriette, la céleste créature, était radieuse. Le comte ne paraissait-il pas homme de sens, bon administrateur, excellent agronome? elle caressait avec ravissement les cheveux de Jacques, heureuse pour elle, heureuse pour son fils! Quel comique horrible, quel drame railleur! j'en fus épouvanté. Plus tard, quand le rideau de la scène sociale se releva pour moi, combien de Mortsauf n'ai-je pas vus, moins les éclairs de loyauté, moins la religion de celui-ci! Quelle singulière et mordante puissance est celle qui perpétuellement jette au fou un ange, à l'homme d'amour sincère et poétique une femme mauvaise, au petit la grande, à ce magot une belle et sublime créature; à la noble Juana le capitaine Diard, de qui vous avez su l'histoire à Bordeaux [1]; à madame de Beauséant un d'Ajuda [2], à madame d'Aiglemont son mari [3], au marquis d'Espard sa femme [4]? J'ai cherché longtemps le sens de cette énigme, je vous l'avoue. J'ai fouillé bien des mystères, j'ai découvert la raison de plusieurs lois naturelles, le sens de quelques hiéroglyphes divins; de celui-ci, je ne sais rien, je l'étudie toujours comme une figure de casse-tête indien dont les brames se sont réservé la construction symbolique. Ici le génie du mal est trop visiblement le maître, et je n'ose accuser Dieu. Malheur sans remède, qui donc s'amuse à vous tisser? Henriette et son Philosophe Inconnu [5] auraient-ils donc raison? leur mysticisme contiendrait-il le sens général de l'humanité?

Les derniers jours que je passai dans ce pays furent ceux de l'automne effeuillée, jours obscurcis de nuages qui parfois cachèrent le ciel de la Touraine, toujours si pur et si chaud dans cette belle saison. La veille de mon départ, madame de Mortsauf m'emmena sur la terrasse, avant le dîner.

— Mon cher Félix, me dit-elle après un tour fait en silence sous les arbres dépouillés, vous allez entrer dans le monde, et je veux vous y accompagner en pensée. Ceux qui ont beaucoup souffert ont beaucoup

vécu; ne croyez pas que les âmes solitaires ne sachent
rien de ce monde, elles le jugent. Si je dois vivre par
mon ami, je ne veux être mal à l'aise ni dans son
cœur ni dans sa conscience; au fort du combat il est
bien difficile de se souvenir de toutes les règles, permettez-moi de vous donner quelques enseignements de
mère à fils. Le jour de votre départ, je vous remettrai,
cher enfant! une longue lettre où vous trouverez mes
pensées de femme sur le monde, sur les hommes, sur la
manière d'aborder les difficultés dans ce grand remue-
ment d'intérêts; promettez-moi de ne la lire qu'à Paris?
La prière est l'expression d'une de ces fantaisies de
sentiment qui sont notre secret à nous autres femmes;
je ne crois pas qu'il soit impossible de la comprendre,
mais peut-être serions-nous chagrines de la savoir
comprise; laissez-moi ces petits sentiers où la femme
aime à se promener seule.

— Je vous le promets, lui dis-je en lui baisant les
mains.

— Ah! dit-elle, j'ai encore un serment à vous demander; mais engagez-vous d'avance à le souscrire.

— Oh! oui, lui dis-je en croyant qu'il allait être
question de fidélité.

— Il ne s'agit pas de moi, reprit-elle en souriant
avec amertume. Félix, ne jouez jamais dans quelque
salon que ce puisse être; je n'excepte celui de personne.

— Je ne jouerai jamais, lui répondis-je.

— Bien, dit-elle. Je vous ai trouvé un meilleur usage
du temps que vous dissiperiez au jeu; vous verrez
que là où les autres doivent perdre tôt ou tard, vous
gagnerez toujours.

— Comment?

— La lettre vous le dira, répondit-elle d'un air

enjoué qui ôtait à ses recommandations le caractère
sérieux dont sont accompagnées celles des grands-
parents.

La comtesse me parla pendant une heure environ et
me prouva la profondeur de son affection en me révé-
lant avec quel soin elle m'avait étudié pendant ces
trois derniers mois; elle entra dans les derniers replis
de mon cœur, en tâchant d'y appliquer le sien; son
accent était varié, convaincant; ses paroles tombaient
d'une lèvre maternelle, et montraient autant par le
ton que par la substance combien de liens nous attachaient déjà l'un à l'autre.

— Si vous saviez, dit-elle en finissant, avec quelles
anxiétés je vous suivrai dans votre route, quelle joie
si vous allez droit, quels pleurs si vous vous heurtez
à des angles! Croyez-moi, mon affection est sans égale;
elle est à la fois involontaire et choisie. Ah! je voudrais vous voir heureux, puissant, considéré, vous qui
serez pour moi comme un rêve animé.

Elle me fit pleurer. Elle était à la fois douce et
terrible; son sentiment se mettait trop audacieusement
à découvert, il était trop pur pour permettre le moindre
espoir au jeune homme altéré de plaisir. En retour de
ma chair laissée en lambeaux dans son cœur, elle me
versait les lueurs incessantes et incorruptibles de ce
divin amour qui ne satisfaisait que l'âme. Elle montait
à des hauteurs où les ailes diaprées de l'amour qui
me fit dévorer ses épaules ne pouvaient me porter;
pour arriver près d'elle, un homme devait avoir
conquis les ailes blanches du séraphin.

— En toutes choses, lui dis-je, je penserai : Que
dirait mon Henriette?

— Bien, je veux être l'étoile et le sanctuaire, dit-
elle en faisant allusion aux rêves de mon enfance et

cherchant à m'en offrir la réalisation pour tromper
mes désirs.

— Vous serez ma religion et ma lumière, vous serez
tout! m'écriai-je.

— Non, répondit-elle, je ne puis être la source de
vos plaisirs.

Elle soupira, et me jeta le sourire des peines secrètes,
ce sourire de l'esclave un moment révolté. Dès ce
jour, elle fut non pas la bien-aimée, mais la plus
aimée; elle ne fut pas dans mon cœur comme une
femme qui veut une place, qui s'y grave par le dévouement ou par l'excès du plaisir; non, elle eut tout le
cœur, et fut quelque chose de nécessaire au jeu des
muscles; elle devint ce qu'était la Béatrix du poète
florentin, la Laure sans tache du poète vénitien [1], la
mère des grandes pensées, la cause inconnue des résolutions qui sauvent, le soutien de l'avenir, la lumière
qui brille dans l'obscurité comme le lys dans les
feuillages sombres. Oui, elle dicta ces hautes déterminations qui coupent la part au feu, qui restituent la
chose en péril; elle m'a donné cette constance à la
Coligny pour vaincre les vainqueurs, pour renaître de
la défaite, pour lasser les plus forts lutteurs.

Le lendemain, après avoir déjeuné à Frapesle et fait
mes adieux à mes hôtes si complaisants à l'égoïsme de
mon amour, je me rendis à Clochegourde. Monsieur et
madame de Mortsauf avaient projeté de me reconduire à Tours, d'où je devais partir dans la
nuit pour Paris. Pendant ce chemin la comtesse fut
affectueusement muette, elle prétendit d'abord avoir
la migraine; puis elle rougit de ce mensonge et le
pallia soudain en disant qu'elle ne me voyait point
partir sans regret. Le comte m'invita à venir chez lui,
quand en l'absence des Chessel j'aurais l'envie de voir

la vallée de l'Indre. Nous nous séparâmes héroïque-
ment, sans larmes apparentes; mais, comme quelques
enfants maladifs, Jacques eut un mouvement de sensibilité qui lui fit répandre quelques larmes, tandis que
Madeleine, déjà femme, serrait la main de sa mère.

— Cher petit! dit la comtesse en baisant Jacques
avec passion.

Quand je me trouvai seul à Tours, il me prit après
le dîner une de ces rages inexpliquées que l'on
n'éprouve qu'au jeune âge. Je louai un cheval et
franchis en cinq quarts d'heure la distance entre Tours
et Pont-de-Ruan. Là, honteux de montrer ma folie,
je courus à pied dans le chemin, et j'arrivai comme
un espion, à pas de loup, sous la terrasse. La comtesse
n'y était pas, j'imaginai qu'elle souffrait; j'avais gardé
la clef de la petite porte, j'entrai; elle descendait en
ce moment le perron avec ses deux enfants pour
venir respirer, triste et lente, la douce mélancolie
empreinte sur ce paysage, au coucher du soleil.

— Ma mère, voilà Félix, dit Madeleine.

— Oui, moi, lui dis-je à l'oreille. Je me suis demandé
pourquoi j'étais à Tours, quand il m'était encore facile
de vous voir. Pourquoi ne pas accomplir un désir que
dans huit jours je ne pourrai plus réaliser?

— Il ne nous quitte pas, ma mère! cria Jacques en
sautant à plusieurs reprises.

— Tais-toi donc, dit Madeleine, tu vas attirer ici
le général.

— Ceci n'est pas sage, reprit-elle, quelle folie!

Cette consonance dite dans les larmes par sa voix,
quel paiement de ce qu'on devrait appeler les calculs
usuraires de l'amour!

— J'avais oublié de vous rendre cette clef, lui dis-je
en souriant.

— Vous ne reviendrez donc plus? dit-elle.

— Est-ce que nous nous quittons? demandai-je en
lui jetant un regard qui lui fit abaisser ses paupières
pour voiler sa muette réponse.

Je partis après quelques moments passés dans une
de ces heureuses stupeurs des âmes arrivées là où finit
l'exaltation et où commence la folle extase. Je m'en
allai d'un pas lent, en me retournant sans cesse. Quand
au sommet du plateau je contemplai la vallée une
dernière fois, je fus saisi du contraste qu'elle m'offrit
en la comparant à ce qu'elle était quand j'y vins :
ne verdoyait-elle pas, ne flambait-elle pas alors comme
flambaient, comme verdoyaient mes désirs et mes espérances? Initié maintenant aux sombres et mélancoliques mystères d'une famille, partageant les angoisses
d'une Niobé chrétienne, triste comme elle, l'âme
rembrunie, je trouvais en ce moment la vallée au ton
de mes idées. En ce moment les champs étaient dépouillés, les feuilles des peupliers tombaient, et celles qui
restaient avaient la couleur de la rouille; les pampres
étaient brûlés, la cime des bois offrait les teintes graves
de cette couleur *tannée* que jadis les rois adoptaient
pour leur costume et qui cachait la pourpre du pouvoir sous le brun des chagrins. Toujours en harmonie
avec mes pensées, la vallée où se mouraient les rayons
jaunes d'un soleil tiède, me présentait encore une
vivante image de mon âme. Quitter une femme aimée
est une situation horrible ou simple, selon les natures;
moi je me trouvai soudain comme dans un pays étranger dont j'ignorais la langue; je ne pouvais me
prendre à rien, en voyant des choses auxquelles je ne
sentais plus mon âme attachée. Alors l'étendue de
mon amour se déploya, et ma chère Henriette s'éleva
de toute sa hauteur dans ce désert où je ne vécus que

par son souvenir. Elle fut une figure si religieusement
adorée que je résolus de rester sans souillure en présence de ma divinité secrète, et me revêtis idéalement
de la robe blanche des lévites, imitant ainsi Pétrarque
qui ne se présenta jamais devant Laure de Noves
qu'entièrement habillé de blanc. Avec quelle impatience j'attendis la première nuit où, de retour chez
mon père, je pourrais lire cette lettre que je touchais
durant le voyage comme un avare tâte une somme en
billets qu'il est forcé de porter sur lui. Pendant la
nuit, je baisais le papier sur lequel Henriette avait
manifesté ses volontés, où je devais reprendre les
mystérieuses effluves échappées de sa main, d'où les
accentuations de sa voix s'élanceraient dans mon entendement recueilli. Je n'ai jamais lu ses lettres que
comme je lus la première, au lit et au milieu d'un
silence absolu; je ne sais pas comment on peut lire
autrement des lettres écrites par une personne aimée;
cependant il est des hommes indignes d'être aimés qui
mêlent la lecture de ces lettres aux préoccupations du
jour, la quittent et la reprennent avec une odieuse
tranquillité. Voici, Natalie, l'adorable voix qui tout
à coup retentit dans le silence de la nuit, voici la
sublime figure qui se dressa pour me montrer du doigt
le vrai chemin dans le carrefour où j'étais arrivé :

« Quel bonheur, mon ami, d'avoir à rassembler les
» éléments épars de mon expérience pour vous la trans-
» mettre et vous en armer contre les dangers du
» monde à travers lequel vous devrez vous conduire
» habilement! J'ai ressenti les plaisirs permis de l'affec-
» tion maternelle, en m'occupant de vous durant
» quelques nuits. Pendant que j'écrivais ceci, phrase à
» phrase, en me transportant par avance dans la vie

» que vous mènerez, j'allais parfois à ma fenêtre. En
» voyant de là les tours de Frapesle éclairées par la
» lune, souvent je me disais : « Il dort, et je veille
» pour lui! » Sensations charmantes qui m'ont rappelé
» les premiers bonheurs de ma vie, alors que je
» contemplais Jacques endormi dans son berceau, en
» attendant son réveil pour lui donner mon lait. N'êtes-
» vous pas un homme-enfant de qui l'âme doit être
» réconfortée par quelques préceptes dont vous n'avez
» pu vous nourrir dans ces affreux collèges où vous
» avez tant souffert; mais que, nous autres femmes,
» avons le privilège de vous présenter! Ces riens
» influent sur vos succès, ils les préparent et les
» consolident. Ne sera-ce pas une maternité spirituelle
» que cet engendrement du système auquel un homme
» doit rapporter les actions de sa vie, une maternité
» bien comprise par l'enfant? Cher Félix, laissez-moi,
» quand même je commettrais ici quelques erreurs,
» imprimer à notre amitié le désintéressement qui la
» sanctifiera : vous livrer au monde, n'est-ce pas re-
» noncer à vous? mais je vous aime assez pour sacri-
» fier mes jouissances à votre bel avenir. Depuis bien-
» tôt quatre mois vous m'avez fait étrangement réfléchir
» aux lois et aux mœurs qui régissent notre époque.
» Les conversations que j'ai eues avec ma tante, et
» dont le sens vous appartient, à vous qui la remplacez!
» les événements de sa vie que monsieur de Mortsauf
» m'a racontés; les paroles de mon père à qui la cour
» fut si familière; les plus grandes comme les plus
» petites circonstances, tout a surgi dans ma mémoire
» au profit de mon enfant adoptif que je vois près
» de se lancer au milieu des hommes, presque seul;
» près de se diriger sans conseil dans un pays où plu-
» sieurs périssent par leurs bonnes qualités étourdi-

» ment déployées, où certains réussissent par leurs
» mauvaises bien employées.

« Avant tout, méditez l'expression concise de mon
» opinion sur la société considérée dans son ensemble,
» car avec vous peu de paroles suffisent. J'ignore si les
» sociétés sont d'origine divine ou si elles sont inventées
» par l'homme, j'ignore également en quel sens elles se
» meuvent; ce qui me semble certain est leur existence;
» dès que vous les acceptez au lieu de vivre à l'écart,
» vous devez en tenir les conditions constitutives pour
» bonnes; entre elles et vous, demain il se signera
» comme un contrat. La société d'aujourd'hui se sert-
» elle plus de l'homme qu'elle ne lui profite? je le crois;
» mais que l'homme y trouve plus de charges que de
» bénéfices, ou qu'il achète trop chèrement les avan-
» tages qu'il en recueille, ces questions regardent les
» législateurs et non l'individu. Selon moi, vous devez
» donc obéir en toute chose à la loi générale, sans la
» discuter, qu'elle blesse ou flatte votre intérêt. Quelque
» simple que puisse vous paraître ce principe, il est
» difficile en ses applications; il est comme une sève
» qui doit s'infiltrer dans les moindres tuyaux capil-
» laires pour vivifier l'arbre, lui conserver sa verdure,
» développer ses fleurs, et bonifier ses fruits si magni-
» fiquement qu'il excite une admiration générale. Cher,
» les lois ne sont pas toutes écrites dans un livre, les
» mœurs aussi créent des lois, les plus importantes sont
» les moins connues; il n'est ni professeurs, ni traités,
» ni école pour ce droit qui régit vos actions, vos
» discours, votre vie extérieure, la manière de vous
» présenter au monde ou d'aborder la fortune. Faillir
» à ces lois secrètes, c'est rester au fond de l'état social
» au lieu de le dominer. Quand même cette lettre ferait
» de fréquents pléonasmes avec vos pensées, laissez-

» moi donc vous confier ma politique de femme.

« Expliquer la société par la théorie du bonheur
» individuel pris avec adresse aux dépens de tous, est
» une doctrine fatale dont les déductions sévères
» amènent l'homme à croire que tout ce qu'il s'attribue
» secrètement sans que la loi, le monde ou l'individu
» s'aperçoivent d'une lésion, est bien ou dûment
» acquis. D'après cette charte, le voleur habile est
» absous, la femme qui manque à ses devoirs sans qu'on
» en sache rien est heureuse et sage; tuez un homme
» sans que la justice en ait une seule preuve, si vous
» conquérez ainsi quelque diadème à la Macbeth, vous
» avez bien agi; votre intérêt devient une loi suprême,
» la question consiste à tourner, sans témoins ni
» preuves, les difficultés que les mœurs et les lois
» mettent entre vous et vos satisfactions. A qui voit
» ainsi la société, le problème que constitue une for-
» tune à faire, mon ami, se réduit à jouer une partie
» dont les enjeux sont un million ou le bagne, une
» position politique ou le déshonneur. Encore le tapis
» vert n'a-t-il pas assez de drap pour tous les joueurs,
» et faut-il une sorte de génie pour combiner un coup.
» Je ne vous parle ni de croyances religieuses, ni de
» sentiments; il s'agit ici des rouages d'une machine
» d'or et de fer, et c'est de ses résultats immédiats dont
» s'occupent les hommes. Cher enfant de mon cœur, si
» vous partagez mon horreur envers cette théorie des
» criminels, la société ne s'expliquera donc à vos yeux
» que comme elle s'explique dans tout entendement
» sain, par la théorie des devoirs. Oui, vous vous
» devez les uns aux autres sous mille formes diverses.
» Selon moi, le duc et pair se doit bien plus à l'artisan
» ou au pauvre, que le pauvre et l'artisan ne se doivent
» au duc et pair. Les obligations contractées s'ac-

» croissent en raison des bénéfices que la société pré-
» sente à l'homme, d'après ce principe, vrai en
» commerce comme en politique, que la gravité des
» soins est partout en raison de l'étendue des profits.
» Chacun paie sa dette à sa manière. Quand notre
» pauvre homme de la Rhétorière vient se coucher
» fatigué de ses labours, croyez-vous qu'il n'ait pas
» rempli des devoirs? il a certes mieux accompli les
» siens que beaucoup de gens haut placés. En consi-
» dérant ainsi la société dans laquelle vous voudrez
» une place en harmonie avec votre intelligence et
» vos facultés, vous avez donc à poser, comme
» principe générateur, cette maxime : ne se rien per-
» mettre ni contre sa conscience ni contre la conscience
» publique. Quoique mon insistance puisse vous sem-
» bler superflue, je vous supplie, oui, votre Henriette
» vous supplie de bien peser le sens de ces deux
» paroles. Simples en apparence, elles signifient, cher,
» que la droiture, l'honneur, la loyauté, la politesse
» sont les instruments les plus sûrs et les plus prompts
» de votre fortune. Dans ce monde égoïste, une foule
» de gens vous diront que l'on ne fait pas son chemin
» par les sentiments, que les considérations morales
» trop respectées retardent leur marche; vous verrez
» des hommes mal élevés, malappris ou incapables
» de toiser l'avenir, froissant un petit, se rendant cou-
» pables d'une impolitesse envers une vieille femme,
» refusant de s'ennuyer un moment avec quelque bon
» vieillard, sous prétexte qu'ils ne leur sont utiles à
» rien; plus tard vous apercevrez ces hommes accrochés
» à des épines qu'ils n'auront pas épointées, et man-
» quant leur fortune pour un rien; tandis que l'homme
» rompu de bonne heure à cette théorie des devoirs,
» ne rencontrera point d'obstacles; peut-être arrivera-

» t-il moins promptement, mais sa fortune sera solide
» et restera quand celle des autres croulera!

« Quand je vous dirai que l'application de cette doc-
» trine exige avant tout la science des manières, vous
» trouverez peut-être que ma jurisprudence sent un
» peu la cour et les enseignements que j'ai reçus dans
» la maison de Lenoncourt. O mon ami! j'attache la
» plus grande importance à cette instruction, si petite
» en apparence. Les habitudes de la grande compagnie
» vous sont aussi nécessaires que peuvent l'être les
» connaissances étendues et variées que vous possédez;
» elles les ont souvent suppléées : certains ignorants en
» fait, mais doués d'un esprit naturel, habitués à mettre
» de la suite dans leurs idées, sont arrivés à une gran-
» deur qui fuyait de plus dignes qu'eux. Je vous ai
» bien étudié, Félix, afin de savoir si votre éducation,
» prise en commun dans les collèges, n'avait rien gâté
» chez vous. Avec quelle joie ai-je reconnu que vous
» pouviez acquérir le peu qui vous manque, Dieu seul
» le sait! Chez beaucoup de personnes élevées dans ces
» traditions, les manières sont purement extérieures;
» car la politesse exquise, les belles façons viennent du
» cœur et d'un grand sentiment de dignité personnelle;
» voilà pourquoi, malgré leur éducation, quelques
» nobles ont mauvais ton, tandis que certaines per-
» sonnes d'extraction bourgeoise ont naturellement bon
» goût, et n'ont plus qu'à prendre quelques leçons
» pour se donner, sans imitation gauche, d'excellentes
» manières. Croyez-en une pauvre femme qui ne sortira
» jamais de sa vallée, ce ton noble, cette simplicité
» gracieuse empreinte dans la parole, dans le geste,
» dans la tenue et jusque dans la maison, constitue
» comme une poésie physique dont le charme est irré-
» sistible; jugez de sa puissance quand elle prend sa

» source dans le cœur? La politesse, cher enfant, consiste
» à paraître s'oublier pour les autres; chez beaucoup de
» gens, elle est une grimace sociale qui se dément aussi-
» tôt que l'intérêt trop froissé montre le bout de
» l'oreille, un grand devient alors ignoble. Mais, et je
» veux que vous soyez ainsi, Félix, la vraie politesse
» implique une pensée chrétienne; elle est comme la
» fleur de la charité, et consiste à s'oublier réellement.
» En souvenir d'Henriette, ne soyez donc pas une
» fontaine sans eau, ayez l'esprit et la forme! Ne crai-
» gnez pas d'être souvent la dupe de cette vertu
» sociale, tôt ou tard vous recueillerez le fruit de tant
» de grains en apparence jetés au vent. Mon père a
» remarqué jadis qu'une des façons les plus blessantes
» dans la politesse mal entendue est l'abus des pro-
» messes. Quand il vous sera demandé quelque chose
» que vous ne sauriez faire, refusez net en ne laissant
» aucune fausse espérance; puis accordez promptement
» ce que vous voulez octroyer : vous acquerrez ainsi la
» grâce du refus et la grâce du bienfait, double loyauté
» qui relève merveilleusement un caractère. Je ne sais
» si l'on ne nous en veut pas plus d'un espoir déçu
» qu'on ne nous sait gré d'une faveur. Surtout, mon
» ami, car ces petites choses sont bien dans mes attri-
» butions, et je puis m'appesantir sur ce que je crois
» savoir, ne soyez ni confiant, ni banal, ni empressé,
» trois écueils! La trop grande confiance diminue le
» respect, la banalité nous vaut le mépris, le zèle nous
» rend excellents à exploiter. Et d'abord, cher enfant,
» vous n'aurez pas plus de deux ou trois amis dans le
» cours de votre existence, votre entière confiance est
» leur bien; la donner à plusieurs, n'est-ce pas les
» trahir? Si vous vous liez avec quelques hommes plus
» intimement qu'avec d'autres, soyez donc discret sur

» vous-même, soyez toujours réservé comme si vous
» deviez les avoir un jour pour compétiteurs, pour
» adversaires ou pour ennemis; les hasards de la vie le
» voudront ainsi. Gardez donc une attitude qui ne soit
» ni froide ni chaleureuse, sachez trouver cette ligne
» moyenne sur laquelle un homme peut demeurer
» sans rien compromettre. Oui, croyez que le galant
» homme est aussi loin de la lâche complaisance de
» Philinte que de l'âpre vertu d'Alceste. Le génie du
» poète comique brille dans l'indication du milieu
» vrai que saisissent les spectateurs nobles; certes,
» tous pencheront plus vers les ridicules de la vertu
» que vers le souverain mépris caché sous la bon-
» homie de l'égoïsme; mais ils sauront se préserver
» de l'un et de l'autre. Quant à la banalité, si elle fait
» dire de vous par quelques niais que vous êtes un
» homme charmant, les gens habitués à sonder, à éva-
» luer les capacités humaines, déduiront votre tare et
» vous serez promptement déconsidéré, car la banalité
» est la ressource des gens faibles; or les faibles sont
» malheureusement méprisés par une société qui ne
» voit dans chacun de ses membres que des organes;
» peut-être d'ailleurs a-t-elle raison, la nature
» condamne à mort les êtres imparfaits. Aussi peut-être
» les touchantes protections de la femme sont-elles
» engendrées par le plaisir qu'elle trouve à lutter
» contre une force aveugle, à faire triompher l'intelli-
» gence du cœur sur la brutalité de la matière. Mais
» la société, plus marâtre que mère, adore les enfants
» qui flattent sa vanité. Quant au zèle, cette première
» et sublime erreur de la jeunesse qui trouve un
» contentement réel à déployer ses forces et commence
» ainsi par être la dupe d'elle-même avant d'être celle
» d'autrui, gardez-le pour vos sentiments partagés,

» gardez-le pour la femme et pour Dieu. N'apportez ni
» au bazar du monde ni aux spéculations de la poli-
» tique des trésors en échange desquels ils vous ren-
» dront des verroteries. Vous devez croire la voix qui
» vous commande la noblesse en toute chose, alors
» qu'elle vous supplie de ne pas vous prodiguer inu-
» tilement : car malheureusement les hommes vous
» estiment en raison de votre utilité, sans tenir compte
» de votre valeur. Pour employer une image qui se
» grave en votre esprit poétique, que le chiffre soit
» d'une grandeur démesurée, tracé en or, écrit au
» crayon, ce ne sera jamais qu'un chiffre. Comme l'a
» dit un homme de cette époque : « n'ayez jamais de
» zèle¹ ! » Le zèle effleure la duperie, il cause des mé-
» comptes; vous ne trouveriez jamais au-dessus de vous
» une chaleur en harmonie avec la vôtre : les rois
» comme les femmes croient que tout leur est dû.
» Quelque triste que soit ce principe, il est vrai, mais
» ne déflore point l'âme. Placez vos sentiments purs en des
» lieux inaccessibles où leurs fleurs soient passionné-
» ment admirées, où l'artiste rêvera presque amou-
» reusement au chef-d'œuvre. Les devoirs, mon ami,
» ne sont pas des sentiments. Faire ce qu'on doit n'est
» pas faire ce qui plaît. Un homme doit aller mourir
» froidement pour son pays et peut donner avec bon-
» heur sa vie à une femme. Une des règles les plus
» importantes de la science des manières est un silence
» presque absolu sur vous-même. Donnez-vous la
» comédie, quelque jour, de parler de vous-même à des
» gens de simple connaissance; entretenez-les de vos
» souffrances, de vos plaisirs ou de vos affaires; vous
» verrez l'indifférence succédant à l'intérêt joué; puis,
» l'ennui venu, si la maîtresse du logis ne vous inter-
» rompt poliment, chacun s'éloignera sous des pré-

» textes habilement saisis. Mais voulez-vous grouper
» autour de vous toutes les sympathies, passer pour un
» homme aimable et spirituel, d'un commerce sûr?
» entretenez-les d'eux-mêmes, cherchez un moyen de les
» mettre en scène, même en soulevant des questions
» en apparence inconciliables avec les individus; les
» fronts s'animeront, les bouches vous souriront, et
» quand vous serez parti chacun fera votre éloge.
» Votre conscience et la voix du cœur vous diront la
» limite où commence la lâcheté des flatteries, où finit
» la grâce de la conversation. Encore un mot sur le dis-
» cours en public. Mon ami, la jeunesse est toujours
» encline à je ne sais quelle promptitude de jugement
» qui lui fait honneur, mais qui la dessert; de là venait
» le silence imposé par l'éducation d'autrefois aux
» jeunes gens qui faisaient auprès des grands un stage
» pendant lequel ils étudiaient la vie; car, autrefois, la
» Noblesse comme l'Art avait ses apprentis, ses pages
» dévoués aux maîtres qui les nourrissaient. Aujour-
» d'hui la jeunesse possède une science de serre chaude,
» partant tout acide, qui la porte à juger avec sévé-
» rité les actions, les pensées et les écrits; elle tranche
» avec le fil d'une lame qui n'a pas encore servi.
» N'ayez pas ce travers. Vos arrêts seraient des censures
» qui blesseraient beaucoup de personnes autour de
» vous, et tous pardonneront moins peut-être une
» blessure secrète qu'un tort que vous donneriez publi-
» quement. Les jeunes gens sont sans indulgence, parce
» qu'ils ne connaissent rien de la vie ni de ses diffi-
» cultés. Le vieux critique est bon et doux, le jeune
» critique est implacable; celui-ci ne sait rien,
» celui-là sait tout. D'ailleurs, il est au fond de toutes
» les actions humaines un labyrinthe de raisons déter-
» minantes, desquelles Dieu s'est réservé le jugement

» définitif. Ne soyez sévère que pour vous-même. Votre
» fortune est devant vous, mais personne en ce monde
» ne peut faire la sienne sans aide; pratiquez donc la
» maison de mon père, l'entrée vous en est acquise,
» les relations que vous vous y créerez vous serviront en
» mille occasions; mais n'y cédez pas un pouce de ter-
» rain à ma mère, elle écrase celui qui s'abandonne et
» admire la fierté de celui qui résiste; elle ressemble
» au fer qui, battu, peut se joindre au fer, mais qui
» brise par son contact tout ce qui n'a pas sa dureté.
» Cultivez donc ma mère; si elle vous veut du bien,
» elle vous introduira dans les salons où vous acquer-
» rez cette fatale science du monde, l'art d'écouter, de
» parler, de répondre, de vous présenter, de sortir; le
» langage précis, ce *je ne sais quoi* qui n'est pas plus
» la supériorité que l'habit ne constitue le génie, mais
» sans lequel le plus beau talent ne sera jamais admis.
» Je vous connais assez pour être sûre de ne me faire
» aucune illusion en vous voyant par avance comme
» je souhaite que vous soyez : simple dans vos ma-
» nières, doux de ton, fier sans fatuité, respectueux
» près des vieillards, prévenant sans servilité, discret
» surtout. Déployez votre esprit, mais ne servez pas
» d'amusement aux autres; car, sachez bien que si votre
» supériorité froisse un homme médiocre, il se taira,
» puis il dira de vous : — « Il est très amusant! »
» terme de mépris. Que votre supériorité soit toujours
» léonine. Ne cherchez pas d'ailleurs à complaire aux
» hommes. Dans vos relations avec eux, je vous re-
» commande une froideur qui puisse arriver jusqu'à
» cette impertinence dont ils ne peuvent se fâcher;
» tous respectent celui qui les dédaigne, et ce dédain
» vous conciliera la faveur de toutes les femmes qui
» vous estimeront en raison du peu de cas que vous

» ferez des hommes. Ne souffrez jamais près de vous
» des gens déconsidérés, quand même ils ne mérite-
» raient pas leur réputation, car le monde nous de-
» mande également compte de nos amitiés et de nos
» haines; à cet égard, que vos jugements soient long-
» temps et mûrement pesés, mais qu'ils soient irrévo-
» cables. Quand les hommes repoussés par vous auront
» justifié votre répulsion, votre estime sera recherchée;
» ainsi vous inspirerez ce respect tacite qui grandit un
» homme parmi les hommes. Vous voilà donc armé
» de la jeunesse qui plaît, de la grâce qui séduit, de la
» sagesse qui conserve les conquêtes. Tout ce que je
» viens de vous dire peut se résumer par un vieux
» mot : *noblesse oblige!*

« Maintenant appliquez ces préceptes à la politique
» des affaires. Vous entendrez plusieurs personnes di-
» sant que la finesse est l'élément du succès, que le
» moyen de percer la foule est de diviser les hommes
» pour se faire faire place. Mon ami, ces principes
» étaient bons au Moyen Age, quand les princes
» avaient des forces rivales à détruire les unes par les
» autres; mais aujourd'hui, tout est à jour, et ce système
» vous rendrait de fort mauvais services. En effet, vous
» rencontrerez devant vous, soit un homme loyal et
» vrai, soit un ennemi traître, un homme qui procédera
» par la calomnie, par la médisance, par la fourberie.
» Eh! bien, sachez que vous n'avez pas de plus puis-
» sant auxiliaire que celui-ci, l'ennemi de cet homme
» est lui-même; vous pouvez le combattre en vous
» servant d'armes loyales, il sera tôt ou tard méprisé.
» Quant au premier, votre franchise vous conciliera son
» estime; et, vos intérêts conciliés (car tout s'arrange),
» il vous servira. Ne craignez pas de vous faire des
» ennemis, malheur à qui n'en a pas dans le monde

» où vous allez; mais tâchez de ne donner prise ni au
» ridicule ni à la déconsidération; je dis tâchez, car à
» Paris un homme ne s'appartient pas toujours, il est
» soumis à de fatales circonstances; vous n'y pourrez
» éviter ni la boue du ruisseau, ni la tuile qui tombe.
» La morale a ses ruisseaux d'où les gens déshonorés
» essaient de faire jaillir sur les plus nobles personnes
» la boue dans laquelle ils se noient. Mais vous pouvez
» toujours vous faire respecter en vous montrant dans
» toutes les sphères implacable dans vos dernières
» déterminations. Dans ce conflit d'ambitions, au milieu
» de ces difficultés entrecroisées, allez toujours droit
» au fait, marchez résolument à la question, et ne vous
» battez jamais que sur un point, avec toutes vos forces.
» Vous savez combien monsieur de Mortsauf haïssait
» Napoléon, il le poursuivait de sa malédiction, il
» veillait sur lui comme la justice sur le criminel, il lui
» redemandait tous les soirs le duc d'Enghien, la seule
» infortune, la seule mort qui lui ait fait verser des
» larmes; eh! bien, il l'admirait comme le plus hardi
» des capitaines, il m'en a souvent expliqué la tactique.
» Cette stratégie ne peut-elle donc s'appliquer dans la
» guerre des intérêts? elle y économiserait le temps
» comme l'autre économisait les hommes et l'espace;
» songez à ceci, car une femme se trompe souvent en
» ces choses que nous jugeons par instinct et par
» sentiment. Je puis insister sur un point : toute finesse,
» toute tromperie est découverte et finit par nuire,
» tandis que toute situation me paraît être moins dan-
» gereuse quand un homme se place sur le terrain de
» la franchise. Si je pouvais citer mon exemple, je
» vous dirais qu'à Clochegourde, forcée par le carac-
» tère de monsieur de Mortsauf à prévenir tout litige,
» à faire arbitrer immédiatement les contestations qui

» seraient pour lui comme une maladie dans laquelle
» il se complairait en y succombant, j'ai toujours tout
» terminé moi-même en allant droit au nœud et disant
» à l'adversaire : Dénouons, ou coupons? Il vous arri-
» vera souvent d'être utile aux autres, de leur rendre
» service, et vous en serez peu récompensé; mais n'imi-
» tez pas ceux qui se plaignent des hommes et se
» vantent de ne trouver que des ingrats. N'est-ce pas
» se mettre sur un piédestal? puis n'est-il pas un peu
» niais d'avouer son peu de connaissance du monde?
» Mais ferez-vous le bien comme un usurier prête son
» argent? Ne le ferez-vous pas pour le bien en lui-
» même? *Noblesse oblige!* Néanmoins ne rendez pas
» de tels services que vous forciez les gens à l'ingrati-
» tude, car ceux-là deviendraient pour vous d'irrécon-
» ciliables ennemis : il y a le désespoir de l'obligation,
» comme le désespoir de la ruine, qui prête des forces
» incalculables. Quant à vous, acceptez le moins que
» vous pourrez des autres. Ne soyez le vassal d'aucune
» âme, ne relevez que de vous-même. Je ne vous donne
» d'avis, mon ami, que sur les petites choses de la vie.
» Dans le monde politique, tout change d'aspect, les
» règles qui régissent votre personne fléchissent devant
» les grands intérêts. Mais si vous parveniez à la sphère
» où se meuvent les grands hommes, vous seriez, comme
» Dieu, seul juge de vos résolutions. Vous ne serez plus
» alors un homme, vous serez la loi vivante; vous ne
» serez plus un individu, vous vous serez incarné la
» nation. Mais si vous jugez, vous serez jugé aussi.
» Plus tard vous comparaîtrez devant les siècles, et
» vous savez assez l'histoire pour avoir apprécié les
» sentiments et les actes qui engendrent la vraie gran-
» deur.

« J'arrive à la question grave, à votre conduite auprès

» des femmes. Dans les salons où vous irez, ayez pour
» principe de ne pas vous prodiguer en vous livrant au
» petit manège de la coquetterie. Un des hommes qui,
» dans l'autre siècle, eurent le plus de succès, avait
» l'habitude de ne jamais s'occuper que d'une seule
» personne dans la même soirée, et de s'attacher à celles
» qui paraissent négligées. Cet homme, cher enfant,
» a dominé son époque. Il avait sagement calculé que,
» dans un temps donné, son éloge serait obstinément
» fait par tout le monde. La plupart des jeunes gens
» perdent leur plus précieuse fortune, le temps néces-
» saire pour se créer des relations qui sont la moitié
» de la vie sociale; comme ils plaisent par eux-mêmes,
» ils ont peu de choses à faire pour qu'on s'attache
» à leurs intérêts; mais ce printemps est rapide, sachez
» le bien employer. Cultivez donc les femmes influentes.
» Les femmes influentes sont les vieilles femmes,
» elles vous apprendront les alliances, les secrets de
» toutes les familles, et les chemins de traverse qui
» peuvent vous mener rapidement au but. Elles seront
» à vous de cœur; la protection est leur dernier amour
» quand elles ne sont pas dévotes; elles vous serviront
» merveilleusement, elles vous prôneront et vous ren-
» dront désirable. Fuyez les jeunes femmes! Ne croyez
» pas qu'il y ait le moindre intérêt personnel dans ce
» que je vous dis. La femme de cinquante ans fera
» tout pour vous et la femme de vingt ans rien; celle-
» ci veut toute votre vie, l'autre ne vous demandera
» qu'un moment, une attention. Raillez les jeunes
» femmes, prenez d'elles tout en plaisanterie, elles sont
» incapables d'avoir une pensée sérieuse. Les jeunes
» femmes, mon ami, sont égoïstes, petites, sans amitié
» vraie, elles n'aiment qu'elles, elles vous sacrifieraient
» à un succès. D'ailleurs, toutes veulent du dévoue-

» ment, et votre situation exigera qu'on en ait pour
» vous, deux prétentions inconciliables. Aucune d'elles
» n'aura l'entente de vos intérêts, toutes penseront à
» elles et non à vous, toutes vous nuiront plus par leur
» vanité qu'elles ne vous serviront par leur attache-
» ment; elles vous dévoreront sans scrupule votre temps,
» vous feront manquer votre fortune, vous détruiront
» de la meilleure grâce du monde. Si vous vous plai-
» gnez, la plus sotte d'entre elles vous prouvera que
» son gant vaut le monde, que rien n'est plus glorieux
» que de la servir. Toutes vous diront qu'elles donnent
» le bonheur, et vous feront oublier vos belles desti-
» nées : leur bonheur est variable, votre grandeur sera
» certaine. Vous ne savez pas avec quel art perfide
» elles s'y prennent pour satisfaire leurs fantaisies,
» pour convertir un goût passager en un amour qui
» commence sur la terre et doit se continuer dans le
» ciel. Le jour où elles vous quitteront, elles vous
» diront que le mot *je n'aime plus* justifie l'abandon,
» comme le mot *j'aime* excusait leur amour, que
» l'amour est involontaire. Doctrine absurde, cher!
» Croyez-le, le véritable amour est éternel, infini, tou-
» jours semblable à lui-même; il est égal et pur, sans
» démonstrations violentes; il se voit en cheveux
» blancs, toujours jeune de cœur. Rien de ces choses ne
» se trouve parmi les femmes mondaines, elles jouent
» toutes la comédie : celle-ci vous intéressera par ses
» malheurs, elle paraîtra la plus douce et la moins
» exigeante des femmes; mais quand elle se sera
» rendue nécessaire, elle vous dominera lentement et
» vous fera faire ses volontés; vous voudrez être di-
» plomate, aller, venir, étudier les hommes, les intérêts,
» les pays? non, vous resterez à Paris ou à sa terre, elle
» vous coudra malicieusement à sa jupe; et plus vous

» montrerez de dévouement, plus elle sera ingrate.
» Celle-là tentera de vous intéresser par sa soumission,
» elle se fera votre page, elle vous suivra romanesque-
» ment au bout du monde, elle se compromettra pour
» vous garder et sera comme une pierre à votre cou.
» Vous vous noierez un jour, et la femme surnagera.
» Les moins rusées des femmes ont des pièges infinis;
» la plus imbécile triomphe par le peu de défiance
» qu'elle excite; la moins dangereuse serait une femme
» galante qui vous aimerait sans savoir pourquoi, qui
» vous quitterait sans motif, et vous reprendrait par
» vanité. Mais toutes vous nuiront dans le présent ou
» dans l'avenir. Toute jeune femme qui va dans le
» monde, qui vit de plaisirs et de vaniteuses satis-
» factions, est une femme à demi corrompue qui vous
» corrompra. Là, ne sera pas la créature chaste et re-
» cueillie dans l'âme de laquelle vous régnerez tou-
» jours. Ah! elle sera solitaire, celle qui vous aimera :
» ses plus belles fêtes seront vos regards, elle vivra de
» vos paroles. Que cette femme soit donc pour vous
» le monde entier, car vous serez tout pour elle; aimez-
» la bien, ne lui donnez ni chagrins ni rivales, n'excitez
» pas sa jalousie. Etre aimé, cher, être compris, est le
» plus grand bonheur, je souhaite que vous le goûtiez,
» mais ne compromettez pas la fleur de votre âme,
» soyez bien sûr du cœur où vous placerez vos affec-
» tions. Cette femme ne sera jamais elle, elle ne devra
» jamais penser à elle, mais à vous; elle ne vous dispu-
» tera rien, elle n'entendra jamais ses propres intérêts
» et saura flairer pour vous un danger là où vous n'en
» verrez point, là où elle oubliera le sien propre; enfin
» si elle souffre, elle souffrira sans se plaindre, elle
» n'aura point de coquetterie personnelle, mais elle
» aura comme un respect de ce que vous aimerez en

» elle. Répondez à cet amour en le surpassant. Si vous
» êtes assez heureux pour rencontrer ce qui manquera
» toujours à votre pauvre amie, un amour également
» inspiré, également ressenti; songez, quelle que soit la
» perfection de cet amour, que dans une vallée vivra
» pour vous une mère de qui le cœur est si creusé par
» le sentiment dont vous l'avez rempli, que vous n'en
» pourrez jamais trouver le fond. Oui, je vous porte
» une affection dont l'étendue ne vous sera jamais
» connue : pour qu'elle se montre ce qu'elle est, il
» faudrait que vous eussiez perdu votre belle intelli-
» gence, et alors vous ne sauriez pas jusqu'où pourrait
» aller mon dévouement. Suis-je suspecte en vous
» disant d'éviter les jeunes femmes, toutes plus ou
» moins artificieuses, moqueuses, vaniteuses, futiles,
» gaspilleuses; de vous attacher aux femmes influentes,
» à ces imposantes douairières, pleines de sens comme
» l'était ma tante, et qui vous serviront si bien, qui
» vous défendront contre les accusations secrètes en les
» détruisant, qui diront de vous ce que vous ne pour-
» riez en dire vous-même? Enfin, ne suis-je pas géné-
» reuse en vous ordonnant de réserver vos adorations
» pour l'ange au cœur pur? Si ce mot, *noblesse oblige*,
» contient une grande partie de mes premières recom-
» mandations, mes avis sur vos relations avec les
» femmes sont aussi dans ce mot de chevalerie : *les
» servir toutes, n'en aimer qu'une.*

« Votre instruction est immense, votre cœur conservé
» par la souffrance est resté sans souillure; tout est
» beau, tout est bien en vous, *veuillez donc!* Votre
» avenir est maintenant dans ce seul mot, le mot des
» grands hommes. N'est-ce pas, mon enfant, que vous
» obéirez à votre Henriette, que vous lui permettrez de
» continuer à vous dire ce qu'elle pense de vous et de

» vos rapports avec le monde! j'ai dans l'âme un œil
» qui voit l'avenir pour vous comme pour mes enfants,
» laissez-moi donc user de cette faculté, à votre profit,
» don mystérieux que m'a fait la paix de ma vie et qui,
» loin de s'affaiblir, s'entretient dans la solitude et le
» silence. Je vous demande en retour de me donner un
» grand bonheur : je veux vous voir grandissant parmi
» les hommes, sans qu'un seul de vos succès me fasse
» plisser le front; je veux que vous mettiez prompte-
» ment votre fortune à la hauteur de votre nom et
» pouvoir me dire que j'ai contribué mieux que par
» le désir à votre grandeur. Cette secrète coopération
» est le seul plaisir que je puisse me permettre. J'at-
» tendrai. Je ne vous dis pas adieu. Nous sommes
» séparés, vous ne pouvez avoir ma main sous vos
» lèvres; mais vous devez bien avoir entrevu quelle
» place vous occupez dans le cœur de

» Votre Henriette. »

Quand j'eus fini cette lettre, je sentais palpiter sous
mes doigts un cœur maternel au moment où j'étais
encore glacé par le sévère accueil de ma mère. Je
devinai pourquoi la comtesse m'avait interdit en
Touraine la lecture de cette lettre, elle craignait sans
doute de voir tomber ma tête à ses pieds et de les
sentir mouillés par mes pleurs.

Je fis enfin la connaissance de mon frère Charles qui
jusqu'alors avait été comme un étranger pour moi;
mais il eut dans ses moindres relations une morgue qui
mettait trop de distance entre nous pour que nous nous
aimassions en frères; tous les sentiments doux reposent
sur l'égalité des âmes, et il n'y eut entre nous aucun
point de cohésion. Il m'enseignait doctoralement ces
riens que l'esprit ou le cœur devinent; à tout propos,

il paraissait se défier de moi; si je n'avais pas eu pour point d'appui mon amour, il m'eût rendu gauche et bête en affectant de croire que je ne savais rien. Néanmoins il me présenta dans le monde où ma niaiserie devait faire valoir ses qualités. Sans les malheurs de mon enfance, j'aurais pu prendre sa vanité de protecteur pour de l'amitié fraternelle; mais la solitude morale produit les mêmes effets que la solitude terrestre : le silence permet d'y apprécier les plus légers retentissements, et l'habitude de se réfugier en soi-même développe une sensibilité dont la délicatesse révèle les moindres nuances des affections qui nous touchent. Avant d'avoir connu madame de Mortsauf, un regard dur me blessait, l'accent d'un mot brusque me frappait au cœur; j'en gémissais, mais sans rien savoir de la vie des caresses; tandis qu'à mon retour de Clochegourde, je pouvais établir des comparaisons qui perfectionnaient ma science prématurée. L'observation qui repose sur des souffrances ressenties est incomplète. Le bonheur a sa lumière aussi. Je me laissai d'autant plus volontiers écraser sous la supériorité du droit d'aînesse, que je n'étais pas la dupe de Charles.

J'allai seul chez la duchesse de Lenoncourt où je n'entendis point parler d'Henriette, où personne, excepté le bon vieux duc, la simplicité même, ne m'en parla; mais à la manière dont il me reçut, je devinai les secrètes recommandations de sa fille. Au moment où je commençais à perdre le niais étonnement que cause à tout débutant la vue du grand monde, au moment où j'y entrevoyais des plaisirs en comprenant les ressources qu'il offre aux ambitieux, et que je me plaisais à mettre en usage les maximes d'Henriette en admirant leur profonde vérité, les événements du 20 mars arrivèrent [1]. Mon frère suivit la cour à Gand; moi, par le conseil de la comtesse avec qui j'entretenais une correspondance active de mon côté seulement, j'y accompagnai le duc de Lenoncourt. La bienveillance habituelle du duc devint une sincère protection quand il me vit attaché de cœur, de tête et de pied aux Bourbons; il me présenta lui-même à Sa Majesté. Les courtisans du malheur sont peu nombreux; la jeunesse a des admirations naïves, des fidélités sans calcul; le roi savait juger les hommes; ce qui n'eût pas été remarqué aux Tuileries le fut donc beaucoup à Gand, et j'eus le bonheur de plaire à Louis XVIII. Une lettre de madame de Mortsauf à son père, apportée avec des dépêches par un émissaire des Vendéens et dans laquelle il y avait un mot pour moi, m'apprit que Jacques était malade. Monsieur de Mortsauf au désespoir autant de la mauvaise santé de son fils que de voir une seconde émigration commencer sans lui, avait ajouté quelques mots qui me firent deviner la situation de la bienaimée. Tourmentée par lui sans doute quand elle passait tous ses instants au chevet de Jacques, n'ayant de repos ni le jour ni la nuit; supérieure aux taquineries, mais sans force pour les dominer quand elle employait toute son âme à soigner son enfant, Henriette devait désirer le secours d'une amitié qui lui avait rendu la vie moins pesante; ne fût-ce que pour s'en servir à occuper monsieur de Mortsauf. Déjà plusieurs fois j'avais emmené le comte au dehors quand il menaçait de la tourmenter; innocente ruse dont le succès m'avait valu quelques-uns de ces regards qui expriment une reconnaissance passionnée où l'amour voit des promesses. Quoique je fusse impatient de marcher sur les traces de Charles envoyé récemment au congrès de Vienne [1], quoique je voulusse au risque de mes jours justifier les prédictions d'Henriette et m'affranchir de la vassalité fraternelle, mon ambition, mes désirs d'indépendance, l'intérêt que j'avais à ne pas quitter le roi, tout pâlit devant la figure endolorie de madame de Mortsauf; je résolus de quitter la cour de Gand pour aller servir la vraie souveraine. Dieu me récompensa. L'émissaire envoyé par les Vendéens ne pouvait pas retourner en France, le roi voulait un homme qui se dévouât à y porter ses instructions. Le duc de Lenoncourt savait que le roi n'oublierait point celui qui se chargerait de cette périlleuse entreprise; il me fit agréer sans me consulter, et j'acceptai, bien heureux de pouvoir me retrouver à Clochegourde tout en servant la bonne cause.

Après avoir eu, dès vingt et un ans, une audience du roi, je revins en France où, soit à Paris, soit en Vendée, j'eus le bonheur d'accomplir les intentions de Sa Majesté. Vers la fin de mai, poursuivi par les autorités bonapartistes auxquelles j'étais signalé, je fus obligé de fuir en homme qui semblait retourner à son manoir, allant à pied de domaine en domaine, de bois en bois, à travers la haute Vendée, le Bocage et le Poitou, changeant de route suivant l'occurrence. J'atteignis Saumur, de Saumur je vins à Chinon, et de Chinon, en une seule nuit, je gagnai les bois de Nueil où je rencontrai le comte à cheval dans une lande; il me prit en croupe, et m'amena chez lui, sans que nous eussions vu personne qui pût me reconnaître.

— Jacques est mieux, avait été son premier mot.

Je lui avouai ma position de fantassin diplomatique traqué comme une bête fauve, et le gentilhomme s'arma de son royalisme pour disputer à monsieur de Chessel le danger de me recevoir. En apercevant Clochegourde, il me sembla que les huit mois qui venaient de s'écouler étaient un songe. Quand le comte dit à

sa femme en me précédant : — Devinez qui je vous
amène?... Félix.

— Est-ce possible! demanda-t-elle les bras pendants
et le visage stupéfié.

Je me montrai, nous restâmes tous deux immobiles,
elle clouée sur son fauteuil, moi sur le seuil de sa
porte, nous contemplant avec l'avide fixité de deux
amants qui veulent réparer par un seul regard tout le
temps perdu; mais honteuse d'une surprise qui laissait
son cœur sans voile, elle se leva, je m'approchai.

— J'ai bien prié pour vous, me dit-elle après
m'avoir tendu sa main à baiser.

Elle me demanda des nouvelles de son père, puis elle
devina ma fatigue, et alla s'occuper de mon gîte,
tandis que le comte me faisait donner à manger, car
je mourais de faim. Ma chambre fut celle qui se
trouvait au-dessus de la sienne, celle de sa tante; elle
m'y fit conduire par le comte, après avoir mis le pied
sur la première marche de l'escalier en délibérant sans
doute avec elle-même si elle m'y accompagnerait; je
me retournai, elle rougit, me souhaita un bon sommeil,
et se retira précipitamment. Quand je descendis pour
dîner, j'appris les désastres de Waterloo, la fuite de
Napoléon, la marche des alliés sur Paris et le retour
probable des Bourbons. Ces événements étaient tout
pour le comte, ils ne furent rien pour nous. Savez-
vous la plus grande nouvelle, après les enfants caressés?
car je ne vous parle pas de mes alarmes en voyant la
comtesse pâle et maigrie; je connaissais le ravage que
pouvait faire un geste d'étonnement, et n'exprimai
que du plaisir en la voyant. La grande nouvelle pour
nous fut : « — Vous aurez de la glace! » Elle s'était
souvent dépitée l'année dernière de ne pas avoir d'eau
assez fraîche pour moi qui, n'ayant pas d'autre boisson,

l'aimais glacée. Dieu sait au prix de combien d'impor-
tunités elle avait fait construire une glacière! Vous
savez mieux que personne qu'il suffit à l'amour, d'un
mot, d'un regard, d'une inflexion de voix, d'une
attention légère en apparence; son plus beau privilège est de se prouver par lui-même. Hé! bien, son
mot, son regard, son plaisir me révélèrent l'étendue
de ses sentiments, comme je lui avais naguère dit tous
les miens par ma conduite au trictrac. Mais les naïfs
témoignages de sa tendresse abondèrent : le septième
jour après mon arrivée, elle redevint fraîche; elle
pétilla de santé, de joie et de jeunesse; je retrouvai
mon cher lys, embelli, mieux épanoui, de même que
je trouvai mes trésors de cœur augmentés. N'est-ce pas
seulement chez les petits esprits, ou dans les cœurs
vulgaires, que l'absence amoindrit les sentiments, efface
les traits de l'âme et diminue les beautés de la personne aimée? Pour les imaginations ardentes, pour
les êtres chez lesquels l'enthousiasme passe dans le
sang, le teint d'une pourpre nouvelle, et chez qui la
passion prend les formes de la constance, l'absence
n'a-t-elle pas l'effet des supplices qui raffermissaient
la foi des premiers chrétiens, et leur rendaient Dieu
visible? N'existe-t-il pas chez un cœur rempli d'amour
des souhaits incessants qui donnent plus de prix aux
formes désirées en les faisant entrevoir colorées par
le feu des rêves? N'éprouve-t-on pas des irritations
qui communiquent le beau de l'idéal aux traits adorés
en les chargeant de pensées? Le passé, repris souvenir
à souvenir, s'agrandit; l'avenir se meuble d'espérances.
Entre deux cœurs où surabondent ces nuages électriques, une première entrevue devient alors comme
un bienfaisant orage qui ravive la terre et la féconde
en y portant les subites lumières de la foudre. Combien

de plaisirs suaves ne goûtai-je pas en voyant que chez
nous ces pensers, ces ressentiments étaient réciproques?
De quel œil charmé je suivis les progrès du bonheur
chez Henriette! Une femme qui revit sous les regards
de l'aimé donne peut-être une plus grande preuve
de sentiment que celle qui meurt tuée par un doute,
ou séchée sur sa tige, faute de sève; je ne sais qui
des deux est la plus touchante. La renaissance de
madame de Mortsauf fut naturelle, comme les effets
du mois de mai sur les prairies, comme ceux du
soleil et de l'onde sur les fleurs abattues. Comme
notre vallée d'amour, Henriette avait eu son hiver,
elle renaissait comme elle au printemps. Avant le
dîner, nous descendîmes sur notre chère terrasse. Là,
tout en caressant la tête de son pauvre enfant, devenu
plus débile que je ne l'avais vu, qui marchait aux
flancs de sa mère, silencieux comme s'il couvait encore
une maladie, elle me raconta ses nuits passées au chevet du malade. — Durant ces trois mois, elle avait,
disait-elle, vécu d'une vie tout intérieure; elle avait
habité comme un palais sombre en craignant d'entrer
en de somptueux appartements où brillaient des lumières, où se donnaient des fêtes à elle interdites, et à
la porte desquels elle se tenait, un œil à son enfant,
l'autre sur une figure indistincte, une oreille pour
écouter les douleurs, une autre pour entendre une
voix. Elle disait des poésies suggérées par la solitude,
comme aucun poète n'en a jamais inventé; mais tout
cela naïvement, sans savoir qu'il y eût le moindre
vestige d'amour, ni trace de voluptueuse pensée, ni
poésie orientalement suave, comme une rose du Fran-
gistan. Quand le comte nous rejoignit, elle continua
du même ton, en femme fière d'elle-même, qui peut
jeter un regard d'orgueil à son mari, et mettre sans

rougir un baiser sur le front de son fils. Elle avait
beaucoup prié, elle avait tenu Jacques pendant des
nuits entières sous ses mains jointes, ne voulant pas
qu'il mourût.

— J'allais, disait-elle, jusqu'aux portes du sanctuaire demander sa vie à Dieu. Elle avait eu des
visions, elle me les racontait; mais au moment où elle
prononça de sa voix d'ange ces paroles merveilleuses :
— Quand je dormais, mon cœur veillait!

— C'est-à-dire que vous avez été presque folle,
répondit le comte en l'interrompant.

Elle se tut, atteinte d'une vive douleur, comme si
c'était la première blessure reçue, comme si elle eût
oublié que, depuis treize ans, jamais cet homme n'avait
manqué de lui décocher une flèche au cœur. Oiseau
sublime atteint dans son vol par ce grossier grain de
plomb, elle tomba dans un stupide abattement.

— Hé! quoi, monsieur, dit-elle après une pause,
jamais une de mes paroles ne trouvera-t-elle grâce au
tribunal de votre esprit? n'aurez-vous jamais d'indulgence pour ma faiblesse, ni de compréhension pour mes
idées de femme?

Elle s'arrêta. Déjà cet ange se repentait de ses
murmures, et mesurait d'un regard son passé comme son
avenir : pourrait-elle être comprise? n'allait-elle pas
faire jaillir une virulente apostrophe? Ses veines
bleues battirent violemment dans ses tempes, elle n'eut
point de larmes, mais le vert de ses yeux devint pâle;
puis elle abaissa ses regards vers la terre pour ne pas
voir dans les miens sa peine agrandie, ses sentiments
devinés, son âme caressée en mon âme, et surtout la
compatissance encolérée d'un jeune amour prêt, comme
un chien fidèle, à dévorer celui qui blesse sa maîtresse,
sans discuter ni la force ni la qualité de l'assaillant. En

ces cruels moments il fallait voir l'air de supériorité
que prenait le comte; il croyait triompher de sa
femme, et l'accablait alors d'une grêle de phrases qui
répétaient la même idée, et ressemblaient à des coups
de hache rendant le même son.

— Il est donc toujours le même? lui dis-je quand le
comte nous quitta forcément, réclamé par son piqueur
qui vint le chercher.

— Toujours, me répondit Jacques.

— Toujours excellent, mon fils, dit-elle à Jacques en
essayant ainsi de soustraire monsieur de Mortsauf au
jugement de ses enfants. Vous voyez le présent, vous
ignorez le passé, vous ne sauriez critiquer votre père
sans commettre quelque injustice; mais eussiez-vous
la douleur de voir votre père en faute, l'honneur des
familles exige que vous ensevelissiez de tels secrets dans
le plus profond silence.

— Comment vont les changements à la Cassine et
à la Rhétorière? lui demandai-je pour la tirer de ses
amères pensées.

— Au delà de mes espérances, me dit-elle. Les bâtiments finis, nous avons trouvé deux fermiers excellents qui ont pris l'une à quatre mille cinq cents
francs, impôts payés, l'autre à cinq mille francs; et
les baux sont consentis pour quinze ans. Nous avons
déjà planté trois mille pieds d'arbres sur les deux
nouvelles fermes. Le parent de Manette est enchanté
d'avoir la Rabelaye. Martineau tient la Baude. Le bien
de nos quatre fermiers consiste en prés et en bois, dans
lesquels ils ne portent point, comme le font quelques
fermiers peu consciencieux, les fumiers destinés à nos
terres de labour. Ainsi *nos* efforts ont été couronnés par
le plus beau succès. Clochegourde, sans les réserves
que nous nommons la ferme du château, sans les bois

ni les clos, rapporte dix-neuf mille francs, et les plan-
tations nous ont préparé de belles annuités. Je bataille
pour faire donner nos terres réservées à Martineau,
notre garde, qui maintenant peut se faire remplacer
par son fils. Il en offre trois mille francs si monsieur
de Mortsauf veut lui bâtir une ferme à la Comman-
derie. Nous pourrions alors dégager les abords de
Clochegourde, achever notre avenue projetée jusqu'au
chemin de Chinon, et n'avoir que nos vignes et nos
bois à soigner. Si le roi revient, *notre* pension revien-
dra; *nous* y consentirons après quelques jours de croi-
sière contre le bon sens de *notre* femme. La fortune de
Jacques sera donc indestructible. Ces derniers résultats obtenus, je laisserai monsieur thésauriser pour
Madeleine, que le roi dotera d'ailleurs selon l'usage.
J'ai la conscience tranquille; ma tâche s'accomplit.
Et vous? me dit-elle.

Je lui expliquai ma mission, et lui fis voir combien
son conseil avait été fructueux et sage. Etait-elle douée
de seconde vue pour ainsi pressentir les événements?

— Ne vous l'ai-je pas écrit? dit-elle. Pour vous
seul, je puis exercer une faculté surprenante, dont je
n'ai parlé qu'à monsieur de la Berge, mon confesseur,
et qu'il explique par une intervention divine. Souvent, après quelques méditations profondes, provoquées par des craintes sur l'état de mes enfants, mes
yeux se fermaient aux choses de la terre et voyaient
dans une autre région : quand j'y apercevais Jacques
et Madeleine lumineux, ils étaient pendant un certain
temps en bonne santé; si je les y trouvais enveloppés
d'un brouillard, ils tombaient bientôt malades. Pour
vous, non seulement je vous vois toujours brillant,
mais j'entends une voix douce qui m'explique sans
paroles, par une communication mentale, ce que vous

devez faire. Par quelle loi ne puis-je user de ce don merveilleux que pour mes enfants et pour vous? dit-elle en tombant dans la rêverie. Dieu veut-il leur servir de père? se demanda-t-elle après une pause.

— Laissez-moi croire, lui dis-je, que je n'obéis qu'à vous!

Elle me jeta l'un de ces sourires entièrement gracieux qui me causaient une si grande ivresse de cœur, que je n'aurais pas alors senti un coup mortel.

— Dès que le roi sera dans Paris[1], allez-y, quittez Clochegourde, reprit-elle. Autant il est dégradant de quêter des places et des grâces, autant il est ridicule de ne pas être à portée de les accepter. Il se fera de grands changements. Les hommes capables et sûrs seront nécessaires au roi, ne lui manquez pas; vous entrerez jeune aux affaires, et vous vous en trouverez bien; car, pour les hommes d'Etat comme pour les acteurs, il est des choses de métier que le génie ne révèle pas, il faut les apprendre. Mon père tient ceci du duc de Choiseul. Songez à moi, me dit-elle après une pause, faites-moi goûter les plaisirs de la supériorité dans une âme toute à moi. N'êtes-vous pas mon fils?

— Votre fils? repris-je d'un air boudeur.

— Rien que mon fils, dit-elle en se moquant de moi, n'est-ce pas avoir une assez belle place dans mon cœur?

La cloche sonna le dîner, elle prit mon bras et s'y appuya complaisamment.

— Vous avez grandi, me dit-elle en montant les escaliers. — Quand nous fûmes au perron, elle m'agita le bras comme si mes regards l'atteignaient trop vivement; quoiqu'elle eût les yeux baissés, elle savait bien que je ne regardais qu'elle; elle me dit alors de cet air faussement impatienté, si gracieux, si coquet :

— Allons, voyez donc un peu notre chère vallée? Elle
se retourna, mit son ombrelle de soie blanche au-dessus
de nos têtes, en collant Jacques sur elle; et le geste
de tête par lequel elle me montra l'Indre, la toue, les
prés, prouvait que depuis mon séjour et nos promenades, elle s'était entendue avec ces horizons fumeux,
avec leurs sinuosités vaporeuses. La nature était le
manteau sous lequel s'abritaient ses pensées. Elle
savait maintenant ce que soupire le rossignol pendant
les nuits, et ce que répète le chantre des marais en
psalmodiant sa note plaintive.

A huit heures, le soir, je fus témoin d'une scène
qui m'émut profondément et que je n'avais jamais
pu voir, car je restais toujours à jouer avec monsieur
de Mortsauf, pendant qu'elle se passait dans la salle
à manger avant le coucher des enfants. La cloche
sonna deux coups, tous les gens de la maison vinrent.

— Vous êtes notre hôte, soumettez-vous à la règle
du couvent? dit-elle en m'entraînant par la main avec
cet air d'innocente raillerie qui distingue les femmes
vraiment pieuses.

Le comte nous suivit. Maîtres, enfants, domestiques,
tous s'agenouillèrent, têtes nues, en se mettant à leurs
places habituelles. C'était le tour de Madeleine à dire
les prières; la chère petite les prononça de sa voix
enfantine dont les tons ingénus se détachèrent avec
clarté dans l'harmonieux silence de la campagne et
prêtèrent aux phrases la sainte candeur de l'innocence, cette grâce des anges. Ce fut la plus émouvante prière que j'aie entendue. La nature répondait
aux paroles de l'enfant par les mille bruissements du
soir, accompagnement d'orgue légèrement touché. Madeleine était à droite de la comtesse et Jacques à la

gauche. Les touffes gracieuses de ces deux têtes entre
lesquelles s'élevait la coiffure nattée de la mère et que
dominaient les cheveux entièrement blancs et le crâne
jauni de monsieur de Mortsauf, composaient un tableau
dont les couleurs répétaient en quelque sorte à l'esprit
les idées réveillées par les mélodies de la prière; enfin,
pour satisfaire aux conditions de l'unité qui marque
le sublime, cette assemblée recueillie était enveloppée
par la lumière adoucie du couchant dont les teintes
rouges coloraient la salle, en laissant croire ainsi aux
âmes, ou poétiques, ou superstitieuses, que les feux du
ciel visitaient ces fidèles serviteurs de Dieu agenouillés
là sans distinction de rang, dans l'égalité voulue par
l'Église. En me reportant aux jours de la vie patriar-
cale, mes pensées agrandissaient encore cette scène
déjà si grande par sa simplicité. Les enfants dirent
bonsoir à leur père, les gens nous saluèrent, la
comtesse s'en alla, donnant une main à chaque enfant, et je rentrai dans le salon avec le comte.

— Nous vous ferons faire votre salut par là et
votre enfer par ici, me dit-il en montrant le trictrac.

La comtesse nous rejoignit une demi-heure après et
avança son métier près de notre table.

— Ceci est pour vous, dit-elle en déroulant le cane-
vas; mais depuis trois mois l'ouvrage a bien langui.
Entre cet œillet rouge et cette rose, mon pauvre
enfant a souffert.

— Allons, allons, dit monsieur de Mortsauf, ne parlons pas de cela. Six-cinq, monsieur l'envoyé du roi.

Quand je me couchai, je me recueillis pour l'entendre allant et venant dans sa chambre. Si elle demeura calme et pure, je fus travaillé par des idées
folles qu'inspiraient d'intolérables désirs. — Pourquoi
ne serait-elle pas à moi? me disais-je. Peut-être est-elle,

comme moi, plongée dans cette tourbillonnante agitation des sens? A une heure, je descendis, je pus marcher sans faire de bruit, j'arrivai devant sa porte, je m'y couchai, l'oreille appliquée à la fente, j'entendis son égale et douce respiration d'enfant. Quand le froid m'eut saisi, je remontai, je me remis au lit et dormis tranquillement jusqu'au matin. Je ne sais à quelle prédestination, à quelle nature doit s'attribuer le plaisir que je trouve à m'avancer jusqu'au bord des précipices, à sonder le gouffre du mal, à en interroger le fond, en sentir le froid, et me retirer tout ému. Cette heure de nuit passée au seuil de sa porte où j'ai pleuré de rage, sans qu'elle ait jamais su que le lendemain elle avait marché sur mes pleurs et sur mes baisers, sur sa vertu tour à tour détruite et respectée, maudite et adorée; cette heure, sotte aux yeux de plusieurs, est une inspiration de ce sentiment inconnu qui pousse des militaires, quelques-uns m'ont dit avoir ainsi joué leur vie, à se jeter devant une batterie pour savoir s'ils échapperaient à la mitraille, et s'ils seraient heureux en chevauchant ainsi l'abîme des probabilités, en fumant comme Jean Bart sur un tonneau de poudre. Le lendemain j'allai cueillir et faire deux bouquets; le comte les admira, lui que rien en ce genre n'émouvait et pour qui le mot de Champcenetz[1], « il fait des cachots en Espagne », semblait avoir été dit.

Je passai quelques jours à Clochegourde, n'allant faire que de courtes visites à Frapesle, où je dînai trois fois cependant. L'armée française vint occuper Tours[2]. Quoique je fusse évidemment la vie et la santé de madame de Mortsauf, elle me conjura de gagner Châteauroux, pour revenir en toute hâte à Paris, par Issoudun et Orléans. Je voulus résister, elle

commanda disant que le génie familier avait parlé;
j'obéis. Nos adieux furent cette fois trempés de larmes,
elle craignait pour moi l'entraînement du monde où
j'allais vivre. Ne fallait-il pas entrer sérieusement dans
le tournoiement des intérêts, des passions, des plaisirs
qui font de Paris une mer aussi dangereuse aux chastes
amours qu'à la pureté des consciences? Je lui promis
de lui écrire chaque soir les événements et les pensées
de la journée, même les plus frivoles. A cette promesse, elle appuya sa tête alanguie sur mon épaule,
et me dit : — N'oubliez rien, tout m'intéressera.

Elle me donna des lettres pour le duc et la duchesse
chez lesquels j'allai le second jour de mon arrivée.

— Vous avez du bonheur, me dit le duc, dînez ici,
venez avec moi ce soir au château, votre fortune est
faite. Le roi vous a nommé ce matin, en disant : « Il
« est jeune, capable et fidèle! » Et le roi regrettait de ne
pas savoir si vous étiez mort ou vivant, en quel lieu
vous avaient jeté les événements, après vous être si
bien acquitté de votre mission.

Le soir j'étais maître des requêtes au Conseil d'Etat,
et j'avais auprès du roi Louis XVIII un emploi secret
d'une durée égale à celle de son règne, place de
confiance, sans faveur éclatante, mais sans chance de
disgrâce, qui me mit au cœur du gouvernement et
fut la source de mes prospérités. Madame de Mortsauf
avait vu juste, je lui devais donc tout : pouvoir et
richesse, le bonheur et la science; elle me guidait et
m'encourageait, purifiait mon cœur et donnait à mes
vouloirs cette unité sans laquelle les forces de la jeunesse se dépensent inutilement. Plus tard j'eus un
collègue. Chacun de nous fut de service pendant six
mois. Nous pouvions nous suppléer l'un l'autre au
besoin; nous avions une chambre au château, notre

voiture et de larges rétributions pour nos frais quand nous étions obligés de voyager. Singulière situation! Etre les disciples secrets d'un monarque à la politique duquel ses ennemis ont rendu depuis une éclatante justice, de l'entendre jugeant tout, intérieur, extérieur, d'être sans influence patente, et de se voir parfois consultés comme Laforêt par Molière, de sentir les hésitations d'une vieille expérience, affermies par la conscience de la jeunesse. Notre avenir était d'ailleurs fixé de manière à satisfaire l'ambition. Outre mes appointements de maître des requêtes, payés par le budget du Conseil d'Etat, le roi me donnait mille francs par mois sur sa cassette, et me remettait souvent lui-même quelques gratifications. Quoique le roi sentît qu'un jeune homme de vingt-trois ans ne résisterait pas longtemps au travail dont il m'accablait, mon collègue, aujourd'hui pair de France, ne fut choisi que vers le mois d'août 1817. Ce choix était si difficile, nos fonctions exigeaient tant de qualités, que le roi fut longtemps à se décider. Il me fit l'honneur de me demander quel était celui des jeunes gens entre lesquels il hésitait avec qui je m'accorderais le mieux. Parmi eux se trouvait un de mes camarades de la pension Lepître, et je ne l'indiquai point, Sa Majesté me demanda pourquoi.

— Le Roi, lui dis-je, a choisi des hommes également fidèles, mais de capacités différentes, j'ai nommé celui que je crois le plus habile, certain de toujours bien vivre avec lui.

Mon jugement coïncidait avec celui du roi, qui me sut toujours gré du sacrifice que j'avais fait. En cette occasion, il me dit : — Vous serez Monsieur le Premier. Il ne laissa pas ignorer cette circonstance à mon collègue qui, en retour de ce service, m'accorda son

amitié. La considération que me marqua le duc de
Lenoncourt donna la mesure à celle dont m'environna
le monde.

Ces mots : « Le roi prend un vif intérêt à ce jeune
homme; ce jeune homme a de l'avenir, le roi le goûte »,
auraient tenu lieu de talents, mais ils communiquaient
au gracieux accueil dont les jeunes gens sont l'objet
ce je ne sais quoi qu'on accorde au pouvoir. Soit chez
le duc de Lenoncourt, soit chez ma sœur qui épousa
vers ce temps son cousin le marquis de Listomère, le
fils de la vieille parente chez qui j'allais à l'île Saint-
Louis, je fis insensiblement la connaissance des personnes les plus influentes au faubourg Saint-Germain.

Henriette me mit bientôt au cœur de la société dite
le Petit-Château, par les soins de la princesse de
Blamont-Chauvry, de qui elle était la petite-belle-nièce;
elle lui écrivit si chaleureusement à mon sujet, que la
princesse m'invita sur-le-champ à la venir voir; je la
cultivai, je sus lui plaire, et elle devint non pas ma
protectrice, mais une amie dont les sentiments eurent je ne
sais quoi de maternel. La vieille princesse prit à cœur de
me lier avec sa fille madame d'Espard, avec la duchesse
de Langeais, la vicomtesse de Beauséant et la duchesse
de Maufrigneuse [1], des femmes qui tour à tour tinrent
le sceptre de la mode et qui furent d'autant plus gracieuses pour moi, que j'étais sans prétention auprès
d'elles, et toujours prêt à leur être agréable. Mon frère
Charles, loin de me renier, s'appuya dès lors sur moi;
mais ce rapide succès lui inspira une secrète jalousie
qui plus tard me causa bien des chagrins. Mon père
et ma mère, surpris de cette fortune inespérée, sen-
tirent leur vanité flattée, et m'adoptèrent enfin pour
leur fils; mais comme leur sentiment était en quelque
sorte artificiel, pour ne pas dire joué, ce retour eut

peu d'influence sur un cœur ulcéré; d'ailleurs, les affections entachées d'égoïsme excitent peu les sympathies; le cœur abhorre les calculs et les profits de tout genre.

J'écrivais fidèlement à ma chère Henriette, qui me répondait une ou deux lettres par mois. Son esprit planait ainsi sur moi, ses pensées traversaient les distances et me faisaient une atmosphère pure. Aucune femme ne pouvait me captiver. Le roi sut ma réserve; sous ce rapport, il était de l'école de Louis XV, et me nommait en riant mademoiselle de Vandenesse, mais la sagesse de ma conduite lui plaisait fort. J'ai la conviction que la patience dont j'avais pris l'habitude pendant mon enfance et surtout à Clochegourde servit beaucoup à me concilier les bonnes grâces du roi, qui fut toujours excellent pour moi. Il eut sans doute la fantaisie de lire mes lettres, car il ne fut pas longtemps la dupe de ma vie de demoiselle. Un jour, le duc était de service, j'écrivais sous la dictée du roi, qui, voyant entrer le duc de Lenoncourt, nous enveloppa d'un regard malicieux.

— Hé! bien, ce diable de Mortsauf veut donc toujours vivre? lui dit-il de sa belle voix d'argent à laquelle il savait communiquer à volonté le mordant de l'épigramme.

— Toujours, répondit le duc.

— La comtesse de Mortsauf est un ange que je voudrais cependant bien voir ici, reprit le roi; mais si je ne puis rien, mon chancelier, dit-il en se tournant vers moi, sera plus heureux. Vous avez six mois à vous, je me décide à vous donner pour collègue le jeune homme dont nous parlions hier. Amusez-vous bien à Clochegourde, monsieur Caton! Et il se fit rouler hors du cabinet en souriant.

Je volai comme une hirondelle en Touraine. Pour
la première fois j'allai me montrer à celle que j'aimais,
non seulement un peu moins niais, mais encore dans
l'appareil d'un jeune homme élégant dont les manières
avaient été formées par les salons les plus polis, dont
l'éducation avait été achevée par les femmes les plus
gracieuses, qui avait enfin recueilli le prix de ses
souffrances, et qui avait mis en usage l'expérience du
plus bel ange que le ciel ait commis à la garde d'un
enfant. Vous savez comment j'étais équipé pendant
les trois mois de mon premier séjour à Frapesle. Quand
je revins à Clochegourde lors de ma mission en Vendée,
j'étais vêtu comme un chasseur. Je portais une veste
verte à boutons blancs rougis, un pantalon à raies,
des guêtres de cuir et des souliers. La marche, les
halliers m'avaient si mal arrangé, que le comte fut
obligé de me prêter du linge. Cette fois, deux ans de
séjour à Paris, l'habitude d'être avec le roi, les façons
de la fortune, ma croissance achevée, une physionomie
jeune qui recevait un lustre inexplicable de la placidité d'une âme magnétiquement unie à l'âme pure
qui de Clochegourde rayonnait sur moi, tout m'avait
transformé : j'avais de l'assurance sans fatuité, j'avais
un contentement intérieur de me trouver, malgré ma
jeunesse, au sommet des affaires; j'avais la conscience
d'être le soutien secret de la plus adorable femme qui
fût ici-bas, son espoir inavoué. Peut-être eus-je un
petit mouvement de vanité quand le fouet des postil-
lons claqua dans la nouvelle avenue qui de la route
de Chinon menait à Clochegourde, et qu'une grille
que je ne connaissais pas s'ouvrit au milieu d'une
enceinte circulaire récemment bâtie. Je n'avais pas
écrit mon arrivée à la comtesse, voulant lui causer
une surprise, et j'eus doublement tort : d'abord, elle

éprouva le saisissement que donne un plaisir longtemps espéré, mais considéré comme impossible; puis,
elle me prouva que toutes les surprises calculées étaient
de mauvais goût.

Quand Henriette vit le jeune homme là où elle
n'avait jamais vu qu'un enfant, elle abaissa son regard
vers la terre par un mouvement d'une tragique lenteur;
elle se laissa prendre et baiser la main sans témoi-
gner ce plaisir intime dont j'étais averti par son fris-
sonnement de sensitive; et quand elle releva son
visage pour me regarder encore, je la trouvai pâle.

— Hé! bien, vous n'oubliez donc pas vos vieux
amis? me dit monsieur de Mortsauf, qui n'était ni
changé ni vieilli.

Les deux enfants me sautèrent au cou. J'aperçus à la
porte la figure grave de l'abbé de Dominis, précepteur de Jacques.

— Oui, dis-je au comte; j'aurai désormais par an
six mois de liberté qui vous appartiendront toujours.
Hé! bien, qu'avez-vous? dis-je à la comtesse en lui
passant mon bras pour lui envelopper la taille et la
soutenir, en présence de tous les siens.

— Oh! laissez-moi, me dit-elle en bondissant, ce
n'est rien.

Je lus dans son âme, et répondis à sa pensée secrète
en lui disant : — Ne reconnaissez-vous donc plus
votre fidèle esclave?

Elle prit mon bras, quitta le comte, ses enfants,
l'abbé, les gens accourus, et me mena loin de tous en
tournant le boulingrin, mais en restant sous leurs
yeux; puis, quand elle jugea que sa voix ne serait
point entendue : — Félix, mon ami, dit-elle, pardonnez la peur à qui n'a qu'un fil pour se diriger dans
un labyrinthe souterrain, et qui tremble de le voir se

briser. Répétez-moi que je suis plus que jamais Henriette pour vous, que vous ne m'abandonnerez point, que rien ne prévaudra contre moi, que vous serez toujours un ami dévoué. J'ai vu tout à coup dans l'avenir, et vous n'y étiez pas, comme toujours, la face brillante et les yeux sur moi; vous me tourniez le dos.

— Henriette, idole dont le culte l'emporte sur celui de Dieu, lys, fleur de ma vie, comment ne savez-vous donc plus, vous qui êtes ma conscience, que je me suis si bien incarné à votre cœur que mon âme est ici quand ma personne est à Paris? Faut-il donc vous dire que je suis venu en dix-sept heures, que chaque tour de roue emportait un monde de pensées et de désirs qui a éclaté comme une tempête aussitôt que je vous ai vue...

— Dites, dites! Je suis sûre de moi, je puis vous entendre sans crime. Dieu ne veut pas que je meure; il vous envoie à moi comme il dispense son souffle à ses créations, comme il épand la pluie des nuées sur une terre aride; dites! dites! m'aimez-vous saintement?

— Saintement.

— A jamais?

— A jamais.

— Comme une vierge Marie, qui doit rester dans ses voiles et sous sa couronne blanche?

— Comme une vierge Marie visible.

— Comme une sœur?

— Comme une sœur trop aimée.

— Comme une mère?

— Comme une mère secrètement désirée.

— Chevaleresquement, sans espoir?

— Chevaleresquement, mais avec espoir.

— Enfin, comme si vous n'aviez encore que vingt

ans, et que vous portiez votre petit méchant habit
bleu du bal?

— Oh! mieux. Je vous aime ainsi, et je vous aime
encore comme... Elle me regarda dans une vive appréhension... comme vous aimiez votre tante.

— Je suis heureuse; vous avez dissipé mes terreurs,
dit-elle en revenant vers la famille étonnée de notre
conférence secrète; mais soyez bien enfant ici! car
vous êtes encore un enfant. Si votre politique est
d'être homme avec le roi, sachez, monsieur, qu'ici la
vôtre est de rester enfant. Enfant, vous serez aimé!
Je résisterai toujours à la force de l'homme; mais
que refuserais-je à l'enfant? rien; il ne peut rien
vouloir que je ne puisse accorder. — Les secrets sont
dits, fit-elle en regardant le comte d'un air malicieux
où reparaissait la jeune fille et son caractère primitif.
Je vous laisse, je vais m'habiller.

Jamais, depuis trois ans, je n'avais entendu sa voix
si pleinement heureuse. Pour la première fois je connus
ces jolis cris d'hirondelle, ces notes enfantines dont je
vous ai parlé. J'apportais un équipage de chasse à
Jacques, à Madeleine une boîte à ouvrage dont sa
mère se servit toujours; enfin je réparai la mesqui-
nerie à laquelle m'avait condamné jadis la parcimonie
de ma mère. La joie que témoignaient les deux enfants,
enchantés de se montrer l'un à l'autre leurs cadeaux,
parut importuner le comte, toujours chagrin quand on
ne s'occupait pas de lui. Je fis un signe d'intelligence
à Madeleine, et je suivis le comte, qui voulait causer
de lui-même avec moi. Il m'emmena vers la terrasse;
mais nous nous arrêtâmes sur le perron à chaque fait
grave dont il m'entretenait.

— Mon pauvre Félix, me dit-il, vous les voyez tous
heureux et bien portants : moi, je fais ombre au

tableau : j'ai pris leurs maux, et je bénis Dieu de me les avoir donnés. Autrefois j'ignorais ce que j'avais; mais aujourd'hui je le sais : j'ai le pylore attaqué, je ne digère plus rien.

— Par quel hasard êtes-vous devenu savant comme un professeur de l'Ecole de médecine? lui dis-je en souriant. Votre médecin est-il assez indiscret pour vous dire ainsi...

— Dieu me préserve de consulter les médecins, s'écria-t-il en manifestant la répulsion que la plupart des malades imaginaires éprouvent pour la médecine.

Je subis alors une conversation folle, pendant laquelle il me fit les plus ridicules confidences, se plaignant de sa femme, de ses gens, de ses enfants et de la vie, en prenant un plaisir évident à répéter ses dires de tous les jours à un ami qui, ne les connaissant pas, pouvait s'en étonner, et que la politesse obligeait à l'écouter avec intérêt. Il dut être content de moi, car je lui prêtais une profonde attention, en essayant de pénétrer ce caractère inconcevable et de deviner les nouveaux tourments qu'il infligeait à sa femme et qu'elle me taisait. Henriette mit fin à ce monologue en apparaissant sur le perron, le comte l'aperçut, hocha la tête et me dit : — Vous m'écoutez, vous, Félix; mais ici personne ne me plaint!

Il s'en alla comme s'il eût eu la conscience du trouble qu'il aurait porté dans mon entretien avec Henriette, ou que, par une attention chevaleresque pour elle, il eût su qu'il lui faisait plaisir en nous laissant seuls. Son caractère offrait des désinences vraiment inexplicables, car il était jaloux comme le sont tous les gens faibles; mais aussi sa confiance dans la sainteté de sa femme était sans bornes; peut-être même les souffrances de son amour-propre blessé par la supé-

riorité de cette haute vertu engendraient-elles son
opposition constante aux volontés de la comtesse, qu'il
bravait comme les enfants bravent leurs maîtres ou
leurs mères. Jacques prenait sa leçon, Madeleine faisait sa toilette : pendant une heure environ je pus
donc me promener seul avec la comtesse sur la terrasse.

— Hé! bien, chère ange, lui dis-je, la chaîne s'est
alourdie, les sables se sont enflammés, les épines se
multiplient?

— Taisez-vous, me dit-elle en devinant les pensées
que m'avait suggérées ma conversation avec le comte;
vous êtes ici, tout est oublié! Je ne souffre point, je
n'ai pas souffert!

Elle fit quelques pas légers, comme pour aérer sa
blanche toilette, pour livrer au zéphyr ses ruches de
tulle neigeuses, ses manches flottantes, ses rubans
frais, sa pèlerine et les boucles fluides de sa coiffure
à la Sévigné; et je la vis pour la première fois, jeune
fille, gaie de sa gaieté naturelle, prête à jouer comme
un enfant. Je connus alors et les larmes du bonheur
et la joie que l'homme éprouve à donner le plaisir.

— Belle fleur humaine que caresse ma pensée et
que baise mon âme! ô mon lys! lui dis-je, toujours
intact et droit sur sa tige, toujours blanc, fier, parfumé,
solitaire!

— Assez, monsieur, dit-elle en souriant. Parlez-moi
de vous, racontez-moi bien tout.

Nous eûmes alors sous cette mobile voûte de feuillages frémissants une longue conversation pleine de
parenthèses interminables, prise, quittée et reprise,
où je la mis au fait de ma vie, de mes occupations;
je lui décrivis mon appartement à Paris, car elle voulut
tout savoir; et, bonheur alors inapprécié, je n'avais

rien à lui cacher. En connaissant ainsi mon âme et
tous les détails de cette existence remplie par d'écra-
sants travaux, en apprenant l'étendue de ces fonctions
où, sans une probité sévère, on pouvait si facilement
tromper, s'enrichir, mais que j'exerçais avec tant de
rigueur que le roi, lui dis-je, m'appelait *mademoiselle
de Vandenesse*, elle saisit ma main et la baisa en y
laissant tomber une larme de joie. Cette subite transpo-
sition des rôles, cet éloge si magnifique, cette pensée
si rapidement exprimée, mais plus rapidement comprise : « Voici le maître que j'aurais voulu, voilà mon
rêve! » tout ce qu'il y avait d'aveux dans cette action,
où l'abaissement était de la grandeur, où l'amour se
trahissait dans une région interdite aux sens, cet
orage de choses célestes me tomba sur le cœur et
m'écrasa. Je me sentis petit, j'aurais voulu mourir à
ses pieds.

— Ah! dis-je, vous nous surpasserez toujours en tout.
Comment pouvez-vous douter de moi? car on en a
douté tout à l'heure, Henriette.

— Non pour le présent, reprit-elle en me regardant
avec une douceur ineffable qui, pour moi seulement,
voilait la lumière de ses yeux; mais en vous voyant si
beau, je me suis dit : — Nos projets sur Madeleine
seront dérangés par quelque femme qui devinera les
trésors cachés dans votre cœur, qui vous adorera, qui
nous volera notre Félix et brisera tout ici.

— Toujours Madeleine! dis-je en exprimant une
surprise dont elle ne s'affligea qu'à demi. Est-ce donc
à Madeleine que je suis fidèle?

Nous tombâmes dans un silence que monsieur de
Mortsauf vint malencontreusement interrompre. Je
dus, le cœur plein, soutenir une conversation hérissée
de difficultés, où mes sincères réponses sur la politique

alors suivie par le roi heurtèrent les idées du comte
qui me força d'expliquer les intentions de Sa Majesté.
Malgré mes interrogations sur ses chevaux, sur la
situation de ses affaires agricoles, s'il était content de
ses cinq fermes, s'il couperait les arbres d'une vieille
avenue, il en revenait toujours à la politique avec une
taquinerie de vieille fille et une persistance d'enfant,
car ces sortes d'esprits se heurtent volontiers aux endroits où brille la lumière, ils y retournent toujours
en bourdonnant sans rien pénétrer, et fatiguent l'âme
comme les grosses mouches fatiguent l'oreille en fre-
donnant le long des vitres. Henriette se taisait. Pour
éteindre cette conversation que la chaleur du jeune
âge pouvait enflammer, je répondis par des mono-
syllabes approbatifs en évitant ainsi d'inutiles discussions; mais monsieur de Mortsauf avait beaucoup trop
d'esprit pour ne pas sentir tout ce que ma politesse
avait d'injurieux. Au moment où, fâché d'avoir toujours raison, il se cabra, ses sourcils et les rides de son
front jouèrent, ses yeux jaunes éclatèrent, son nez
ensanglanté se colora davantage, comme le jour où,
pour la première fois, je fus témoin d'un de ses accès
de démence; Henriette me jeta des regards suppliants
en me faisant comprendre qu'elle ne pouvait déployer
en ma faveur l'autorité dont elle usait pour justifier
ou pour défendre ses enfants. Je répondis alors au
comte en le prenant au sérieux et maniant avec une
excessive adresse son esprit ombrageux.

— Pauvre cher, pauvre cher! disait-elle en murmurant plusieurs fois ces deux mots qui arrivaient à
mon oreille comme une brise. Puis quand elle crut
pouvoir intervenir avec succès, elle nous dit en s'arrêtant : — Savez-vous, messieurs, que vous êtes parfaitement ennuyeux?

Ramené par cette interrogation à la chevaleresque obéissance due aux femmes, le comte cessa de parler politique; nous l'ennuyâmes à notre tour en disant des riens, et il nous laissa libres de nous promener en prétendant que la tête lui tournait à parcourir ainsi continuellement le même espace.

Mes tristes conjectures étaient vraies. Les doux paysages, la tiède atmosphère, le beau ciel, l'enivrante poésie de cette vallée qui, pendant quinze ans, avait calmé les lancinantes fantaisies de ce malade, étaient impuissants aujourd'hui. A l'époque de la vie où chez les autres hommes les aspérités se fondent et les angles s'émoussent, le caractère du vieux gentilhomme était encore devenu plus agressif que par le passé. Depuis quelques mois, il contredisait pour contredire, sans raison, sans justifier ses opinions; il demandait le pourquoi de toute chose, s'inquiétait d'un retard ou d'une commission, se mêlait à tout propos des affaires intérieures, et se faisait rendre compte des moindres minuties du ménage de manière à fatiguer sa femme ou ses gens, en ne leur laissant point leur libre arbitre. Jadis il ne s'irritait jamais sans quelque motif spécieux, maintenant son irritation était constante. Peut-être les soins de sa fortune, les spéculations de l'agriculture, une vie de mouvement avaient-ils jusqu'alors détourné son humeur atrabilaire en donnant une pâture à ses inquiétudes, en employant l'activité de son esprit; et peut-être aujourd'hui le manque d'occupations mettait-il sa maladie aux prises avec elle-même; ne s'exerçant plus au dehors, elle se produisait par des idées fixes, le *moi* moral s'était emparé du *moi* physique. Il était devenu son propre médecin; il compulsait des livres de médecine, croyait avoir les maladies dont il lisait les descriptions, et prenait alors pour sa santé

des précautions inouïes, variables, impossibles à prévoir, partant impossibles à contenter. Tantôt il ne
voulait pas de bruit, et quand la comtesse établissait
autour de lui un silence absolu, tout à coup il se
plaignait d'être comme dans une tombe, il disait
qu'il y avait un milieu entre ne pas faire du bruit et
le néant de la Trappe. Tantôt il affectait une parfaite
indifférence des choses terrestres, la maison entière
respirait; ses enfants jouaient, les travaux ménagers
s'accomplissaient sans aucune critique; soudain au
milieu du bruit, il s'écriait lamentablement : « — On
veut me tuer! » — Ma chère, s'il s'agissait de vos
enfants, vous sauriez bien deviner ce qui les gêne,
disait-il à sa femme en aggravant l'injustice de ces
paroles par le ton aigre et froid dont il les accompagnait. Il se vêtait et se dévêtait à tout moment, en
étudiant les plus légères variations de l'atmosphère,
et ne faisait rien sans consulter le baromètre. Malgré
les maternelles attentions de sa femme, il ne trouvait
aucune nourriture à son goût, car il prétendait avoir
un estomac délabré dont les douloureuses digestions
lui causaient des insomnies continuelles; et néanmoins il mangeait, buvait, digérait, dormait avec une
perfection que le plus savant médecin aurait admirée.
Ses volontés changeantes lassaient les gens de sa maison, qui, routiniers comme le sont tous les domestiques,
étaient incapables de se conformer aux exigences de
systèmes incessamment contraires. Le comte ordonnait-il
de tenir les fenêtres ouvertes sous prétexte que le grand
air était désormais nécessaire à sa santé; quelques
jours après, le grand air, ou trop humide ou trop
chaud, devenait intolérable; il grondait alors, il enta-
mait une querelle, et pour avoir raison, il niait souvent
sa consigne antérieure. Ce défaut de mémoire ou cette

mauvaise foi lui donnait gain de cause dans toutes
les discussions où sa femme essayait de l'opposer à
lui-même. L'habitation de Clochegourde était devenue
si insupportable que l'abbé de Dominis, homme profondément instruit, avait pris le parti de chercher la
résolution de quelques problèmes, et se retranchait
dans une distraction affectée. La comtesse n'espérait
plus, comme par le passé, pouvoir enfermer dans le
cercle de la famille les accès de ces folles colères; déjà
les gens de la maison avaient été témoins de scènes
où l'exaspération sans motif de ce vieillard prématuré
passa les bornes; ils étaient si dévoués à la comtesse
qu'il n'en transpirait rien au dehors, mais elle redoutait
chaque jour un éclat public de ce délire que le respect
humain ne contenait plus. J'appris plus tard d'affreux
détails sur la conduite du comte envers sa femme; au
lieu de la consoler, il l'accablait de sinistres prédictions
et la rendait responsable des malheurs à venir, parce
qu'elle refusait les médications insensées auxquelles
il voulait soumettre ses enfants. La comtesse se pro-
menait-elle avec Jacques et Madeleine, le comte lui
prédisait un orage, malgré la pureté du ciel; si par
hasard l'événement justifiait son pronostic, la satisfaction
de son amour-propre le rendait insensible au mal de ses
enfants; l'un d'eux était-il indisposé, le comte employait
tout son esprit à rechercher la cause de cette souffrance
dans le système de soins adopté par sa femme et qu'il
épiloguait dans les plus minces détails, en concluant
toujours par ces mots assassins : « Si vos enfants re-
tombent malades, vous l'aurez bien voulu. » Il agissait
ainsi dans les moindres détails de l'administration
domestique où il ne voyait jamais que le pire côté des
choses, se faisant à tout propos l'avocat du diable,
suivant une expression de son vieux cocher. La comtesse

avait indiqué pour Jacques et Madeleine des heures
de repas différentes des siennes, et les avait ainsi
soustraits à la terrible action de la maladie du comte,
en attirant sur elle tous les orages. Madeleine et
Jacques voyaient rarement leur père. Par une de ces
hallucinations particulières aux égoïstes, le comte
n'avait pas la plus légère conscience du mal dont il
était l'auteur. Dans la conversation confidentielle que
nous avions eue, il s'était surtout plaint d'être trop
bon pour les siens. Il maniait donc le fléau, abattait,
brisait tout autour de lui comme eût fait un singe;
puis, après avoir blessé sa victime, il niait l'avoir
touchée. Je compris alors d'où provenaient les lignes
comme marquées avec le fil d'un rasoir sur le front de
la comtesse, et que j'avais aperçues en la revoyant. Il
est chez les âmes nobles une pudeur qui les empêche
d'exprimer leurs souffrances, elles en dérobent orgueil-
leusement l'étendue à ceux qu'elles aiment par un sentiment de charité voluptueuse. Aussi, malgré mes
instances, n'arrachai-je pas tout d'un coup cette confidence à Henriette. Elle craignait de me chagriner, elle
me faisait des aveux interrompus par de subites rou-
geurs; mais j'eus bientôt deviné l'aggravation que le
désœuvrement du comte avait apportée dans les peines
domestiques de Clochegourde.

— Henriette, lui dis-je quelques jours après, en lui
prouvant que j'avais mesuré la profondeur de ses nouvelles misères, n'avez-vous pas eu tort de si bien arranger votre terre que le comte n'y trouve plus à s'occuper?

— Cher, me dit-elle en souriant, ma situation est
assez critique pour mériter toute mon attention, croyez
que j'en ai bien étudié les ressources, et toutes sont
épuisées. En effet, les tracasseries ont toujours été

grandissant. Comme monsieur de Mortsauf et moi nous sommes toujours en présence, je ne puis les affaiblir en les divisant sur plusieurs points, tout serait également douloureux pour moi. J'ai songé à distraire monsieur de Mortsauf, en lui conseillant d'établir une magnanerie à Clochegourde où il existe déjà quelques mûriers, vestiges de l'ancienne industrie de la Touraine; mais j'ai reconnu qu'il serait tout aussi despote au logis, et que j'aurais de plus les mille ennuis de cette entreprise. Apprenez, monsieur l'observateur, me dit-elle, que dans le jeune âge les mauvaises qualités de l'homme sont contenues par le monde, arrêtées dans leur essor par le jeu des passions, gênées par le respect humain; plus tard, dans la solitude, chez un homme âgé, les petits défauts se montrent d'autant plus terribles qu'ils ont été longtemps comprimés. Les faiblesses humaines sont essentiellement lâches, elles ne comportent ni paix ni trêve; ce que vous leur avez accordé hier, elles l'exigent aujourd'hui, demain et toujours ; elles s'établissent dans les concessions et les étendent. La puissance est clémente, elle se rend à l'évidence, elle est juste et paisible; tandis que les passions engendrées par la faiblesse sont impitoyables; elles sont heureuses quand elles peuvent agir à la manière des enfants qui préfèrent les fruits volés en secret à ceux qu'ils peuvent manger à table; ainsi monsieur de Mortsauf éprouve une joie véritable à me surprendre; et lui qui ne tromperait personne me trompe avec délices, pourvu que la ruse reste dans le for intérieur.

Un mois environ après mon arrivée, un matin, en sortant de déjeuner, la comtesse me prit le bras, se sauva par une porte à claire-voie qui donnait dans le verger, et m'entraîna vivement dans les vignes.

— Ah! il me tuera, dit-elle. Cependant je veux vivre,

ne fût-ce que pour mes enfants! Comment, pas un jour
de relâche! Toujours marcher dans les broussailles,
manquer de tomber à tout moment, et à tout moment
rassembler ses forces pour garder son équilibre. Aucune
créature ne saurait suffire à de telles dépenses d'énergie.
Si je connaissais bien le terrain sur lequel doivent
porter mes efforts, si ma résistance était déterminée,
l'âme s'y plierait; mais non, chaque jour l'attaque
change de caractère, et me surprend sans défense; ma
douleur n'est pas une, elle est multiple. Félix, Félix,
vous ne sauriez imaginer quelle forme odieuse a prise
sa tyrannie, et quelles sauvages exigences lui ont suggérées ses livres de médecine. Oh! mon ami... dit-elle
en appuyant sa tête sur mes épaules, sans achever sa
confidence. Que devenir, que faire? reprit-elle en se
débattant contre les pensées qu'elle n'avait pas exprimées. Comment résister? Il me tuera. Non, je me tuerai
moi-même, et c'est un crime cependant! M'enfuir? et
mes enfants! Me séparer? mais comment, après quinze
ans de mariage, dire à mon père que je ne puis demeurer avec monsieur de Mortsauf, quand, si mon père
ou ma mère viennent, il sera posé, sage, poli, spirituel.
D'ailleurs les femmes mariées ont-elles des pères,
ont-elles des mères? elles appartiennent corps et biens
à leurs maris. Je vivais tranquille, sinon heureuse, je
puisais quelques forces dans ma chaste solitude, je
l'avoue; mais si je suis privée de ce bonheur négatif,
je deviendrai folle aussi, moi. Ma résistance est fondée
sur de puissantes raisons qui ne me sont pas person-
nelles. N'est-ce pas un crime que de donner le jour à
de pauvres créatures condamnées par avance à de perpétuelles douleurs? Cependant ma conduite soulève de
si graves questions que je ne puis les décider seule; je
suis juge et partie. J'irai demain à Tours consulter

l'abbé Birotteau, mon nouveau directeur; car mon
cher et vertueux abbé de la Berge est mort, dit-elle en
s'interrompant. Quoiqu'il fût sévère, sa force aposto-
lique me manquera toujours; son successeur est un ange
de douceur qui s'attendrit au lieu de réprimander;
néanmoins, au cœur de la religion quel courage ne se
retremperait? quelle raison ne s'affermirait à la voix
de l'Esprit-Saint? — Mon Dieu, reprit-elle en séchant
ses larmes et levant les yeux au ciel, de quoi me punis-
sez-vous? Mais, il faut le croire, dit-elle en appuyant ses
doigts sur mon bras, oui, croyons-le, Félix, nous devons
passer par un creuset rouge avant d'arriver saints et
parfaits dans les sphères supérieures. Dois-je me taire?
me défendez-vous, mon Dieu, de crier dans le sein d'un
ami? l'aimé-je trop? Elle me pressa sur son cœur comme
si elle eût craint de me perdre : — Qui me résoudra ces
doutes? Ma conscience ne me reproche rien. Les étoiles
rayonnent d'en haut sur les hommes; pourquoi l'âme,
cette étoile humaine, n'envelopperait-elle pas de ses
feux un ami, quand on ne laisse aller à lui que de
pures pensées?

J'écoutais cette horrible clameur en silence, tenant la
main moite de cette femme dans la mienne plus moite
encore; je la serrais avec une force à laquelle Henriette
répondait par une force égale.

— Vous êtes donc par là? cria le comte qui venait à
nous, la tête nue.

Depuis mon retour il voulait obstinément se mêler à
nos entretiens, soit qu'il en espérât quelque amusement,
soit qu'il crût que la comtesse me contait ses douleurs
et se plaignait dans mon sein, soit encore qu'il fût
jaloux d'un plaisir qu'il ne partageait point.

— Comme il me suit! dit-elle avec l'accent du désespoir. Allons voir les clos, nous l'éviterons. Baissons-

nous le long des haies pour qu'il ne nous aperçoive pas.

Nous nous fîmes un rempart d'une haie touffue, nous gagnâmes les clos en courant, et nous nous trouvâmes bientôt loin du comte, dans une allée d'amandiers.

— Chère Henriette, lui dis-je alors en serrant son bras contre mon cœur, et m'arrêtant pour la contempler dans sa douleur, vous m'avez naguère dirigé savamment à travers les voies périlleuses du grand monde; permettez-moi de vous donner quelques instructions pour vous aider à finir le duel sans témoins dans lequel vous succomberiez infailliblement, car vous ne vous battez point avec des armes égales. Ne luttez pas plus longtemps contre un fou...

— Chut! dit-elle en réprimant des larmes qui roulèrent dans ses yeux.

— Ecoutez-moi, chère! Après une heure de ces conversations que je suis obligé de subir par amour pour vous, souvent ma pensée est pervertie, ma tête est lourde; le comte me fait douter de mon intelligence, les mêmes idées répétées se gravent malgré moi dans mon cerveau. Les monomanies bien caractérisées ne sont pas contagieuses; mais quand la folie réside dans la manière d'envisager les choses, et qu'elle se cache sous des discussions constantes, elle peut causer des ravages sur ceux qui vivent auprès d'elle. Votre patience est sublime, mais ne vous mène-t-elle pas à l'abrutissement? Ainsi, pour vous, pour vos enfants, changez de système avec le comte. Votre adorable complaisance a développé son égoïsme, vous l'avez traité comme une mère traite un enfant qu'elle gâte; mais aujourd'hui, si vous voulez vivre... Et, dis-je en la regardant, vous le voulez! déployez l'empire que vous avez sur lui.

Vous le savez, il vous aime et vous craint, faites-vous craindre davantage, opposez à ses volontés diffuses une volonté rectiligne. Etendez votre pouvoir comme il a su étendre, lui, les concessions que vous lui avez faites, et renfermez sa maladie dans une sphère morale, comme on renferme les fous dans une loge.

— Cher enfant, me dit-elle en souriant avec amertume, une femme sans cœur peut seule jouer ce rôle. Je suis mère, je serais un mauvais bourreau. Oui, je sais souffrir, mais faire souffrir les autres! jamais, dit-elle, pas même pour obtenir un résultat honorable ou grand. D'ailleurs, ne devrais-je pas faire mentir mon cœur, déguiser ma voix, armer mon front, corrompre mon geste?... ne me demandez pas de tels mensonges. Je puis me placer entre monsieur de Mortsauf et ses enfants, je recevrai ses coups pour qu'ils n'atteignent ici personne; voilà tout ce que je puis pour concilier tant d'intérêts contraires.

— Laisse-moi t'adorer! sainte, trois fois sainte! dis-je en mettant un genou en terre, en baisant sa robe et y essuyant des pleurs qui me vinrent aux yeux.

— Mais, s'il vous tue, lui dis-je.

Elle pâlit, et répondit en levant les yeux au ciel : — La volonté de Dieu sera faite!

— Savez-vous ce que le roi disait à votre père à propos de vous? « Ce diable de Mortsauf vit donc toujours! »

— Ce qui est une plaisanterie dans la bouche du roi, répondit-elle, est un crime ici.

Malgré nos précautions, le comte nous avait suivis à la piste; il nous atteignit tout en sueur sous un noyer où la comtesse s'était arrêtée pour me dire cette parole grave; en le voyant, je me mis à parler vendange. Eut-il d'injustes soupçons? je ne sais; mais il resta sans mot dire à nous examiner, sans prendre garde à la fraîcheur que distillent les noyers. Après un moment employé par quelques paroles insignifiantes entrecoupées de pauses très significatives, le comte dit avoir mal au cœur et à la tête; il se plaignait doucement, sans quêter notre pitié, sans nous peindre ses douleurs par des images exagérées. Nous n'y fîmes aucune attention. En rentrant, il se sentit plus mal encore, parla de se mettre au lit, et s'y mit sans cérémonie, avec un naturel qui ne lui était pas ordinaire. Nous profitâmes de l'armistice que nous donnait son humeur hypocondriaque, et nous descendîmes à notre chère terrasse, accompagnés de Madeleine.

— Allons nous promener sur l'eau, dit la comtesse après quelques tours, nous irons assister à la pêche que le garde fait pour nous aujourd'hui.

Nous sortons par la petite porte, nous gagnons la toue, nous y sautons, et nous voilà remontant l'Indre avec lenteur. Comme trois enfants amusés à des riens, nous regardions les herbes des bords, les demoiselles bleues ou vertes; et la comtesse s'étonnait de pouvoir goûter de si tranquilles plaisirs au milieu de ses poignants chagrins; mais le calme de la nature, qui marche insouciante de nos luttes, n'exerce-t-il pas sur nous un charme consolateur? L'agitation d'un amour plein de désirs contenus s'harmonie à celle de l'eau, les fleurs que la main de l'homme n'a point perverties expriment ses rêves les plus secrets, le voluptueux balancement d'une barque imite vaguement les pensées qui flottent dans l'âme. Nous éprouvâmes l'engourdissante influence de cette double poésie. Les paroles, montées au diapason de la nature, déployèrent une grâce mystérieuse, et les regards eurent de plus éclatants rayons en participant à la lumière si largement versée par le soleil dans la

prairie flamboyante. La rivière fut comme un sentier
sur lequel nous volions. Enfin, n'étant pas diverti par
le mouvement qu'exige la marche à pied, notre esprit
s'empara de la création. La joie tumultueuse d'une
petite fille en liberté, si gracieuse dans ses gestes, si
agaçante dans ses propos, n'était-elle pas aussi la vivante
expression de deux âmes libres qui se plaisaient à
former idéalement cette merveilleuse créature rêvée par
Platon, connue de tous ceux dont la jeunesse fut
remplie par un heureux amour? Pour vous peindre
cette heure, non dans ses détails indescriptibles, mais
dans son ensemble, je vous dirai que nous nous aimions
en tous les êtres, en toutes les choses qui nous entou-
raient; nous sentions hors de nous le bonheur que
chacun de nous souhaitait; il nous pénétrait si vivement que la comtesse ôta ses gants et laissa tomber
ses belles mains dans l'eau comme pour rafraîchir une
secrète ardeur. Ses yeux parlaient; mais sa bouche,
qui s'entr'ouvrait comme une rose à l'air, se serait
fermée à un désir. Vous connaissez la mélodie des sons
graves parfaitement unis aux sons élevés, elle m'a
toujours rappelé la mélodie de nos deux âmes en ce
moment, qui ne se retrouva plus jamais.

— Où faites-vous pêcher, lui dis-je, si vous ne pouvez
pêcher que sur les rives qui sont à vous?

— Près du Pont-de-Ruan, me dit-elle. Ha! nous
avons maintenant la rivière à nous depuis le Pont-de-
Ruan jusqu'à Clochegourde. Monsieur de Mortsauf
vient d'acheter quarante arpents de prairie avec les
économies de ces deux années et l'arriéré de sa pension. Cela vous étonne?

— Moi, je voudrais que toute la vallée fût à vous!
m'écriai-je.

Elle me répondit par un sourire. Nous arrivâmes au-

dessous du Pont-de-Ruan, à un endroit où l'Indre est
large, et où l'on pêchait.

— Hé! bien, Martineau? dit-elle.

— Ah! madame la comtesse, nous avons du guignon.
Depuis trois heures que nous y sommes, en remontant
du moulin ici, nous n'avons rien pris.

Nous abordâmes afin d'assister aux derniers coups de
filet, et nous nous plaçâmes tous trois à l'ombre d'un
bouillard, espèce de peuplier dont l'écorce est blanche,
qui se trouve sur le Danube, sur la Loire, probablement
sur tous les grands fleuves, et qui jette au printemps un
coton blanc soyeux, l'enveloppe de sa fleur. La comtesse avait repris son auguste sérénité; elle se repentait presque de m'avoir dévoilé ses douleurs et d'avoir
crié comme Job, au lieu de pleurer comme la Madeleine, une Madeleine sans amour, ni fêtes, ni dissipa-
tions, mais non sans parfums ni beautés. La seine
ramenée à ses pieds fut pleine de poissons : des
tanches, des barbillons, des brochets, des perches et une
énorme carpe sautillant sur l'herbe.

— C'est un fait exprès, dit le garde.

Les ouvriers écarquillaient leurs yeux en admirant
cette femme qui ressemblait à une fée dont la baguette
aurait touché les filets. En ce moment le piqueur parut,
chevauchant à travers la prairie au grand galop, et lui
causa d'horribles tressaillements. Nous n'avions pas
Jacques avec nous, et la première pensée des mères est,
comme l'a si poétiquement dit Virgile, de serrer leurs
enfants sur leur sein au moindre événement.

— Jacques! cria-t-elle. Où est Jacques? Qu'est-il
arrivé à mon fils?

Elle ne m'aimait pas! Si elle m'avait aimé, elle aurait
eu pour mes souffrances cette expression de lionne au
désespoir.

— Madame la comtesse, monsieur le comte se trouve plus mal.

Elle respira, courut avec moi, suivie de Madeleine.

— Revenez lentement, me dit-elle; que cette chère fille ne s'échauffe pas. Vous le voyez, la course de monsieur de Mortsauf par ce temps si chaud l'avait mis en sueur, et sa station sous le noyer a pu devenir la cause d'un malheur.

Ce mot, dit au milieu de son trouble, accusait la pureté de son âme. La mort du comte, un malheur! Elle gagna rapidement Clochegourde, passa par la brèche d'un mur et traversa les clos. Je revins lentement en effet. L'expression d'Henriette m'avait éclairé, mais comme éclaire la foudre qui ruine les moissons engrangées. Durant cette promenade sur l'eau, je m'étais cru le préféré; je sentis amèrement qu'elle était de bonne foi dans ses paroles. L'amant qui n'est pas tout n'est rien. J'aimais donc seul avec les désirs d'un amour qui sait tout ce qu'il veut, qui se repaît par avance de caresses espérées, et se contente des voluptés de l'âme parce qu'il y mêle celles que lui réserve l'avenir. Si Henriette aimait, elle ne connaissait rien ni des plaisirs de l'amour ni de ses tempêtes. Elle vivait du sentiment même, comme une sainte avec Dieu. J'étais l'objet auquel s'étaient rattachées ses pensées, ses sensations méconnues, comme un essaim s'attache à quelque branche d'arbre fleuri; mais je n'étais pas le principe, j'étais un accident de sa vie, je n'étais pas toute sa vie. Roi détrôné, j'allais me demandant qui pouvait me rendre mon royaume. Dans ma folle jalousie, je me reprochais de n'avoir rien osé, de n'avoir pas resserré les liens d'une tendresse qui me semblait alors plus subtile que vraie par les chaînes du droit positif que crée la possession.

L'indisposition du comte, déterminée peut-être par le
froid du noyer, devint grave en quelques heures. J'allai
quérir à Tours un médecin renommé, monsieur Origet[1], que je ne pus ramener que dans la soirée; mais il
resta pendant toute la nuit et le lendemain à Clochegourde. Quoiqu'il eût envoyé chercher une grande
quantité de sangsues par le piqueur, il jugea qu'une
saignée était urgente, et n'avait point de lancette sur
lui. Aussitôt je courus à Azay par un temps affreux, je
réveillai le chirurgien, monsieur Deslandes, et le
contraignis à venir avec une célérité d'oiseau. Dix
minutes plus tard, le comte eût succombé; la saignée le
sauva. Malgré ce premier succès, le médecin pronos-
tiquait la fièvre inflammatoire la plus pernicieuse, une
de ces maladies comme en font les gens qui se sont
bien portés pendant vingt ans. La comtesse atterrée
croyait être la cause de cette fatale crise. Sans force
pour me remercier de mes soins, elle se contentait de
me jeter quelques sourires dont l'expression équivalait
au baiser qu'elle avait mis sur ma main; j'aurais voulu
y lire les remords d'un illicite amour, mais c'était
l'acte de contrition d'un repentir qui faisait mal à
voir dans une âme si pure, c'était l'expansion d'une
admirative tendresse pour celui qu'elle regardait
comme noble, en s'accusant, elle seule, d'un crime imaginaire. Certes, elle aimait comme Laure de Noves
aimait Pétrarque, et non comme Francesca da Rimini
aimait Paolo : affreuse découverte pour qui rêvait
l'union de ces deux sortes d'amour! La comtesse gisait,
le corps affaissé, les bras pendants, sur un fauteuil sale
dans cette chambre qui ressemblait à la bauge d'un
sanglier. Le lendemain soir, avant de partir, le médecin
dit à la comtesse, qui avait passé la nuit, de prendre
une garde. La maladie devait être longue.

— Une garde, répondit-elle, non, non. Nous le soi-
gnerons, s'écria-t-elle en me regardant; nous nous
devons de le sauver!

A ce cri, le médecin nous jeta un coup d'œil observateur, plein d'étonnement. L'expression de cette
parole était de nature à lui faire soupçonner quelque
forfait manqué. Il promit de revenir deux fois par
semaine, indiqua la marche à tenir à monsieur Deslandes et désigna les symptômes menaçants qui pouvaient exiger qu'on vînt le chercher à Tours. Afin de
procurer à la comtesse au moins une nuit de sommeil
sur deux, je lui demandai de me laisser veiller le comte
alternativement avec elle. Ainsi je la décidai, non sans
peine, à s'aller coucher la troisième nuit. Quand tout
reposa dans la maison, pendant un moment où le
comte s'assoupit, j'entendis chez Henriette un douloureux gémissement. Mon inquiétude devint si vive que
j'allai la trouver; elle était à genoux devant son prie-
Dieu, fondant en larmes, et s'accusait : — Mon Dieu, si
tel est le prix d'un murmure, criait-elle, je ne me
plaindrai jamais.

— Vous l'avez quitté! dit-elle en me voyant.

— Je vous entendais pleurer et gémir, j'ai eu peur
pour vous.

— Oh! moi, dit-elle, je me porte bien!

Elle voulut être certaine que monsieur de Mortsauf
dormît; nous descendîmes tous deux, et tous deux à la
clarté d'une lampe nous le regardâmes : le comte était
plus affaibli par la perte du sang tiré à flots qu'il
n'était endormi; ses mains agitées cherchaient à ramener sa couverture sur lui.

— On prétend que c'est des gestes de mourants, dit-
elle. Ah! s'il mourait de cette maladie que nous avons
causée, je ne me marierais jamais; je le jure, ajouta-

t-elle en étendant la main sur la tête du comte par un geste solennel.

— J'ai tout fait pour le sauver, lui dis-je.

— Oh! vous, vous êtes bon, dit-elle. Mais moi, je suis la grande coupable.

Elle se pencha sur ce front décomposé, en balaya la sueur avec ses cheveux, et le baisa saintement; mais je ne vis pas sans une joie secrète qu'elle s'acquittait de cette caresse comme d'une expiation.

— Blanche, à boire, dit le comte d'une voix éteinte.

— Vous voyez, il ne connaît que moi, me dit-elle en lui apportant un verre.

Et par son accent, par ses manières affectueuses, elle cherchait à insulter aux sentiments qui nous liaient, en les immolant au malade.

— Henriette, lui dis-je, allez prendre quelque repos, je vous en supplie.

— Plus d'Henriette, dit-elle en m'interrompant avec une impérieuse précipitation.

— Couchez-vous afin de ne pas tomber malade. Vos enfants, *lui-même* vous ordonnent de vous soigner, il est des cas où l'égoïsme devient une sublime vertu.

— Oui, dit-elle.

Elle s'en alla, me recommandant son mari par des gestes qui eussent accusé quelque prochain délire, s'ils n'avaient pas eu les grâces de l'enfance mêlées à la force suppliante du repentir. Cette scène, terrible en la mesurant à l'état habituel de cette âme pure, m'effraya; je craignis l'exaltation de sa conscience. Quand le médecin revint, je lui révélai les scrupules d'hermine effarouchée qui poignaient ma blanche Henriette. Quoique discrète, cette confidence dissipa les soupçons de monsieur Origet, et il calma les agitations de cette belle âme en disant qu'en tout état de cause

le comte devait subir cette crise, et que sa station sous
le noyer avait été plus utile que nuisible en déter-
minant la maladie.

Pendant cinquante-deux jours le comte fut entre la
vie et la mort; nous veillâmes chacun à notre tour,
Henriette et moi, vingt-six nuits. Certes, monsieur de
Mortsauf dut son salut à nos soins, à la scrupuleuse
exactitude avec laquelle nous exécutions les ordres de
monsieur Origet. Semblable aux médecins philosophes
que de sagaces observations autorisent à douter des
belles actions quand elles ne sont que le secret accomplissement d'un devoir, cet homme tout en assistant au
combat d'héroïsme qui se passait entre la comtesse et moi,
ne pouvait s'empêcher de nous épier par des regards inqui-
sitifs, tant il avait peur de se tromper dans son admiration.

— Dans une semblable maladie, me dit-il lors de
sa troisième visite, la mort rencontre un prompt auxiliaire dans le moral, quand il se trouve aussi grave-
ment altéré que l'est celui du comte. Le médecin, la
garde, les gens qui entourent le malade tiennent sa
vie entre leurs mains; car alors un seul mot, une
crainte vive exprimée par un geste, ont la puissance
du poison.

En me parlant ainsi, Origet étudiait mon visage et
ma contenance; mais il vit dans mes yeux la claire expression d'une âme candide. En effet, durant le cours
de cette cruelle maladie, il ne se forma pas dans mon
intelligence la plus légère de ces mauvaises idées involontaires qui parfois sillonnent les consciences les plus
innocentes. Pour qui contemple en grand la nature,
tout y tend à l'unité par l'assimilation. Le monde
moral doit être régi par un principe analogue. Dans
une sphère pure, tout est pur. Près d'Henriette, il se
respirait un parfum du ciel, il semblait qu'un désir

reprochable devait à jamais vous éloigner d'elle. Ainsi,
non seulement elle était le bonheur, mais elle était aussi
la vertu. En nous trouvant toujours également atten-
tifs et soigneux, le docteur avait je ne sais quoi de pieux
et d'attendri dans les paroles et dans les manières; il
semblait se dire : — Voilà les vrais malades, ils
cachent leur blessure et l'oublient! Par un contraste
qui, selon cet excellent homme, était assez ordinaire
chez les hommes ainsi détruits, monsieur de Mortsauf
fut patient, plein d'obéissance, ne se plaignit jamais et
montra la plus merveilleuse docilité; lui qui, bien
portant, ne faisait pas la chose la plus simple sans
mille observations. Le secret de cette soumission à la
médecine, tant niée naguère, était une secrète peur de
la mort, autre contraste chez un homme d'une bra-
voure irrécusable! Cette peur pourrait assez bien expliquer plusieurs bizarreries du nouveau caractère que
lui avaient prêté ses malheurs.

Vous l'avouerai-je, Natalie, et le croirez-vous? ces
cinquante jours et le mois qui les suivit furent les
plus beaux moments de ma vie. L'amour n'est-il pas
dans les espaces infinis de l'âme, comme est dans une
belle vallée le grand fleuve où se rendent les pluies, les
ruisseaux et les torrents, où tombent les arbres et les
fleurs, les graviers du bord et les plus élevés quartiers
de roc; il s'agrandit aussi bien par les orages que par le
lent tribut des claires fontaines. Oui, quand on aime,
tout arrive à l'amour. Les premiers grands dangers
passés, la comtesse et moi, nous nous habituâmes à la
maladie. Malgré le désordre incessant introduit par les
soins qu'exigeait le comte, sa chambre que nous avions
trouvée si mal tenue devint propre et coquette. Bientôt
nous y fûmes comme deux êtres échoués dans une île
déserte; car non seulement les malheurs isolent, mais

encore ils font taire les mesquines conventions de la
société. Puis l'intérêt du malade nous obligea d'avoir
des points de contact qu'aucun autre événement n'aurait autorisés. Combien de fois nos mains, si timides
auparavant, ne se rencontrèrent-elles pas en rendant
quelque service au comte! n'avais-je pas à soutenir, à
aider Henriette! Souvent emportée par une nécessité
comparable à celle du soldat en vedette, elle oubliait
de manger; je lui servais alors, quelquefois sur ses
genoux, un repas pris en hâte et qui nécessitait mille
petits soins. Ce fut une scène d'enfance à côté d'une
tombe entr'ouverte. Elle me commandait vivement les
apprêts qui pouvaient éviter quelque souffrance au
comte, et m'employait à mille menus ouvrages. Pendant le premier temps, où l'intensité du danger étouffait, comme durant une bataille, les subtiles distinctions qui caractérisent les faits de la vie ordinaire, elle
dépouilla nécessairement ce décorum que toute femme,
même la plus naturelle, garde en ses paroles, dans ses
regards, dans son maintien quand elle est en présence
du monde ou de sa famille, et qui n'est plus de mise
en déshabillé. Ne venait-elle pas me relever aux premiers chants de l'oiseau, dans ses vêtements du matin
qui me permirent de revoir parfois les éblouissants
trésors que, dans mes folles espérances, je considérais
comme miens? Tout en restant imposante et fière,
pouvait-elle ainsi ne pas être familière? D'ailleurs pendant les premiers jours le danger ôta si bien toute
signification passionnée aux privautés de notre intime
union, qu'elle n'y vit point de mal; puis, quand vint la
réflexion, elle songea peut-être que ce serait une insulte
pour elle comme pour moi que de changer ses manières. Nous nous trouvâmes insensiblement appri-
voisés, mariés à demi. Elle se montra bien noblement

confiante, sûre de moi comme d'elle-même. J'entrai
donc plus avant dans son cœur. La comtesse redevint
mon Henriette, Henriette contrainte d'aimer davantage celui qui s'efforçait d'être sa seconde âme. Bientôt je n'attendis plus sa main toujours irrésistiblement
abandonnée au moindre coup d'œil solliciteur; je pouvais, sans qu'elle se dérobât à ma vue, suivre avec
ivresse les lignes de ses belles formes durant les longues
heures pendant lesquelles nous écoutions le sommeil du
malade. Les chétives voluptés que nous nous accordions,
ces regards attendris, ces paroles prononcées à voix
basse pour ne pas éveiller le comte, les craintes, les
espérances dites et redites, enfin les mille événements
de cette fusion complète de deux cœurs longtemps
séparés, se détachaient vivement sur les ombres douloureuses de la scène actuelle. Nous connûmes nos
âmes à fond dans cette épreuve à laquelle succombent
souvent les affections les plus vives qui ne résistent
pas au laisser-voir de toutes les heures, qui se détachent
en éprouvant cette cohésion constante où l'on trouve
la vie ou lourde ou légère à porter. Vous savez quel
ravage fait la maladie d'un maître, quelle interruption
dans les affaires, le temps manque pour tout; la vie
embarrassée chez lui dérange les mouvements de sa
maison et ceux de sa famille. Quoique tout tombât sur
madame de Mortsauf, le comte était encore utile au
dehors; il allait parler aux fermiers, se rendait chez
les gens d'affaires, recevait les fonds; si elle était l'âme,
il était le corps. Je me fis son intendant pour qu'elle
pût soigner le comte sans rien laisser péricliter au
dehors. Elle accepta tout sans façon, sans un remercîment. Ce fut une douce communauté de plus que
ces soins de maison partagés, que ces ordres transmis
en son nom. Je m'entretenais souvent le soir avec elle,

dans sa chambre, et de ses intérêts et de ses enfants.
Ces causeries donnèrent un semblant de plus à notre
mariage éphémère. Avec quelle joie Henriette se prêtait
à me laisser jouer le rôle de son mari, à me faire
occuper sa place à table, à m'envoyer parler au garde;
et tout cela dans une complète innocence, mais non
sans cet intime plaisir qu'éprouve la plus vertueuse
femme du monde à trouver un biais où se réunissent
la stricte observation des lois et le contentement de
ses désirs inavoués. Annulé par la maladie, le comte
ne pesait plus sur sa femme, ni sur sa maison; et alors
la comtesse fut elle-même, elle eut le droit de s'occuper
de moi, de me rendre l'objet d'une foule de soins.
Quelle joie quand je découvris en elle la pensée vaguement conçue peut-être, mais délicieusement exprimée,
de me révéler tout le prix de sa personne et de ses
qualités, de me faire apercevoir le changement qui
s'opérerait en elle si elle était comprise! Cette fleur, incessamment fermée dans la froide atmosphère de son
ménage, s'épanouit à mes regards, et pour moi seul;
elle prit autant de joie à se déployer que j'en sentis
en y jetant l'œil curieux de l'amour. Elle me prouvait
par tous les riens de la vie combien j'étais présent à sa
pensée. Le jour où, après avoir passé la nuit au chevet
du malade, je dormais tard, Henriette se levait le
matin avant tout le monde, elle faisait régner autour
de moi le plus absolu silence; sans être avertis, Jacques
et Madeleine jouaient au loin; elle usait de mille
supercheries pour conquérir le droit de mettre elle-
même mon couvert; enfin, elle me servait, avec quel
pétillement de joie dans les mouvements, avec quelle
fauve finesse d'hirondelle, quel vermillon sur les joues,
quels tremblements dans la voix, quelle pénétration de
lynx! ces expansions de l'âme se peignent-elles? Souvent

elle était accablée de fatigue; mais si par hasard en ces
moments de lassitude il s'agissait de moi, pour moi
comme pour ses enfants elle trouvait de nouvelles
forces, elle s'élançait. agile, vive et joyeuse. Comme elle
aimait à jeter sa tendresse en rayons dans l'air! Ah!
Natalie, oui, certaines femmes partagent ici-bas les
privilèges des Esprits Angéliques, et répandent comme
eux cette lumière que Saint-Martin, le Philosophe Inconnu, disait être intelligente, mélodieuse et parfumée.
Sûre de ma discrétion, Henriette se plut à me relever
le pesant rideau qui nous cachait l'avenir, en me
laissant voir en elle deux femmes : la femme enchaînée
qui m'avait séduit malgré ses rudesses, et la femme libre
dont la douceur devait éterniser mon amour. Quelle
différence! madame de Mortsauf était le bengali trans-
porté dans la froide Europe, tristement posé sur son
bâton, muet et mourant dans sa cage où le garde un
naturaliste; Henriette était l'oiseau chantant ses poèmes
orientaux dans son bocage au bord du Gange, et comme
une pierrerie vivante, volant de branche en branche
parmi les roses d'un immense volkaméria toujours fleuri.
Sa beauté se fit plus belle, son esprit se raviva. Ce
continuel feu de joie était un secret entre nos deux
esprits, car l'œil de l'abbé de Dominis, ce représentant
du monde, était plus redoutable pour Henriette que
celui de monsieur de Mortsauf; mais elle prenait
comme moi grand plaisir à donner à sa pensée des
tours ingénieux; elle cachait son contentement sous
la plaisanterie, et couvrait d'ailleurs les témoignages de
sa tendresse du brillant pavillon de la reconnaissance.

— Nous avons mis votre amitié à de rudes épreuves,
Félix! Nous pouvons bien lui permettre les licences
que nous permettons à Jacques, monsieur l'abbé?
disait-elle à table.

Le sévère abbé répondait par l'aimable sourire de
l'homme pieux qui lit dans les cœurs et les trouve purs;
il exprimait d'ailleurs pour la comtesse le respect
mélangé d'adoration qu'inspirent les anges. Deux fois,
en ces cinquante jours, la comtesse s'avança peut-être
au delà des bornes dans lesquelles se renfermait notre
affection; mais encore ces deux événements furent-ils
enveloppés d'un voile qui ne se leva qu'au jour des
aveux suprêmes. Un matin, dans les premiers jours de
la maladie du comte, au moment où elle se repentit
de m'avoir traité si sévèrement en me retirant les innocents privilèges accordés à ma chaste tendresse, je
l'attendais, elle devait me remplacer. Trop fatigué,
je m'étais endormi, la tête appuyée sur la muraille.
Je me réveillai soudain en me sentant le front touché
par je ne sais quoi de frais qui me donna une sensation
comparable à celle d'une rose qu'on y eût appuyée.
Je vis la comtesse à trois pas de moi, qui me dit :
— « J'arrive! » Je m'en allai; mais en lui souhaitant le
bonjour, je lui pris la main, et la sentis humide et
tremblante.

— Souffrez-vous? lui dis-je.

— Pourquoi me faites-vous cette question? me demanda-t-elle.

Je la regardai, rougissant, confus : — J'ai rêvé,
dis-je.

Un soir, pendant les dernières visites de monsieur
Origet, qui avait positivement annoncé la convalescence
du comte, je me trouvais avec Jacques et Madeleine
sous le perron où nous étions tous trois couchés sur
les marches, emportés par l'attention que demandait
une partie d'onchets que nous faisions avec des tuyaux
de paille et des crochets armés d'épingles. Monsieur de
Mortsauf dormait. En attendant que son cheval fût

attelé, le médecin et la comtesse causaient à voix basse dans le salon. Monsieur Origet s'en alla sans que je m'aperçusse de son départ. Après l'avoir reconduit, Henriette s'appuya sur la fenêtre d'où elle nous contempla sans doute pendant quelque temps, à notre insu. La soirée était une de ces soirées chaudes où le ciel prend les teintes du cuivre, où la campagne envoie dans les échos mille bruits confus. Un dernier rayon de soleil se mourait sur les toits, les fleurs des jardins embaumaient les airs, les clochettes des bestiaux ramenés aux étables retentissaient au loin. Nous nous conformions au silence de cette heure tiède en étouffant nos cris de peur d'éveiller le comte. Tout à coup, malgré le bruit onduleux d'une robe, j'entendis la contraction gutturale d'un soupir violemment réprimé; je m'élançai dans le salon, j'y vis la comtesse assise dans l'embrasure de la fenêtre, un mouchoir sur la figure; elle reconnut mon pas, et me fit un geste impérieux pour m'ordonner de la laisser seule. Je vins, le cœur pénétré de crainte, et voulus lui ôter son mouchoir de force, elle avait le visage baigné de larmes; elle s'enfuit dans sa chambre, et n'en sortit que pour la prière. Pour la première fois, depuis cinquante jours, je l'emmenai sur la terrasse et lui demandai compte de son émotion; mais elle affecta la gaieté la plus folle et la justifia par la bonne nouvelle que lui avait donnée Origet.

— Henriette, Henriette, lui dis-je, vous la saviez au moment où je vous ai vue pleurant. Entre nous deux un mensonge serait une monstruosité. Pourquoi m'avez-vous empêché d'essuyer ces larmes? M'appartenaient-elles donc?

— J'ai pensé, me dit-elle, que pour moi cette maladie a été comme une halte dans la douleur. Maintenant que je ne tremble plus pour monsieur de Mortsauf, il faut trembler pour moi.

Elle avait raison. La santé du comte s'annonça par le retour de son humeur fantasque : il commençait à dire que ni sa femme, ni moi, ni le médecin ne savaient le soigner, nous ignorions tous et sa maladie et son tempérament, et ses souffrances et les remèdes convenables. Origet, infatué de je ne sais quelle doctrine, voyait une altération dans les humeurs, tandis qu'il ne devait s'occuper que du pylore. Un jour, il nous regarda malicieusement comme un homme qui nous aurait épiés ou bien devinés, et il dit en souriant à sa femme : — Eh! bien, ma chère, si j'étais mort, vous m'auriez regretté sans doute, mais, avouez-le, vous vous seriez résignée...

— J'aurais porté le deuil de cour, rose et noir, répondit-elle en riant afin de faire taire son mari.

Mais il y eut surtout à propos de la nourriture, que le docteur déterminait sagement en s'opposant à ce que l'on satisfît la faim du convalescent, des scènes de violence et des criailleries qui ne pouvaient se comparer à rien dans le passé, car le caractère du comte se montra d'autant plus terrible qu'il avait pour ainsi dire sommeillé. Forte de ses ordonnances du médecin et de l'obéissance de ses gens, stimulé par moi qui vis dans cette lutte un moyen de lui apprendre à exercer sa domination sur son mari, la comtesse s'enhardit à la résistance; elle sut opposer un front calme à la démence et aux cris; elle s'habitua, le prenant pour ce qu'il était, pour un enfant, à entendre ses épithètes injurieuses. J'eus le bonheur de lui voir saisir enfin le gouvernement de cet esprit maladif. Le comte criait, mais il obéissait et il obéissait surtout après avoir beaucoup crié. Malgré l'évidence des résultats, Henriette pleurait parfois à l'aspect de ce vieillard décharné, faible, au front plus jaune que la feuille près de tomber, aux yeux pâles, aux mains tremblantes; elle se reprochait ses duretés, elle ne résistait pas souvent à la joie qu'elle voyait dans les yeux du comte quand, en lui mesurant ses repas, elle allait au delà des défenses du médecin. Elle se montra d'ailleurs d'autant plus douce et gracieuse pour lui qu'elle l'avait été pour moi; mais il y eut cependant des différences qui remplirent mon cœur d'une joie illimitée. Elle n'était pas infatigable, elle savait appeler ses gens pour servir le comte quand ses caprices se succédaient un peu trop rapidement et qu'il se plaignait de ne pas être compris.

La comtesse voulut aller rendre grâces à Dieu du rétablissement de monsieur de Mortsauf, elle fit dire une messe et me demanda mon bras pour se rendre à l'église; je l'y menai; mais pendant le temps que dura la messe, je vins voir monsieur et madame de Chessel. Au retour, elle voulut me gronder.

— Henriette, lui dis-je, je suis incapable de fausseté. Je puis me jeter à l'eau pour sauver mon ennemi qui se noie, lui donner mon manteau pour le réchauffer; enfin je lui pardonnerais, mais sans oublier l'offense.

Elle garda le silence, et pressa mon bras sur son cœur.

— Vous êtes un ange, vous avez dû être sincère dans vos actions de grâces, dis-je en continuant. La mère du prince de la Paix fut sauvée des mains d'une populace furieuse qui voulait la tuer, et quand la reine lui demanda : « Que faisiez-vous? » elle répondit : « Je priais pour eux! » La femme est ainsi. Moi je suis un homme et nécessairement imparfait.

— Ne vous calomniez point, dit-elle en me remuant

le bras avec violence, peut-être valez-vous mieux que
moi.

— Oui, repris-je, car je donnerais l'éternité pour un
seul jour de bonheur, et vous!...

— Et moi? dit-elle en me regardant avec fierté.

Je me tus et baissai les yeux pour éviter la foudre
de son regard.

— Moi! reprit-elle, de quel *moi* parlez-vous? Je sens
bien des moi en moi! Ces deux enfants, ajouta-t-elle en
montrant Madeleine et Jacques, sont des *moi*. Félix,
dit-elle avec un accent déchirant, me croyez-vous donc
égoïste? Pensez-vous que je saurais sacrifier toute une
éternité pour récompenser celui qui me sacrifie sa
vie? Cette pensée est horrible, elle froisse à jamais les
sentiments religieux. Une femme ainsi déchue peut-elle
se relever? son bonheur peut-il l'absoudre? Vous me
feriez bientôt décider ces questions!... Oui, je vous livre
enfin un secret de ma conscience : cette idée m'a souvent traversé le cœur, je l'ai souvent expiée par de
dures pénitences, elle a causé des larmes dont vous
m'avez demandé compte avant-hier...

— Ne donnez-vous pas trop d'importance à certaines
choses que les femmes vulgaires mettent à haut prix et
que vous devriez...

— Oh! dit-elle en m'interrompant, leur en donnez-
vous moins?

Cette logique arrêta tout raisonnement.

— Hé! bien, reprit-elle, sachez-le! Oui, j'aurais la
lâcheté d'abandonner ce pauvre vieillard dont je suis
la vie! Mais, mon ami, ces deux petites créatures si
faibles qui sont en avant de nous, Madeleine et Jacques,
ne resteraient-ils pas avec leur père? Eh! bien, croyez-
vous, je vous le demande, croyez-vous qu'ils vécussent
trois mois sous la domination insensée de cet homme?

Si en manquant à mes devoirs, il ne s'agissait que de
moi... Elle laissa échapper un superbe sourire. Mais
n'est-ce pas tuer mes deux enfants? leur mort serait
certaine. Mon Dieu! s'écria-t-elle, pourquoi parlons-nous
de ces choses? Mariez-vous, et laissez-moi mourir!

Elle dit ces paroles d'un ton si amer, si profond,
qu'elle étouffa la révolte de ma passion.

— Vous avez crié, là-haut, sous ce noyer; je viens
de crier, moi, sous ces aulnes, voilà tout. Je me tairai
désormais.

— Vos générosités me tuent, dit-elle en levant les
yeux au ciel.

Nous étions arrivés sur la terrasse, nous y trouvâmes
le comte assis dans un fauteuil, au soleil. L'aspect de
cette figure fondue, à peine animée par un sourire
faible, éteignit les flammes sorties des cendres. Je
m'appuyai sur la balustrade, en contemplant le tableau
que m'offrait ce moribond, entre ses deux enfants
toujours malingres, et sa femme pâlie par les veilles,
amaigrie par les excessifs travaux, par les alarmes et
peut-être par les joies de ces deux terribles mois, mais
que les émotions de cette scène avaient colorée outre
mesure. A l'aspect de cette famille souffrante, enveloppée de feuillages tremblotants à travers lesquels
passait la grise lumière d'un ciel d'automne nuageux,
je sentis en moi-même se dénouer les liens qui rat-
tachent le corps à l'esprit. Pour la première fois,
j'éprouvai ce spleen moral que connaissent, dit-on, les
plus robustes lutteurs au fort de leurs combats, espèce
de folie froide qui fait un lâche de l'homme le plus
brave, un dévot d'un incrédule, qui rend indifférent
à toute chose, même aux sentiments les plus vitaux, à
l'honneur, à l'amour; car le doute nous ôte la connaissance de nous-même, et nous dégoûte de la vie. Pauvres

créatures nerveuses que la richesse de votre organisation livre sans défense à je ne sais quel fatal génie, où sont vos pairs et vos juges? Je connus comment le jeune audacieux qui avançait déjà la main sur le bâton des maréchaux de France, habile négociateur autant qu'intrépide capitaine, avait pu devenir l'innocent assassin que je voyais! Mes désirs, aujourd'hui couronnés de roses, pouvaient avoir cette fin? Epouvanté par la cause autant que par l'effet, demandant comme l'impie où était ici la Providence, je ne pus retenir deux larmes qui roulèrent sur mes joues.

— Qu'as-tu, mon bon Félix? me dit Madeleine de sa voix enfantine.

Puis Henriette acheva de dissiper ces noires vapeurs et ces ténèbres par un regard de sollicitude qui rayonna dans mon âme comme le soleil. En ce moment, le vieux piqueur m'apporta de Tours une lettre dont la vue m'arracha je ne sais quel cri de surprise, et qui fit trembler madame de Mortsauf par contre-coup. Je voyais le cachet du cabinet, le roi me rappelait. Je lui tendis la lettre, elle la lut d'un regard.

— Il s'en va! dit le comte.

— Que vais-je devenir? me dit-elle en apercevant pour la première fois son désert sans soleil.

Nous restâmes dans une stupeur de pensée qui nous oppressa tous également, car nous n'avions jamais si bien senti que nous nous étions tous nécessaires les uns aux autres. La comtesse eut, en me parlant de toutes choses, même indifférentes, un son de voix nouveau, comme si l'instrument eût perdu plusieurs cordes, et que les autres se fussent détendues. Elle eut des gestes d'apathie et des regards sans lueur. Je la priai de me confier ses pensées.

— En ai-je? me dit-elle.

Elle m'entraîna dans sa chambre, me fit asseoir sur son canapé, fouilla le tiroir de sa toilette, se mit à genoux devant moi, et me dit : — Voilà les cheveux qui me sont tombés depuis un an, prenez-les, ils sont bien à vous, vous saurez un jour comment et pourquoi.

Je me penchai lentement vers son front, elle ne se baissa pas pour éviter mes lèvres, je les appuyai saintement, sans coupable ivresse, sans volupté chatouilleuse, mais avec un solennel attendrissement. Voulait-elle tout sacrifier? Allait-elle seulement, comme je l'avais fait, au bord du précipice? Si l'amour l'avait amenée à se livrer, elle n'eût pas eu ce calme profond, ce regard religieux, et ne m'eût pas dit de sa voix pure : — Vous ne m'en voulez plus?

Je partis au commencement de la nuit, elle voulut m'accompagner par la route de Frapesle, et nous nous arrêtâmes au noyer; je le lui montrai, lui disant comment de là je l'avais aperçue quatre ans auparavant :

— La vallée était bien belle! m'écriai-je.

— Et maintenant? reprit-elle vivement.

— Vous êtes sous le noyer, lui dis-je, et la vallée est à nous.

Elle baissa la tête, et notre adieu se fit là. Elle remonta dans sa voiture avec Madeleine, et moi dans la mienne, seul. De retour à Paris, je fus heureusement absorbé par des travaux pressants qui me donnèrent une violente distraction et me forcèrent à me dérober au monde qui m'oublia. Je correspondis avec madame de Mortsauf, à qui j'envoyais mon journal toutes les semaines, et qui me répondait deux fois par mois. Vie obscure et pleine, semblable à ces endroits touffus, fleuris et ignorés, que j'avais admirés naguère encore au fond des bois en faisant de nouveaux poèmes de fleurs pendant les deux dernières semaines.

O vous qui aimez! imposez-vous de ces belles obligations, chargez-vous de règles à accomplir comme l'Eglise en a donné pour chaque jour aux chrétiens. C'est de grandes idées que les observances rigoureuses créées par la Religion Romaine, elles tracent toujours plus avant dans l'âme les sillons du devoir par la répétition des actes qui conservent l'espérance et la crainte. Les sentiments courent toujours vifs dans ces ruisseaux creusés qui retiennent les eaux, les purifient, rafraîchissent incessamment le cœur, et fertilisent la vie par les abondants trésors d'une foi cachée, source divine où se multiplie l'unique pensée d'un unique amour.

Ma passion, qui recommençait le Moyen Age et rappelait la chevalerie, fut connue je ne sais comment; peut-être le roi et le duc de Lenoncourt en causèrent-ils. De cette sphère supérieure, l'histoire à la fois romanesque et simple d'un jeune homme qui adorait pieusement une femme belle sans public, grande dans la solitude, fidèle sans l'appui du devoir, se répandit sans doute au cœur du faubourg Saint-Germain? Dans les salons, je me trouvais l'objet d'une attention gênante, car la modestie de la vie a des avantages qui, une fois éprouvés, rendent insupportable l'éclat d'une mise en scène constante. De même que les yeux habitués à ne voir que des couleurs douces sont blessés par le grand jour, de même il est certains esprits auxquels déplaisent les violents contrastes. J'étais alors ainsi; vous pouvez vous en étonner aujourd'hui; mais prenez patience, les bizarreries du Vandenesse actuel vont s'expliquer. Je trouvais donc les femmes bienveillantes et le monde parfait pour moi. Après le mariage du duc de Berry [1], la cour reprit du faste, les fêtes françaises revinrent. L'occupation étrangère avait cessé, la prospérité reparaissait, les plaisirs étaient possibles. Des personnes illustres par leur rang, ou considérables par leur fortune, abondèrent de tous les points de l'Europe dans la capitale de l'intelligence où se retrouvent les avantages des autres pays et leurs vices agrandis, aiguisés par l'esprit français. Cinq mois après avoir quitté Clochegourde au milieu de l'hiver, mon bon ange m'écrivit une lettre désespérée en me racontant une grave maladie de son fils, et à laquelle il avait échappé, mais qui laissait des craintes pour l'avenir; le médecin avait parlé de précautions à prendre pour la poitrine, mot terrible qui, prononcé par la science, teint en noir toutes les heures d'une mère. A peine Henriette respirait-elle, à peine Jacques entrait-il en convalescence, que sa sœur inspira des inquiétudes. Madeleine, cette jolie plante qui répondait si bien à la culture maternelle, subissait une crise prévue, mais redoutable pour une si frêle constitution. Abattue déjà par les fatigues que lui avait causées la longue maladie de Jacques, la comtesse se trouvait sans courage pour supporter ce nouveau coup, et le spectacle que lui présentaient ces deux chers êtres la rendait insensible aux tourments redoublés du caractère de son mari. Ainsi, des orages de plus en plus troubles et chargés de graviers déracinaient par leurs vagues âpres les espérances le plus profondément plantées dans son cœur. Elle s'était d'ailleurs abandonnée à la tyrannie du comte, qui, de guerre lasse, avait regagné le terrain perdu.

« Quand toute ma force enveloppait mes enfants, » m'écrivait-elle, pouvais-je l'employer contre monsieur » de Mortsauf et pouvais-je me défendre de ses agres- » sions en me défendant contre la mort? En marchant » aujourd'hui, seule et affaiblie, entre les deux jeunes » mélancolies qui m'accompagnent, je suis atteinte par

» un invincible dégoût de la vie. Quel coup puis-je sen-
» tir, à quelle affection puis-je répondre, quand je vois
» sur la terrasse Jacques immobile dont la vie ne m'est
» plus attestée que par ses deux beaux yeux agrandis
» de maigreur, caves comme ceux d'un vieillard, et
» dont, fatal pronostic! l'intelligence avancée contraste
» avec sa débilité corporelle? Quand je vois à mes
» côtés cette jolie Madeleine, si vive, si caressante, si
» colorée, maintenant blanche comme une morte, ses
» cheveux et ses yeux me semblent avoir pâli, elle
» tourne sur moi des regards languissants comme si elle
» voulait me faire ses adieux; aucun mets ne la tente,
» ou si elle désire quelque nourriture, elle m'effraie
» par l'étrangeté de ses goûts; la candide créature,
» quoique élevée dans mon cœur, rougit en me les
» confiant. Malgré mes efforts, je ne puis amuser mes
» enfants; chacun d'eux me sourit, mais ce sourire
» leur est arraché par mes coquetteries, et ne vient
» pas d'eux; ils pleurent de ne pouvoir répondre à mes
» caresses. La souffrance a tout détendu dans leur
» âme, même les liens qui nous attachent. Ainsi vous
» comprenez combien Clochegourde est triste : mon-
» sieur de Mortsauf y règne sans obstacle. O mon ami,
» vous ma gloire! m'écrivait-elle plus loin, vous devez
» bien m'aimer pour m'aimer encore, pour m'aimer
» inerte, ingrate, et pétrifiée par la douleur. »

En ce moment, où jamais je ne me sentis plus vivement atteint dans mes entrailles, et où je ne vivais
que dans cette âme, sur laquelle je tâchais d'envoyer
la brise lumineuse des matins et l'espérance des soirs
empourprés, je rencontrai dans les salons de l'Elysée-
Bourbon [1] l'une de ces illustres ladies qui sont à demi
souveraines. D'immenses richesses, la naissance dans

une famille qui depuis la conquête était pure de toute mésalliance, un mariage avec l'un des vieillards les plus distingués de la pairie anglaise, tous ces avantages n'étaient que des accessoires qui rehaussaient la beauté de cette personne, ses grâces, ses manières, son esprit, je ne sais quel brillant qui éblouissait avant de fasciner. Elle fut l'idole du jour, et régna d'autant mieux sur la société parisienne, qu'elle eut les qualités nécessaires à ses succès, la main de fer sous un gant de velours dont parlait Bernadotte. Vous connaissez la singulière personnalité des Anglais, cette orgueilleuse Manche infranchissable, ce froid canal Saint-Georges qu'ils mettent entre eux et les gens qui ne leur sont point présentés; l'humanité semble être une fourmilière sur laquelle ils marchent; ils ne connaissent de leur espèce que les gens admis par eux; les autres, ils n'en entendent pas le langage; c'est bien des lèvres qui se remuent et des yeux qui voient, mais ni le son ni le regard ne les atteignent; pour eux, ces gens sont comme s'ils n'étaient point. Les Anglais offrent ainsi comme une image de leur île où la loi régit tout, où tout est uniforme dans chaque sphère, où l'exercice des vertus semble être le jeu nécessaire de rouages qui marchent à heure fixe. Les fortifications d'acier poli élevées autour d'une femme anglaise, encagée dans son ménage par des fils d'or, mais où sa mangeoire et son abreuvoir, où ses bâtons et sa pâture sont des merveilles, lui prêtent d'irrésistibles attraits. Jamais un peuple n'a mieux préparé l'hypocrisie de la femme mariée en la mettant à tout propos entre la mort et la vie sociale; pour elle, aucun intervalle entre la honte et l'honneur : ou la faute est complète, ou elle n'est pas; c'est tout ou rien, le *To be, or not to be* d'Hamlet. Cette alternative, jointe au dédain constant

auquel les mœurs l'habituent, fait d'une femme anglaise un être à part dans le monde. C'est une pauvre
créature, vertueuse par force et prête à se dépraver,
condamnée à de continuels mensonges enfouis en son
cœur mais délicieuse par la forme, parce que ce peuple
a tout mis dans la forme. De là les beautés particulières
aux femmes de ce pays : cette exaltation d'une tendresse où pour elles se résume nécessairement la vie,
l'exagération de leurs soins pour elles-mêmes, la délicatesse de leur amour si gracieusement peinte dans la
fameuse scène de Roméo et de Juliette où le génie de
Shakspeare a d'un trait exprimé la femme anglaise. A
vous qui leur enviez tant de choses, que vous dirai-je
que vous ne sachiez de ces blanches sirènes, impénétrables en apparence et sitôt connues, qui croient que
l'amour suffit à l'amour, et qui importent le spleen
dans les jouissances en ne les variant pas, dont l'âme
n'a qu'une note, dont la voix n'a qu'une syllabe,
océan d'amour, où qui n'a pas nagé ignorera toujours
quelque chose de la poésie des sens, comme celui qui
n'a pas vu la mer aura des cordes de moins à sa lyre.
Vous connaissez le pourquoi de ces paroles. Mon aventure avec la marquise Dudley eut une fatale célébrité.
Dans un âge où les sens ont tant d'empire sur nos
déterminations, chez un jeune homme où leurs ardeurs
avaient été si violemment comprimées, l'image de la
sainte qui souffrait son lent martyre à Clochegourde
rayonna si fortement que je pus résister aux séductions. Cette fidélité fut le lustre qui me valut l'attention
de lady Arabelle. Ma résistance aiguisa sa passion. Ce
qu'elle désirait, comme le désirent beaucoup d'Anglaises, était l'éclat, l'extraordinaire. Elle voulait du
poivre, du piment pour la pâture du cœur, de même
que les Anglais veulent des condiments enflammés pour

réveiller leur goût. L'atonie que mettent dans l'existence de ces femmes une perfection constante dans les choses, une régularité méthodique dans les habitudes, les conduit à l'adoration du romanesque et du difficile. Je ne sus pas juger ce caractère. Plus je me renfermais dans un froid dédain, plus lady Dudley se passionnait. Cette lutte, dont elle se faisait gloire, excita la curiosité de quelques salons, ce fut pour elle un premier bonheur qui lui faisait une obligation du triomphe. Ah! j'eusse été sauvé, si quelque ami m'avait répété le mot atroce qui lui échappa sur madame de Mortsauf et sur moi.

— Je suis, dit-elle, ennuyée de ces soupirs de tourterelle!

Sans vouloir ici justifier mon crime, je vous ferai observer, Natalie, qu'un homme a moins de ressources pour résister à une femme que vous n'en avez pour échapper à nos poursuites. Nos mœurs interdisent à notre sexe les brutalités de la répression qui, chez vous, sont des amorces pour un amant, et que d'ailleurs les convenances vous imposent; à nous, au contraire, je ne sais quelle jurisprudence de fatuité masculine ridiculise notre réserve; nous vous laissons le monopole de la modestie pour que vous ayez le privilège des faveurs; mais intervertissez les rôles, l'homme succombe sous la moquerie. Quoique gardé par ma passion, je n'étais pas à l'âge où l'on reste insensible aux triples séductions de l'orgueil, du dévouement et de la beauté. Quand lady Arabelle mettait à mes pieds, au milieu d'un bal dont elle était la reine, les hommages qu'elle y recueillait, et qu'elle épiait mon regard pour savoir si sa toilette était de mon goût, et qu'elle frissonnait de volupté lorsqu'elle me plaisait, j'étais ému de son émotion. Elle se tenait d'ailleurs sur un

terrain où je ne pouvais pas la fuir; il m'était difficile
de refuser certaines invitations parties du cercle diplomatique; sa qualité lui ouvrait tous les salons, et avec
cette adresse que les femmes déploient pour obtenir
ce qui leur plaît, elle se faisait placer à table par la
maîtresse de la maison auprès de moi; puis elle me
parlait à l'oreille. — « Si j'étais aimée comme l'est
madame de Mortsauf, me disait-elle, je vous sacrifierais tout. » Elle me soumettait en riant les conditions
les plus humbles, elle me promettait une discrétion
à toute épreuve, ou me demandait de souffrir seulement qu'elle m'aimât. Elle me disait un jour ces mots
qui satisfaisaient toutes les capitulations d'une
conscience timorée et les effrénés désirs du jeune
homme : « — Votre amie toujours, et votre maîtresse
quand vous le voudrez! » Enfin elle médita de faire
servir à ma perte la loyauté même de mon caractère,
elle gagna mon valet de chambre, et après une soirée
où elle s'était montrée si belle qu'elle était sûre d'avoir
excité mes désirs, je la trouvai chez moi. Cet éclat
retentit dans l'Angleterre, et son aristocratie se
consterna comme le ciel à la chute de son plus bel
ange. Lady Dudley quitta son nuage dans l'empyrée
britannique, se réduisit à sa fortune, et voulut éclipser
par ses sacrifices CELLE dont la vertu causa ce célèbre
désastre. Lady Arabelle prit plaisir, comme le démon
sur le faîte du temple, à me montrer les plus riches
pays de son ardent royaume.

Lisez-moi, je vous en conjure, avec indulgence? Il
s'agit ici d'un des problèmes les plus intéressants de la
vie humaine, d'une crise à laquelle ont été soumis la
plus grande partie des hommes, et que je voudrais
expliquer, ne fût-ce que pour allumer un phare sur
cet écueil. Cette belle lady, si svelte, si frêle, cette

femme de lait, si brisée, si brisable, si douce, d'un
front si caressant, couronnée de cheveux de couleur
fauve et si fins, cette créature dont l'éclat semble phos-
phorescent et passager, est une organisation de fer.
Quelque fougueux qu'il soit, aucun cheval ne résiste à
son poignet nerveux, à cette main molle en apparence
et que rien ne lasse. Elle a le pied de la biche, un
petit pied sec et musculeux, sous une grâce d'enveloppe
indescriptible. Elle est d'une force à ne rien craindre
dans une lutte; nul homme ne peut la suivre à cheval,
elle gagnerait le prix d'un *steeple chase* sur des cen-
taures; elle tire les daims et les cerfs sans arrêter son
cheval. Son corps ignore la sueur, il aspire le feu dans
l'atmosphère et vit dans l'eau sous peine de ne pas
vivre. Aussi sa passion est-elle tout africaine; son désir
va comme le tourbillon du désert, le désert dont
l'ardente immensité se peint dans ses yeux, le désert
plein d'azur et d'amour, avec son ciel inaltérable, avec
ses fraîches nuits étoilées. Quelles oppositions avec
Clochegourde! L'orient et l'occident, l'une attirant à
elle les moindres parcelles humides pour s'en nourrir,
l'autre exsudant son âme, enveloppant ses fidèles d'une
lumineuse atmosphère; celle-ci, vive et svelte; celle-là,
lente et grasse. Enfin, avez-vous jamais réfléchi au
sens général des mœurs anglaises? N'est-ce pas la divi-
nisation de la matière, un épicuréisme défini, médité,
savamment appliqué? Quoi qu'elle fasse ou dise, l'Angleterre est matérialiste, à son insu peut-être. Elle a
des prétentions religieuses et morales, d'où la spiritualité divine, d'où l'âme catholique est absente, et
dont la grâce fécondante ne sera remplacée par aucune
hypocrisie, quelque bien jouée qu'elle soit. Elle possède au plus haut degré cette science de l'existence
qui bonifie les moindres parcelles de la matérialité,

qui fait que votre pantoufle est la plus exquise pantoufle du monde, qui donne à votre linge une saveur
indicible, qui double de cèdre et parfume les com-
modes; qui verse à l'heure dite un thé suave, savamment déplié, qui bannit la poussière, cloue des tapis
depuis la première marche jusque dans les derniers
replis de la maison, brosse les murs des caves, polit
le marteau de la porte, assouplit les ressorts du car-
rosse, qui fait de la matière une pulpe nourrissante et
cotonneuse, brillante et propre au sein de laquelle
l'âme expire sous la jouissance, qui produit l'affreuse
monotonie du bien-être, donne une vie sans opposition,
dénuée de spontanéité et qui pour tout dire vous
machinise. Ainsi, je connus tout à coup au sein de ce
luxe anglais une femme peut-être unique en son sexe,
qui m'enveloppa dans les rets de cet amour renaissant
de son agonie et aux prodigalités duquel j'apportais
une continence sévère, de cet amour qui a des beautés
accablantes, une électricité à lui, qui vous introduit
souvent dans les cieux par les portes d'ivoire de son
demi-sommeil, ou qui vous y enlève en croupe sur ses
reins ailés. Amour horriblement ingrat, qui rit sur les
cadavres de ceux qu'il tue; amour sans mémoire, un
cruel amour qui ressemble à la politique anglaise, et
dans lequel tombent presque tous les hommes. Vous
comprenez déjà le problème. L'homme est composé
de matière et d'esprit; l'animalité vient aboutir en lui,
et l'ange commence à lui. De là cette lutte que nous
éprouvons tous entre une destinée future que nous
pressentons et les souvenirs de nos instincts antérieurs
dont nous ne sommes pas entièrement détachés : un
amour charnel et un amour divin. Tel homme les
résout en un seul, tel autre s'abstient; celui-ci fouille
le sexe entier pour y chercher la satisfaction de ses

appétits antérieurs, celui-là l'idéalise en une seule
femme dans laquelle se résume l'univers; les uns
flottent indécis entre les voluptés de la matière et celles
de l'esprit, les autres spiritualisent la chair en lui
demandant ce qu'elle ne saurait donner. Si, pensant
à ces traits généraux de l'amour, vous tenez compte
des répulsions et des affinités qui résultent de la diver-
sité des organisations, et qui brisent les pactes conclus
entre ceux qui ne se sont pas éprouvés; si vous y joi-
gnez les erreurs produites par les espérances des gens
qui vivent plus spécialement par l'esprit, par le cœur
ou par l'action, qui pensent, qui sentent ou qui agissent, et dont les vocations sont trompées, méconnues
dans une association où il se trouve deux êtres, également doubles; vous aurez une grande indulgence
pour les malheurs envers lesquels la société se montre
sans pitié. Eh! bien, lady Arabelle contente les instincts,
les organes, les appétits, les vices et les vertus de la
matière subtile dont nous sommes faits; elle était la
maîtresse du corps. Madame de Mortsauf était l'épouse
de l'âme. L'amour que satisfaisait la maîtresse a des
bornes, la matière est finie, ses propriétés ont des forces
calculées, elle est soumise à d'inévitables saturations;
je sentais souvent je ne sais quel vide à Paris, près de
lady Dudley. L'infini est le domaine du cœur, l'amour
était sans bornes à Clochegourde. J'aimais passionnément lady Arabelle, et certes, si la bête était sublime
en elle, elle avait aussi de la supériorité dans l'intelligence; sa conversation moqueuse embrassait tout.
Mais j'adorais Henriette. La nuit je pleurais de bonheur, le matin je pleurais de remords. Il est certaines
femmes assez savantes pour cacher leur jalousie sous
la bonté la plus angélique; c'est celles qui, semblables
à lady Dudley, ont dépassé trente ans. Ces femmes

savent alors sentir et calculer, presser tout le suc du
présent et penser à l'avenir; elles peuvent étouffer des
gémissements souvent légitimes avec l'énergie du chasseur qui ne s'aperçoit pas d'une blessure en poursuivant
son bouillant hallali. Sans parler de madame de Mortsauf, Arabelle essayait de la tuer dans mon âme où
elle la retrouvait toujours, et sa passion se ravivait au
souffle de cet amour invincible. Afin de triompher par
des comparaisons qui fussent à son avantage, elle ne
se montra ni soupçonneuse, ni tracassière, ni curieuse,
comme le sont la plupart des jeunes femmes; mais,
semblable à la lionne qui a saisi dans sa gueule et
rapporté dans son antre une proie à ronger, elle veillait à ce que rien ne troublât son bonheur, et me gar-
dait comme une conquête insoumise. J'écrivais à Henriette sous ses yeux, jamais elle ne lut une seule ligne,
jamais elle ne chercha par aucun moyen à savoir
l'adresse écrite sur mes lettres. J'avais ma liberté. Elle
semblait s'être dit : — Si je le perds, je n'en accuserai
que moi. Et elle s'appuyait fièrement sur un amour si
dévoué qu'elle m'aurait donné sa vie sans hésiter si
je la lui avais demandée. Enfin elle m'avait fait croire
que, si je la quittais, elle se tuerait aussitôt. Il fallait
l'entendre à ce sujet célébrer la coutume des veuves
indiennes qui se brûlent sur le bûcher de leurs maris.
— « Quoique dans l'Inde cet usage soit une distinction
réservée à la classe noble, et que, sous ce rapport, il soit
peu compris des Européens incapables de deviner la
dédaigneuse grandeur de ce privilège, avouez, me disait-
elle, que, dans nos plates mœurs modernes, l'aristocratie ne peut plus se relever que par l'extraordinaire
des sentiments? Comment puis-je apprendre aux bour-
geois que le sang de mes veines ne ressemble pas au
leur, si ce n'est en mourant autrement qu'ils ne

meurent? Des femmes sans naissance peuvent avoir les
diamants, les étoffes, les chevaux, les écussons même
qui devraient nous être réservés, car on achète un
nom! Mais, aimer, tête levée, à contresens de la loi,
mourir pour l'idole que l'on s'est choisie en se taillant
un linceul dans les draps de son lit, soumettre le
monde et le ciel à un homme en dérobant ainsi au
Tout-Puissant le droit de faire un Dieu, ne le trahir
pour rien, pas même pour la vertu; car se refuser à
lui au nom du devoir, n'est-ce pas se donner à quelque
chose qui n'est pas *lui?*... que ce soit un homme ou
une idée, il y a toujours trahison! Voilà des grandeurs
où n'atteignent pas les femmes vulgaires; elles ne
connaissent que deux routes communes, ou le grand
chemin de la vertu, ou le bourbeux sentier de la courtisane! » Elle procédait, vous le voyez, par l'orgueil,
elle flattait toutes les vanités en les déifiant, elle me
mettait si haut qu'elle ne pouvait vivre qu'à mes genoux; aussi toutes les séductions de son esprit étaient-
elles exprimées par sa pose d'esclave et par son entière soumission. Elle savait rester tout un jour, étendue à mes pieds, silencieuse, occupée à me regarder,
épiant l'heure du plaisir comme une cadine du sérail
et l'avançant par d'habiles coquetteries, tout en paraissant l'attendre. Par quels mots peindre les six premiers
mois pendant lesquels je fus en proie aux énervantes
jouissances d'un amour fertile en plaisirs, et qui les
variait avec le savoir que donne l'expérience, mais en
cachant son instruction sous les emportements de la
passion. Ces plaisirs, subite révélation de la poésie des
sens, constituent le lien vigoureux par lequel les jeunes
gens s'attachent aux femmes plus âgées qu'eux; mais ce
lien est l'anneau du forçat, il laisse dans l'âme une
ineffaçable empreinte, il y met un dégoût anticipé

pour les amours frais, candides, riches de fleurs seulement, et qui ne savent pas servir d'alcool dans des
coupes d'or curieusement ciselées, enrichies de pierres
où brillent d'inépuisables feux. En savourant les
voluptés que je rêvais sans les connaître, que j'avais
exprimées dans mes *selam*, et que l'union des âmes
rend mille fois plus ardentes, je ne manquai pas de
paradoxes pour me justifier à moi-même la complaisance avec laquelle je m'abreuvais à cette belle coupe.
Souvent lorsque, perdue dans l'infini de la lassitude,
mon âme dégagée du corps voltigeait loin de la terre,
je pensais que ces plaisirs étaient un moyen d'annuler
la matière et de rendre l'esprit à son vol sublime.
Souvent lady Dudley, comme beaucoup de femmes,
profitait de l'exaltation à laquelle conduit l'excès du
bonheur, pour me lier par des serments; et, sous le
coup d'un désir, elle m'arrachait des blasphèmes contre
l'ange de Clochegourde. Une fois traître, je devins
fourbe. Je continuai d'écrire à madame de Mortsauf
comme si j'étais toujours le même enfant au méchant
petit habit bleu qu'elle aimait tant; mais, je l'avoue,
son don de seconde vue m'épouvantait quand je pensais aux désastres qu'une indiscrétion pouvait causer
dans le joli château de mes espérances. Souvent, au
milieu de mes joies, une soudaine douleur me glaçait,
j'entendais le nom d'Henriette prononcé par une voix
d'en haut comme le : — *Caïn, où est Abel?* de l'Ecri-
ture. Mes lettres restèrent sans réponse. Je fus saisi
d'une horrible inquiétude, je voulus partir pour Clochegourde. Arabelle ne s'y opposa point, mais elle
parla naturellement de m'accompagner en Touraine.
Son caprice aiguisé par la difficulté, ses pressentiments
justifiés par un bonheur inespéré, tout avait engendré
chez elle un amour réel qu'elle désirait rendre unique.

Son génie de femme lui fit apercevoir dans ce voyage un moyen de me détacher entièrement de madame de Mortsauf; tandis que, aveuglé par la peur, emporté par la naïveté de la passion vraie, je ne vis pas le piège où j'allais être pris. Lady Dudley proposa les concessions les plus humbles et prévint toutes les objections. Elle consentit à demeurer près de Tours, à la campagne, inconnue, déguisée, sans sortir le jour, et à choisir pour nos rendez-vous les heures de la nuit où personne ne pouvait nous rencontrer. Je partis de Tours à cheval pour Clochegourde. J'avais mes raisons en y venant ainsi, car il me fallait pour mes excursions nocturnes un cheval et le mien était un cheval arabe que lady Esther Stanhope avait envoyé à la marquise, et qu'elle m'avait échangé contre ce fameux tableau de Rembrandt, qu'elle a dans son salon à Londres, et que j'ai si singulièrement obtenu. Je pris le chemin que j'avais parcouru pédestrement six ans auparavant, et m'arrêtai sous le noyer. De là, je vis madame de Mortsauf en robe blanche au bord de la terrasse. Aussitôt je m'élançai vers elle avec la rapidité de l'éclair, et fus en quelques minutes au bas du mur, après avoir franchi la distance en droite ligne, comme s'il s'agissait d'une course au clocher. Elle entendit les bonds prodigieux de l'hirondelle du désert, et, quand je l'arrêtai net au coin de la terrasse, elle me dit : — Ah! vous voilà!

Ces trois mots me foudroyèrent. Elle savait mon aventure. Qui la lui avait apprise? sa mère, de qui plus tard elle me montra la lettre odieuse! La faiblesse indifférente de cette voix, jadis si pleine de vie, la pâleur mate du son révélaient une douleur mûrie, exhalaient je ne sais quelle odeur de fleurs coupées sans retour. L'ouragan de l'infidélité, semblable à ces crues de la Loire qui ensablent à jamais une terre,

avait passé sur son âme en faisant un désert là où
verdoyaient d'opulentes prairies. Je fis entrer mon
cheval par la petite porte; il se coucha sur le gazon
à mon commandement, et la comtesse, qui s'était
avancée à pas lents, s'écria : — Le bel animal! Elle se
tenait les bras croisés pour que je ne prisse pas sa
main, je devinai son intention. — Je vais prévenir
monsieur de Mortsauf, dit-elle en me quittant.

Je demeurai debout, confondu, la laissant aller, la
contemplant, toujours noble, lente, fière, plus blanche
que je ne l'avais vue, mais gardant au front la jaune
empreinte du sceau de la plus amère mélancolie, et
penchant la tête comme un lys trop chargé de pluie.

— Henriette! criai-je avec la rage de l'homme qui se
sent mourir.

Elle ne se retourna point, elle ne s'arrêta pas, elle
dédaigna de me dire qu'elle m'avait retiré son nom,
qu'elle n'y répondait plus, elle marchait toujours. Je
pourrai dans cette épouvantable vallée où doivent
tenir des millions de peuples devenus poussière et dont
l'âme anime maintenant la surface du globe, je pourrai
me trouver petit au sein de cette foule pressée sous les
immensités lumineuses qui l'éclaireront de leur gloire;
mais alors je serai moins aplati que je ne le fus devant
cette forme blanche, montant comme monte dans les
rues d'une ville quelque inflexible inondation, montant
d'un pas égal à son château de Clochegourde, la gloire
et le supplice de cette Didon chrétienne! Je maudis
Arabelle par une seule imprécation qui l'eût tuée
si elle l'eût entendue, elle qui avait tout laissé pour moi,
comme on laisse tout pour Dieu! Je restai perdu dans
un monde de pensées, en apercevant de tous côtés
l'infini de la douleur. Je les vis alors descendant tous.
Jacques courait avec l'impétuosité naïve de son âge.

Gazelle aux yeux mourants, Madeleine accompagnait sa mère. Je serrai Jacques contre mon cœur en versant sur lui les effusions de l'âme et les larmes que rejetait sa mère. Monsieur de Mortsauf vint à moi, me tendit les bras, me pressa sur lui, m'embrassa sur les joues, en me disant : — Félix, j'ai su que je vous devais la vie!

Madame de Mortsauf nous tourna le dos pendant cette scène, en prenant le prétexte de montrer le cheval à Madeleine stupéfaite.

— Ha! diantre! voilà bien les femmes, cria le comte en colère, elles examinent votre cheval.

Madeleine se retourna, vint à moi, je lui baisai la main en regardant la comtesse qui rougit.

— Elle est bien mieux, Madeleine, dis-je.

— Pauvre fillette! répondit la comtesse en la baisant au front.

— Oui, pour le moment, ils sont tous bien, répondit le comte. Moi seul, mon cher Félix, suis délabré comme une vieille tour qui va tomber.

— Il paraît que le général a toujours ses dragons noirs, repris-je en regardant madame de Mortsauf.

— Nous avons tous nos *blue devils*, répondit-elle. N'est-ce pas le mot anglais?

Nous remontâmes vers les clos en nous promenant ensemble, et sentant tous qu'il était survenu quelque grave événement. Elle n'avait aucun désir d'être seule avec moi. Enfin j'étais son hôte.

— Pour le coup, et votre cheval? dit le comte quand nous fûmes sortis.

— Vous verrez, reprit la comtesse, que j'aurai tort en y pensant, et tort en n'y pensant plus.

— Mais oui, dit-il, il faut tout faire en temps utile.

— J'y vais, dis-je en trouvant ce froid accueil insupportable. Moi seul puis le faire sortir, et le caser comme il faut. Mon *groom* vient par la voiture de Chinon, il le pansera.

— Le *groom* arrive-t-il aussi d'Angleterre? dit-elle.

— Il ne s'en fait que là, répondit le comte qui devint gai en voyant sa femme triste.

La froideur de sa femme fut une occasion de la contredire, il m'accabla de son amitié. Je connus la pesanteur de l'attachement d'un mari. Ne croyez pas que le moment où leurs attentions assassinent les âmes nobles soit le temps où leurs femmes prodiguent une affection qui semble leur être volée; non! ils sont odieux et insupportables le jour où cet amour s'envole. La bonne intelligence, condition essentielle aux attachements de ce genre, apparaît alors comme un moyen; elle pèse alors, elle est horrible comme tout moyen que sa fin ne justifie plus.

— Mon cher Félix, me dit le comte en me prenant les mains et me les serrant affectueusement, pardonnez à madame de Mortsauf, les femmes ont besoin d'être quinteuses, leur faiblesse les excuse, elles ne sauraient avoir l'égalité d'humeur que nous donne la force du caractère. Elle vous aime beaucoup, je le sais; mais...

Pendant que le comte parlait, madame de Mortsauf s'éloigna de nous insensiblement de manière à nous laisser seuls.

— Félix, me dit-il alors à voix basse en contemplant sa femme qui remontait au château accompagnée de ses deux enfants, j'ignore ce qui se passe dans l'âme de madame de Mortsauf, mais son caractère a complètement changé depuis six semaines. Elle si douce, si dévouée jusqu'ici, devient d'une maussaderie incroyable!

Manette m'apprit plus tard que la comtesse était tombée dans un abattement qui la rendait insensible aux tracasseries du comte. En ne rencontrant plus de terre molle où planter ses flèches, cet homme était devenu inquiet comme l'enfant qui ne voit plus remuer le pauvre insecte qu'il tourmente. En ce moment, il avait besoin d'un confident comme l'exécuteur a besoin d'un aide.

— Essayez, dit-il après une pause, de questionner madame de Mortsauf. Une femme a toujours des secrets pour son mari; mais elle vous confiera peut-être le sujet de ses peines. Dût-il m'en coûter la moitié des jours qui me restent et la moitié de ma fortune, je sacrifierais tout pour la rendre heureuse. Elle est si nécessaire à ma vie! Si dans ma vieillesse je ne sentais pas toujours cet ange à mes côtés, je serais le plus malheureux des hommes! je voudrais mourir tranquille. Dites-lui donc qu'elle n'a pas longtemps à me supporter. Moi, Félix, mon pauvre ami, je m'en vais, je le sais. Je cache à tout le monde la fatale vérité, pourquoi les affliger par avance? Toujours le pylore, mon ami! J'ai fini par saisir les causes de la maladie, la sensibilité m'a tué. En effet, toutes nos affections frappent sur le centre gastrique...

— En sorte, lui dis-je en souriant, que les gens de cœur périssent par l'estomac?

— Ne riez pas, Félix, rien n'est plus vrai. Les peines trop vives exagèrent le jeu du grand sympathique. Cette exaltation de la sensibilité entretient dans une constante irritation la muqueuse de l'estomac. Si cet état persiste, il amène des perturbations d'abord insensibles dans les fonctions digestives : les sécrétions s'altèrent, l'appétit se déprave et la digestion se fait capricieuse : bientôt des douleurs poignantes appa-

raissent, s'aggravent et deviennent de jour en jour
plus fréquentes; puis la désorganisation arrive à son
comble comme si quelque poison lent se mêlait au bol
alimentaire; la muqueuse s'épaissit, l'induration de la
valvule du pylore s'opère et il s'y forme un squirrhe
dont il faut mourir. Eh! bien, j'en suis là, mon cher!
L'induration marche sans que rien puisse l'arrêter.
Voyez mon teint jaune-paille, mes yeux secs et brillants, ma maigreur excessive! Je me dessèche. Que
voulez-vous, j'ai rapporté de l'émigration le germe de
cette maladie : j'ai tant souffert alors! Mon mariage,
qui pouvait réparer les maux de l'émigration, loin de
calmer mon âme ulcérée, a ravivé la plaie. Qu'ai-je
trouvé ici? d'éternelles alarmes causées par mes enfants,
des chagrins domestiques, une fortune à refaire, des
économies qui engendraient mille privations que j'im-
posais à ma femme et dont je pâtissais le premier.
Enfin, je ne puis confier ce secret qu'à vous, mais voici
ma plus dure peine. Quoique Blanche soit un ange,
elle ne me comprend pas; elle ne sait rien de mes
douleurs, elle les contrarie, je lui pardonne! Tenez,
ceci est affreux à dire, mon ami; mais une femme moins
vertueuse qu'elle m'aurait rendu plus heureux en se
prêtant à des adoucissements que Blanche n'imagine
pas, car elle est niaise comme un enfant! Ajoutez que
mes gens me tourmentent, c'est des buses qui entendent
grec lorsque je parle français. Quand notre fortune a
été reconstruite, coussi-coussi, quand j'ai eu moins
d'ennui, le mal était fait, j'atteignais à la période des
appétits dépravés; puis est venue ma grande maladie,
si mal prise par Origet. Bref, aujourd'hui, je n'ai pas
six mois à vivre...

J'écoutais le comte avec terreur. En revoyant la
comtesse, le brillant de ses yeux secs et la teinte jaune-

paille de son front m'avaient frappé, j'entraînai le
comte vers la maison en paraissant écouter ses plaintes
mêlées de dissertations médicales; mais je ne songeais
qu'à Henriette et voulais l'observer. Je trouvai la
comtesse dans le salon, où elle assistait à une leçon de
mathématiques donnée à Jacques par l'abbé de Dominis, en montrant à Madeleine un point de tapisserie.
Autrefois elle aurait bien su, le jour de mon arrivée,
remettre ses occupations pour être toute à moi; mais
mon amour était si profondément vrai que je refoulai
dans mon cœur le chagrin que me causa ce contraste
entre le présent et le passé; car je voyais la fatale
teinte jaune-paille [1] qui, sur ce céleste visage, ressemblait au reflet des lueurs divines que les peintres italiens ont mises à la figure des saintes. Je sentis alors
en moi le vent glacé de la mort. Puis quand le feu
de ses yeux dénués de l'eau limpide où jadis nageait
son regard tomba sur moi, je frissonnai; j'aperçus
alors quelques changements dus au chagrin et que je
n'avais point remarqués en plein air : les lignes si
menues qui, à ma dernière visite, n'étaient que légèrement imprimées sur son front, l'avaient creusé; ses
temps bleuâtres semblaient ardentes et concaves; ses
yeux s'étaient enfoncés sous leurs arcades attendries, et
le tour avait bruni; elle était mortifiée comme le fruit
sur lequel les meurtrissures commencent à paraître et
qu'un ver intérieur fait prématurément blondir. Moi,
dont toute l'ambition était de verser le bonheur à
flots dans son âme, n'avais-je pas jeté l'amertume dans
la source où se rafraîchissait sa vie, où se retrempait
son courage? Je vins m'asseoir à ses côtés, et lui dis
d'une voix où pleurait le repentir :

— Etes-vous contente de votre santé?

— Oui, répondit-elle en plongeant ses yeux dans les

miens. Ma santé, la voici, reprit-elle en me montrant
Jacques et Madeleine.

Sortie victorieuse de sa lutte avec la nature, à quinze
ans, Madeleine était femme; elle avait grandi, ses couleurs de rose du Bengale renaissaient sur ses joues bis-
trées; elle avait perdu l'insouciance de l'enfant qui regarde tout en face, et commençait à baisser les yeux;
ses mouvements devenaient rares et graves comme ceux
de sa mère; sa taille était svelte; et les grâces de son
corsage fleurissaient déjà; déjà la coquetterie lissait ses
magnifiques cheveux noirs, séparés en deux bandeaux
sur son front d'Espagnole. Elle ressemblait aux jolies
statuettes du Moyen Age, si fines de contour, si minces
de forme que l'œil en les caressant craint de les voir se
briser; mais la santé, ce fruit éclos après tant d'efforts,
avait mis sur ses joues le velouté de la pêche, et le long
de son col le soyeux duvet où, comme chez sa mère, se
jouait la lumière. Elle devait vivre! Dieu l'avait écrit,
cher bouton de la plus belle des fleurs humaines! sur
les longs cils de tes paupières, sur la courbe de tes
épaules qui promettaient de se développer richement
comme celles de ta mère! Cette brune jeune fille, à la
taille de peuplier, contrastait avec Jacques, frêle jeune
homme de dix-sept ans, de qui la tête avait grossi,
dont le front inquiétait par sa rapide extension, dont
les yeux fiévreux, fatigués, étaient en harmonie
avec une voix profondément sonore. L'organe livrait
un trop fort volume de son, de même que le regard
laissait échapper trop de pensées. C'était l'intelligence,
l'âme, le cœur d'Henriette dévorant de leur flamme
rapide un corps sans consistance; car Jacques avait ce
teint de lait animé des couleurs ardentes qui distinguent
les jeunes Anglaises marquées par le fléau pour être
abattues dans un temps déterminé; santé trompeuse!

En obéissant au signe par lequel Henriette, après m'avoir montré Madeleine, indiquait Jacques qui traçait des figures de géométrie et des calculs algébriques sur un tableau devant l'abbé de Dominis, je tressaillis à l'aspect de cette mort cachée sous les fleurs, et respectai l'erreur de la pauvre mère.

— Quand je les vois ainsi, la joie fait taire mes douleurs, de même qu'elles se taisent et disparaissent quand je les vois malades. Mon ami, dit-elle l'œil brillant de plaisir maternel, si d'autres affections nous trahissent, les sentiments récompensés ici, les devoirs accomplis et couronnés de succès compensent la défaite essuyée ailleurs. Jacques sera comme vous un homme d'une haute instruction, plein de vertueux savoir; il sera comme vous l'honneur de son pays, qu'il gouvernera peut-être, aidé par vous qui serez si haut placé; mais je tâcherai qu'il soit fidèle à ses premières affections. Madeleine, la chère créature, a déjà le cœur sublime, elle est pure comme la neige du plus haut sommet des Alpes, elle aura le dévouement de la femme et sa gracieuse intelligence, elle est fière, elle sera digne des Lenoncourt! La mère, jadis si tourmentée, est maintenant bien heureuse, heureuse d'un bonheur infini, sans mélange; oui, ma vie est pleine, ma vie est riche. Vous le voyez, Dieu fait éclore mes joies au sein des affections permises et mêle de l'amertume à celles vers lesquelles m'entraînait un penchant dangereux...

— Bien, s'écria joyeusement l'abbé. Monsieur le vicomte en sait autant que moi...

En achevant sa démonstration, Jacques toussa légèrement.

— Assez pour aujourd'hui, mon cher abbé, dit la comtesse émue, et surtout pas de leçon de chimie. Montez à cheval, Jacques, reprit-elle en se laissant

embrasser par son fils avec la caressante mais digne
volupté d'une mère, et les yeux tournés vers moi
comme pour insulter mes souvenirs. Allez, cher, et
soyez prudent.

— Mais, lui dis-je pendant qu'elle suivait Jacques
par un long regard, vous ne m'avez pas répondu.
Ressentez-vous quelques douleurs?

— Oui, parfois à l'estomac. Si j'étais à Paris, j'aurais
les honneurs d'une gastrite, la maladie à la mode.

— Ma mère souffre souvent et beaucoup, me dit
Madeleine.

— Ah! dit-elle, ma santé vous intéresse?...

Madeleine étonnée de la profonde ironie empreinte
dans ces mots, nous regarda tour à tour; mes yeux
comptaient des fleurs roses sur le coussin de son meuble
gris et vert qui ornait le salon.

— Cette situation est intolérable, lui dis-je à l'oreille.

— Est-ce moi qui l'ai créée? me demanda-t-elle. Cher
enfant, ajouta-t-elle à haute voix en affectant ce cruel
enjouement par lequel les femmes enjolivent leurs
vengeances, ignorez-vous l'histoire moderne? la France
et l'Angleterre ne sont-elles pas toujours ennemies?
Madeleine sait cela, elle sait qu'une mer immense
les sépare, mer froide, mer orageuse.

Les vases de la cheminée étaient remplacés par des
candélabres, afin sans doute de m'ôter le plaisir de les
remplir de fleurs; je les retrouvai plus tard dans sa
chambre. Quand mon domestique arriva, je sortis pour
lui donner des ordres; il m'avait apporté quelques
affaires que je voulus placer dans ma chambre.

— Félix, me dit la comtesse, ne vous trompez pas!
L'ancienne chambre de ma tante est maintenant celle
de Madeleine, vous êtes au-dessus du comte.

Quoique coupable, j'avais un cœur, et tous ces mots

étaient des coups de poignard froidement donnés aux endroits les plus sensibles qu'elle semblait choisir pour frapper. Les souffrances morales ne sont pas absolues, elles sont en raison de la délicatesse des âmes, et la comtesse avait durement parcouru cette échelle des douleurs; mais, par cette raison même, la meilleure femme sera toujours d'autant plus cruelle qu'elle a été plus bienfaisante; je la regardai, mais elle baissa la tête. J'allai dans ma nouvelle chambre qui était jolie, blanche et verte. Là, je fondis en larmes. Henriette m'entendit, elle y vint en apportant un bouquet de fleurs.

— Henriette, lui dis-je, en êtes-vous à ne point pardonner la plus excusable des fautes?

— Ne m'appelez jamais Henriette, reprit-elle, elle n'existe plus, la pauvre femme; mais vous trouverez toujours madame de Mortsauf, une amie dévouée qui vous écoutera, qui vous aimera. Félix, nous causerons plus tard. Si vous avez encore de la tendresse pour moi, laissez-moi m'habituer à vous voir; et au moment où les mots me déchireront moins le cœur, à l'heure où j'aurai reconquis un peu de courage, eh! bien, alors, alors seulement. Voyez-vous cette vallée? dit-elle en me montrant l'Indre, elle me fait mal, je l'aime toujours.

— Ah! périsse l'Angleterre et toutes ses femmes! Je donne ma démission au roi, je meurs ici, pardonné.

— Non, aimez-la, cette femme! Henriette n'est plus, ceci n'est pas un jeu, vous le saurez.

Elle se retira, dévoilant par l'accent de ce dernier mot l'étendue de ses plaies. Je sortis vivement, la retins et lui dis : — Vous ne m'aimez donc plus?

— Vous m'avez fait plus de mal que tous les autres ensemble! Aujourd'hui je souffre moins, je vous aime

donc moins; mais il n'y a qu'en Angleterre où l'on
dise *ni jamais, ni toujours;* ici nous disons *toujours.*
Soyez sage, n'augmentez pas ma douleur; et si vous
souffrez, songez que je vis, moi!

Elle me retira sa main que je tenais froide, sans
mouvement, mais humide, et se sauva comme une
flèche en traversant le corridor où cette scène véri-
tablement tragique avait eu lieu. Pendant le dîner,
le comte me réservait un supplice auquel je n'avais
pas songé.

— La marquise Dudley n'est donc pas à Paris? me
dit-il.

Je rougis excessivement en lui répondant : — Non.

— Elle n'est pas à Tours? dit le comte en continuant.

— Elle n'est pas divorcée, elle peut aller en Angleterre. Son mari serait bien heureux, si elle voulait
revenir à lui, dis-je avec vivacité.

— A-t-elle des enfants, demanda madame de Mortsauf d'une voix altérée.

— Deux fils, lui dis-je.

— Où sont-ils?

— En Angleterre, avec le père.

— Voyons, Félix, soyez franc. Est-elle aussi belle
qu'on le dit?

— Pouvez-vous lui faire une semblable question? la
femme qu'on aime n'est-elle pas toujours la plus belle
des femmes, s'écria la comtesse.

— Oui, toujours, dis-je avec orgueil en lui lançant
un regard qu'elle ne soutint pas.

— Vous êtes heureux, reprit le comte, oui, vous êtes
un heureux coquin. Ah! dans ma jeunesse, j'aurais
été fou d'une semblable conquête...

— Assez, dit madame de Mortsauf, en montrant par
un regard Madeleine à son père.

— Je ne suis pas un enfant, dit le comte qui se plaisait à redevenir jeune.

En sortant de table, la comtesse m'amena sur la terrasse, et quand nous y fûmes, elle s'écria : — Comment! il se rencontre des femmes qui sacrifient leurs enfants à un homme? La fortune, le monde, je le conçois, l'éternité, oui, peut-être! Mais les enfants! se priver de ses enfants!

— Oui, et ces femmes voudraient avoir encore à sacrifier plus, elles donnent tout...

Pour la comtesse, le monde se renversa, ses idées se confondirent. Saisie par ce grandiose, soupçonnant que le bonheur devait justifier cette immolation, entendant en elle-même les cris de la chair révoltée, elle demeura stupide en face de sa vie manquée. Oui, elle eut un moment de doute horrible; mais elle se releva grande et sainte, portant haut la tête.

— Aimez-la donc bien, Félix, cette femme, dit-elle avec des larmes aux yeux, ce sera ma sœur heureuse. Je lui pardonne les maux qu'elle m'a faits, si elle vous donne ce que vous ne deviez jamais trouver ici, ce que vous ne pouvez plus tenir de moi. Vous avez eu raison, je ne vous ai jamais dit que je vous aimasse, et je ne vous ai jamais aimé comme on aime dans ce monde. Mais si elle n'est pas mère, comment peut-elle aimer?

— Chère sainte, repris-je, il faudrait que je fusse moins ému que je ne le suis pour t'expliquer que tu planes victorieusement au-dessus d'elle, qu'elle est une femme de la terre, une fille des races déchues, et que tu es la fille des cieux, l'ange adoré, que tu as tout mon cœur et qu'elle n'a que ma chair; elle le sait, elle en est au désespoir, et elle changerait avec toi, quand même le plus cruel martyre lui serait imposé pour prix de ce changement. Mais tout est irrémédiable. A toi l'âme, à toi les pensées, l'amour pur, à toi la jeunesse et la vieillesse; à elle les désirs et les plaisirs de la passion fugitive; à toi mon souvenir dans toute son étendue, à elle l'oubli le plus profond.

— Dites, dites, dites-moi donc cela, ô mon ami! Elle alla s'asseoir sur un banc et fondit en larmes. La vertu, Félix, la sainteté de la vie, l'amour maternel, ne sont donc pas des erreurs. Oh! jetez ce baume sur mes plaies! Répétez une parole qui me rend aux cieux où je voulais tendre d'un vol égal avec vous! Bénissez-moi par un regard, par un mot sacré, je vous pardonnerai les maux que j'ai soufferts depuis deux mois.

— Henriette, il est des mystères de notre vie que vous ignorez. Je vous ai rencontrée dans un âge auquel le sentiment peut étouffer les désirs inspirés par notre nature; mais plusieurs scènes dont le souvenir me réchaufferait à l'heure où viendra la mort ont dû vous attester que cet âge finissait, et votre constant triomphe a été d'en prolonger les muettes délices. Un amour sans possession se soutient par l'exaspération même des désirs; puis il vient un moment où tout est souffrance en nous, qui ne ressemblons en rien à vous. Nous possédons une puissance qui ne saurait être abdiquée, sous peine de ne plus être hommes. Privé de la nourriture qui le doit alimenter, le cœur se dévore lui-même, et sent un épuisement qui n'est pas la mort, mais qui la précède. La nature ne peut donc pas être longtemps trompée; au moindre accident, elle se réveille avec une énergie qui ressemble à la folie. Non, je n'ai pas aimé, mais j'ai eu soif au milieu du désert.

— Du désert! dit-elle avec amertume en montrant la vallée. Et, ajouta-t-elle, comme il raisonne, et com-

bien de distinctions subtiles? les fidèles n'ont pas tant
d'esprit.

— Henriette, lui dis-je, ne nous querellons pas pour
quelques expressions hasardées. Non, mon âme n'a
pas vacillé, mais je n'ai pas été maître de mes sens.
Cette femme n'ignore pas que tu es la seule aimée.
Elle joue un rôle secondaire dans ma vie, elle le sait,
et s'y résigne; j'ai le droit de la quitter, comme on
quitte une courtisane...

— Et alors...

— Elle m'a dit qu'elle se tuerait, répondis-je en
croyant que cette résolution surprendrait Henriette.
Mais en m'entendant elle laissa échapper un de ces
dédaigneux sourires plus expressifs encore que les
pensées qu'ils traduisaient. — Ma chère conscience,
repris-je, si tu me tenais compte de mes résistances
et des séductions qui conspiraient ma perte, tu conce-
vrais cette fatale...

— Oh! oui fatale! dit-elle. J'ai cru trop en vous!
J'ai cru que vous ne manqueriez pas de la vertu que
pratique le prêtre et... que possède monsieur de Mortsauf, ajouta-t-elle en donnant à sa voix le mordant
de l'épigramme. — Tout est fini, reprit-elle après une
pause; je vous dois beaucoup, mon ami; vous avez
éteint en moi les flammes de la vie corporelle. Le plus
difficile du chemin est fait, l'âge approche, me voilà
souffrante, bientôt maladive; je ne pourrais être pour
vous la brillante fée qui vous verse une pluie de
faveurs. Soyez fidèle à lady Arabelle. Madeleine, que
j'élevais si bien pour vous, à qui sera-t-elle? Pauvre
Madeleine, pauvre Madeleine! répéta-t-elle comme un
douloureux refrain. Si vous l'aviez entendue me disant : Ma mère, vous n'êtes pas gentille pour Félix!
La chère créature!

Elle me regarda sous les tièdes rayons du soleil couchant qui glissaient à travers le feuillage, et prise de je ne sais quelle compassion pour nos débris, elle se replongea dans notre passé si pur, en se laissant aller à des contemplations qui furent mutuelles. Nous reprenions nos souvenirs, nos yeux allaient de la vallée aux clos, des fenêtres de Clochegourde à Frapesle, en peuplant cette rêverie de nos bouquets embaumés, des romans de nos désirs. Ce fut sa dernière volupté, savourée avec la candeur de l'âme chrétienne. Cette scène, si grande pour nous, nous avait jetés dans une même mélancolie. Elle crut à mes paroles, et se vit où je la mettais, dans les cieux.

— Mon ami, me dit-elle, j'obéis à Dieu, car son doigt est dans tout ceci.

Je ne connus que plus tard la profondeur de ce mot. Nous remontâmes lentement par les terrasses. Elle prit mon bras, s'y appuya résignée, saignant, mais ayant mis un appareil sur ses blessures.

— La vie humaine est ainsi, me dit-elle. Qu'a fait monsieur de Mortsauf pour mériter son sort? Ceci nous démontre l'existence d'un monde meilleur. Malheur à ceux qui se plaindraient d'avoir marché dans la bonne voie!

Elle se mit alors à si bien évaluer la vie, à la si profondément considérer sous ses diverses faces, que ces froids calculs me révélèrent le dégoût qui l'avait saisie pour toutes les choses d'ici-bas. En arrivant sur le perron, elle quitta mon bras, et dit cette dernière phrase : — Si Dieu nous a donné le sentiment et le goût du bonheur, ne doit-il pas se charger des âmes innocentes qui n'ont trouvé que des afflictions ici-bas. Cela est, ou Dieu n'est pas, ou notre vie serait une amère plaisanterie.

A ces derniers mots, elle rentra brusquement, et je la trouvai sur son canapé, couchée comme si elle avait été foudroyée par la voix qui terrassa saint Paul.

— Qu'avez-vous? lui dis-je.

— Je ne sais plus ce qu'est la vertu, dit-elle, et n'ai pas conscience de la mienne!

Nous restâmes pétrifiés tous deux, écoutant le son de cette parole comme celui d'une pierre jetée dans un gouffre.

— Si je me suis trompée dans ma vie, *elle* a raison, *elle!* reprit madame de Mortsauf.

Ainsi son dernier combat suivit sa dernière volupté. Quand le comte vint, elle se plaignit, elle qui ne se plaignait jamais; je la conjurai de me préciser ses souffrances, mais elle refusa de s'expliquer, et s'alla coucher en me laissant en proie à des remords qui naissaient les uns des autres. Madeleine accompagna sa mère; et le lendemain je sus par elle que la comtesse avait été prise de vomissements causés, dit-elle, par les violentes émotions de cette journée. Ainsi, moi qui souhaitais donner ma vie pour elle, je la tuais.

— Cher comte, dis-je à monsieur de Mortsauf qui me força de jouer au trictrac, je crois la comtesse très sérieusement malade, il est encore temps de la sauver; appelez Origet, et suppliez-la de suivre ses avis...

— Origet qui m'a tué? dit-il en m'interrompant. Non, non, je consulterai Carbonneau.

Pendant cette semaine, et surtout les premiers jours, tout me fut souffrance, commencement de paralysie au cœur, blessure à la vanité, blessure à l'âme. Il faut avoir été le centre de tout, des regards et des soupirs, avoir été le principe de la vie, le foyer d'où chacun tirait sa lumière, pour connaître l'horreur du vide. Les mêmes choses étaient là, mais l'esprit qui les vivifiait

s'était éteint comme une flamme soufflée. J'ai compris
l'affreuse nécessité où sont les amants de ne plus se
revoir quand l'amour est envolé. N'être plus rien,
là où l'on a régné! trouver la silencieuse froideur de
la mort là où scintillaient les joyeux rayons de la
vie! Les comparaisons accablent. Bientôt j'en vins à
regretter la douloureuse ignorance de tout bonheur
qui avait assombri ma jeunesse. Aussi mon désespoir
devint-il si profond que la comtesse en fut, je crois,
attendrie. Un jour, après le dîner, pendant que nous
nous promenions tous sur le bord de l'eau, je fis un
dernier effort pour obtenir mon pardon. Je priai
Jacques d'emmener sa sœur en avant, je laissai le
comte aller seul, et conduisant madame de Mortsauf
vers la toue: — Henriette, lui dis-je, un mot, de grâce,
ou je me jette dans l'Indre! J'ai failli, oui, c'est vrai;
mais n'imité-je pas le chien dans son sublime attachement! je reviens comme lui, comme lui plein de
honte; s'il fait mal, il est châtié, mais il adore la main
qui le frappe; brisez-moi, mais rendez-moi votre cœur...

— Pauvre enfant! dit-elle, n'êtes-vous pas toujours
mon fils?

Elle prit mon bras et regagna silencieusement Jacques
et Madeleine, avec lesquels elle revint à Clochegourde
par les clos en me laissant au comte, qui se mit à
parler politique à propos de ses voisins.

— Rentrons, lui dis-je, vous avez la tête nue, et la
rosée du soir pourrait causer quelque accident.

— Vous me plaignez, vous! mon cher Félix, me
répondit-il, en se méprenant sur mes intentions. Ma
femme ne m'a jamais voulu consoler, par système
peut-être.

Jamais elle ne m'aurait laissé seul avec son mari,
maintenant j'avais besoin de prétextes pour l'aller

rejoindre. Elle était avec ses enfants occupée à expliquer les règles du trictrac à Jacques.

— Voilà, dit le comte, toujours jaloux de l'affection qu'elle portait à ses deux enfants, voilà ceux pour lesquels je suis toujours abandonné. Les maris, mon cher Félix, ont toujours le dessous; la femme la plus vertueuse trouve encore le moyen de satisfaire son besoin de voler l'affection conjugale.

Elle continua ses caresses sans répondre.

— Jacques, dit-il, venez ici!

Jacques fit quelques difficultés.

— Votre père vous veut, allez, mon fils, dit la mère en le poussant.

— Ils m'aiment par ordre, reprit ce vieillard qui parfois voyait sa situation.

— Monsieur, répondit-elle en passant à plusieurs reprises sa main sur les cheveux de Madeleine qui était coiffée en belle Ferronnière[1], ne soyez pas injuste pour les pauvres femmes; la vie ne leur est pas toujours facile à porter, et peut-être les enfants sont-ils les vertus d'une mère!

— Ma chère, répondit le comte qui s'avisa d'être logique, ce que vous dites signifie que, sans leurs enfants, les femmes manqueraient de vertu et planteraient là leurs maris.

La comtesse se leva brusquement et emmena Madeleine sur le perron.

— Voilà le mariage, mon cher, dit le comte. Prétendez-vous dire en sortant ainsi que je déraisonne? criat-il en prenant son fils par la main et venant au perron auprès de sa femme sur laquelle il lança des regards furieux.

— Au contraire, monsieur, vous m'avez effrayée. Votre réflexion me fait un mal affreux, dit-elle d'une

voix creuse en me jetant un regard de criminelle. Si
la vertu ne consiste pas à se sacrifier pour ses enfants
et pour son mari, qu'est-ce donc que la vertu?

— Se sa-cri-fi-er! reprit le comte, en faisant de
chaque syllabe un coup de barre sur le cœur de sa
victime. Que sacrifiez-vous donc à vos enfants? que
me sacrifiez-vous donc? qui? quoi? Répondez? Répon-
drez-vous? Que se passe-t-il donc ici? que voulez-vous
dire?

— Monsieur, répondit-elle, seriez-vous donc satisfait
d'être aimé pour l'amour de Dieu, ou de savoir votre
femme vertueuse pour la vertu en elle-même?

— Madame a raison, dis-je en prenant la parole
d'une voix émue qui vibra dans ces deux cœurs où je
jetai mes espérances à jamais perdues et que je calmai
par l'expression de la plus haute de toutes les douleurs
dont le cri sourd éteignit cette querelle comme, quand
le lion rugit, tout se tait. Oui, le plus beau privilège
que nous ait conféré la raison est de pouvoir rapporter
nos vertus aux êtres dont le bonheur est notre ouvrage,
et que nous ne rendons heureux ni par calcul, ni par
devoir, mais par une inépuisable et volontaire affection.

Une larme brilla dans les yeux d'Henriette.

— Et, cher comte, si par hasard une femme était
involontairement soumise à quelque sentiment étranger à ceux que la société lui impose, avouez que plus
ce sentiment serait irrésistible, plus elle serait vertueuse
en l'étouffant, en se *sacrifiant* à ses enfants, à son mari.
Cette théorie n'est d'ailleurs applicable ni à moi, qui
malheureusement offre un exemple du contraire, ni
à vous qu'elle ne concernera jamais.

Une main à la fois moite et brûlante se posa sur
ma main et s'y appuya silencieusement.

— Vous êtes une belle âme, Félix, dit le comte qui passa non sans grâce sa main sur la taille de sa femme et l'amena doucement à lui, pour lui dire : — Pardonnez, ma chère, à un pauvre malade qui voudrait sans doute être aimé plus qu'il ne le mérite.

— Il est des cœurs qui sont tout générosité, répondit-elle en appuyant sa tête sur l'épaule du comte qui prit cette phrase pour lui. Cette erreur causa je ne sais quel frémissement à la comtesse; son peigne tomba, ses cheveux se dénouèrent, elle pâlit; son mari qui la soutenait poussa une sorte de rugissement en la sentant défaillir, il la saisit comme il eût fait de sa fille et la porta sur le canapé du salon où nous l'entourâmes. Henriette garda ma main dans la sienne, comme pour me dire que nous seuls savions le secret de cette scène si simple en apparence, si épouvantable par les déchirements de son âme.

— J'ai tort, me dit-elle à voix basse en un moment où le comte nous laissa seuls pour aller demander un verre d'eau de fleurs d'oranger, j'ai mille fois tort envers vous, que j'ai voulu désespérer quand j'aurais dû vous recevoir à merci. Cher, vous êtes d'une adorable bonté que moi seule puis apprécier. Oui, je le sais, il est des bontés qui sont inspirées par la passion. Les hommes ont plusieurs manières d'être bons; ils sont bons par dédain, par entraînement, par calcul, par indolence de caractère; mais vous, mon ami, vous venez d'être d'une bonté absolue.

— Si cela est, lui dis-je, apprenez que tout ce que je puis avoir de grand en moi vient de vous. Ne savez-vous donc plus que je suis votre ouvrage?

— Cette parole suffit au bonheur d'une femme, répondit-elle au moment où le comte revint. Je suis mieux, dit-elle en se levant, il me faut de l'air.

Nous descendîmes tous sur la terrasse embaumée par les acacias encore en fleurs. Elle avait pris mon bras droit et le serrait contre son cœur en exprimant ainsi de douloureuses pensées; mais c'était, suivant son expression, de ces douleurs qu'elle aimait. Elle voulait sans doute être seule avec moi; mais son imagination inhabile aux ruses de femme ne lui suggérait aucun moyen de renvoyer ses enfants et son mari; nous causions donc de choses indifférentes, pendant qu'elle se creusait la tête en cherchant à se ménager un moment où elle pourrait enfin décharger son cœur dans le mien.

— Il y a bien longtemps que je ne me suis promenée en voiture, dit-elle enfin en voyant la beauté de la soirée. Monsieur, donnez des ordres, je vous prie, pour que je puisse aller faire un tour.

Elle savait qu'avant la prière toute explication serait impossible, et craignait que le comte ne voulût faire un trictrac. Elle pouvait bien se trouver avec moi sur cette tiède terrasse embaumée, quand son mari serait couché; mais elle redoutait peut-être de rester sous ces ombrages à travers lesquels passaient des lueurs voluptueuses, de se promener le long de la balustrade d'où nos yeux embrassaient le cours de l'Indre dans la prairie. De même qu'une cathédrale aux voûtes sombres et silencieuses conseille la prière; de même, les feuillages éclairés par la lune, parfumés de senteurs pénétrantes, et animés par les bruits sourds du printemps, remuent les fibres et affaiblissent la volonté. La campagne, qui calme les passions des vieillards, excite celles des jeunes cœurs; nous le savions! Deux coups de cloche annoncèrent l'heure de la prière, la comtesse tressaillit.

— Ma chère Henriette, qu'avez-vous?

— Henriette n'existe plus, répondit-elle. Ne la faites pas renaître, elle était exigeante, capricieuse; maintenant vous avez une paisible amie dont la vertu vient d'être raffermie par des paroles que le Ciel vous a dictées. Nous parlerons de tout ceci plus tard. Soyons exacts à la prière. Aujourd'hui, mon tour de la dire est arrivé.

Quand la comtesse prononça les paroles par lesquelles elle demandait à Dieu son secours contre les adversités de la vie, elle y mit un accent dont je ne fus pas frappé seul; elle semblait avoir usé de son don de seconde vue pour entrevoir la terrible émotion à laquelle devait la soumettre une maladresse causée par mon oubli de mes conventions avec Arabelle.

— Nous avons le temps de faire trois rois avant que les chevaux ne soient attelés, dit le comte en m'entraînant au salon. Vous irez vous promener avec ma femme, moi je me coucherai.

Comme toutes nos parties, celle-ci fut orageuse. De sa chambre ou de celle de Madeleine, la comtesse put entendre la voix de son mari.

— Vous abusez étrangement de l'hospitalité, dit-elle au comte quand elle revint au salon.

Je la regardai d'un air hébété, je ne m'habituais point à ses duretés; elle se serait certes bien gardée jadis de me soustraire à la tyrannie du comte, autrefois elle aimait à me voir partageant ses souffrances et les endurant avec patience pour l'amour d'elle.

— Je donnerais ma vie, lui dis-je à l'oreille, pour vous entendre encore murmurant : — *Pauvre cher! Pauvre cher!*

Elle baissa les yeux en se souvenant de l'heure à laquelle je faisais allusion; son regard se coula vers moi, mais en dessous, et il exprima la joie de la femme qui voit les plus fugitifs accents de son cœur préférés aux profondes délices d'un autre amour. Alors, comme toutes les fois que je subissais pareille injure, je la lui pardonnais en me sentant compris. Le comte perdait, il se dit fatigué pour pouvoir quitter la partie, et nous allâmes nous promener autour du boulingrin en attendant la voiture; aussitôt qu'il nous eut laissés, le plaisir rayonna si vivement sur mon visage, que la comtesse m'interrogea par un regard curieux et surpris.

— Henriette existe, lui dis-je, je suis toujours aimé; vous me blessez avec intention évidente de me briser le cœur; je puis encore être heureux!

— Il ne restait plus qu'un lambeau de la femme, dit-elle avec épouvante, et vous l'emportez en ce moment. Dieu soit béni! lui qui me donne le courage d'endurer mon martyre mérité. Oui, je vous aime encore trop, j'allais faillir, l'Anglaise m'éclaire un abîme.

En ce moment, nous montâmes en voiture, le cocher demanda l'ordre.

— Allez sur la route de Chinon par l'avenue, vous nous ramènerez par les landes de Charlemagne et le chemin de Saché.

— Quel jour sommes-nous? dis-je avec trop de vivacité.

— Samedi.

— N'allez point par là, madame, le samedi soir la route est pleine de coquassiers qui vont à Tours, et nous rencontrerions leurs charrettes.

— Faites ce que je vous dis, reprit-elle en regardant le cocher.

Nous connaissions trop l'un et l'autre les modes de notre voix, quelque infinis qu'ils fussent, pour nous

déguiser la moindre de nos émotions. Henriette avait
tout compris.

— Vous n'avez pas pensé aux coquassiers, en choi-
sissant cette nuit, dit-elle avec une légère teinte d'ironie. Lady Dudley est à Tours. Ne mentez pas, elle vous
attend près d'ici. *Quel jour sommes-nous, les coquas-*
siers! les charrettes! reprit-elle. Avez-vous jamais fait
de semblables observations quand nous sortions autrefois?

— Elles prouvent que j'oublie tout à Clochegourde,
répondis-je simplement.

— Elle vous attend? reprit-elle.

— Oui.

— A quelle heure?

— Entre onze heures et minuit.

— Où?

— Dans les landes.

— Ne me trompez point, n'est-ce pas sous le
noyer?

— Dans les landes.

— Nous irons, dit-elle, je la verrai.

En entendant ces paroles, je regardai ma vie comme
définitivement arrêtée. Je résolus en un moment de
terminer par un complet mariage avec lady Dudley la
lutte douloureuse qui menaçait d'épuiser ma sensibilité, d'enlever par tant de chocs répétés ces voluptueuses délicatesses qui ressemblent à la fleur des fruits.
Mon silence farouche blessa la comtesse, dont toute la
grandeur ne m'était pas connue.

— Ne vous irritez point contre moi, dit-elle de sa
voix d'or, ceci, cher, est ma punition. Vous ne serez
jamais aimé comme vous l'êtes ici, reprit-elle en posant
sa main sur son cœur. Ne vous l'ai-je pas avoué? La
marquise Dudley m'a sauvée. A elle les souillures, je ne

les lui envie point. A moi le glorieux amour des
anges! J'ai parcouru des champs immenses depuis
votre arrivée. J'ai jugé la vie. Elevez l'âme, vous la
déchirez; plus vous allez haut, moins de sympathie
vous rencontrez; au lieu de souffrir dans la vallée,
vous souffrez dans les airs comme l'aigle qui plane en
emportant au cœur une flèche décochée par quelque
pâtre grossier. Je comprends aujourd'hui que le ciel
et la terre sont incompatibles. Oui, pour qui veut
vivre dans la zone céleste, Dieu seul est possible. Notre
âme doit être alors détachée de toutes les choses terrestres. Il faut aimer ses amis comme on aime ses
enfants, pour eux et non pour soi. Le moi cause les
malheurs et les chagrins. Mon cœur ira plus haut que
ne va l'aigle; là est un amour qui ne me trompera
point. Quant à vivre de la vie terrestre, elle nous
ravale trop en faisant dominer l'égoïsme des sens sur
la spiritualité de l'ange qui est en nous. Les jouissances
que donne la passion sont horriblement orageuses,
payées par d'énervantes inquiétudes qui brisent les
ressorts de l'âme. Je suis venue au bord de la mer
où s'agitent ces tempêtes, je les ai vues de trop près;
elles m'ont souvent enveloppée de leurs nuages, la
lame ne s'est pas toujours brisée à mes pieds, j'ai senti
sa rude étreinte qui froidit le cœur; je dois me retirer
sur les hauts lieux, je périrais au bord de cette mer
immense. Je vois en vous, comme en tous ceux qui
m'ont affligée, les gardiens de ma vertu. Ma vie a été
mêlée d'angoisses heureusement proportionnées à mes
forces, et s'est entretenue ainsi pure des passions
mauvaises, sans repos séducteur et toujours prête à
Dieu. Notre attachement *fut* la tentative insensée,
l'effort de deux enfants candides essayant de satisfaire leur cœur, les hommes et Dieu... Folie, Félix!

— Ha! dit-elle après une pause, comment vous nomme
cette femme?

— Amédée, répondis-je. Félix est un être à part,
qui n'appartiendra jamais qu'à vous.

— Henriette a peine à mourir, dit-elle en laissant
échapper un pieux sourire. Mais, reprit-elle, elle
périra dans le premier effort de la chrétienne humble,
de la mère orgueilleuse, de la femme aux vertus chan-
celantes hier, raffermies aujourd'hui. Que vous dirai-je?
Hé! bien, oui, ma vie est conforme à elle-même dans
ses plus grandes circonstances comme dans ses plus
petites. Le cœur où je devais attacher les premières
racines de la tendresse, le cœur de ma mère s'est fermé
pour moi, malgré ma persistance à y chercher un pli
où je pusse me glisser. J'étais fille, je venais après
trois garçons morts, et je tâchai vainement d'occuper
leur place dans l'affection de mes parents; je ne gué-
rissais point la plaie faite à l'orgueil de la famille.
Quand, après cette sombre enfance, je connus mon
adorable tante, la mort me l'enleva promptement.
Monsieur de Mortsauf, à qui je me suis vouée, m'a
constamment frappée, sans relâche, sans le savoir,
pauvre homme! Son amour a le naïf égoïsme de celui
que nous portent nos enfants. Il n'est pas dans le
secret des maux qu'il me cause, il est toujours pardonné! Mes enfants, ces chers enfants qui tiennent à
ma chair par toutes leurs douleurs, à mon âme par
toutes leurs qualités, à ma nature par leurs joies innocentes; ces enfants ne m'ont-ils pas été donnés pour
montrer combien il se trouve de force et de patience
dans le sein des mères? Oh! oui, mes enfants sont mes
vertus! Vous savez si je suis flagellée par eux, en eux,
malgré eux. Devenir mère, pour moi ce fut acheter le
droit de toujours souffrir. Quand Agar a crié dans le

désert, un ange a fait jaillir pour cette esclave trop
aimée une source pure; mais à moi, quand la source
limpide vers laquelle (vous en souvenez-vous?) vous
vouliez me guider est venue couler autour de Clochegourde, elle ne m'a versé que des eaux amères. Oui,
vous m'avez infligé des souffrances inouïes. Dieu pardonnera sans doute à qui n'a connu l'affection que par
·la douleur. Mais, si les plus vives peines que j'aie
éprouvées m'ont été imposées par vous, peut-être les
ai-je méritées. Dieu n'est pas injuste. Ah! oui, Félix,
un baiser furtivement déposé sur un front comporte
des crimes peut-être! Peut-être doit-on rudement ex-
pier les pas que l'on a faits en avant de ses enfants
et de son mari, lorsqu'on se promenait le soir afin
d'être seule avec des souvenirs et des pensées qui ne
leur appartenaient pas, et qu'en marchant ainsi l'âme
était mariée à une autre! Quand l'être intérieur se
ramasse et se rapetisse pour n'occuper que la place que
l'on offre aux embrassements, peut-être est-ce le pire
des crimes! Lorsqu'une femme se baisse afin de recevoir
dans ses cheveux le baiser de son mari pour se faire
un front neutre, il y a crime! Il y a crime à se forger
un avenir en s'appuyant sur la mort, crime à se figurer
dans l'avenir une maternité sans alarmes, de beaux
enfants jouant le soir avec un père adoré de toute sa
famille, et sous les yeux attendris d'une mère heureuse.
Oui, j'ai péché, j'ai grandement péché! J'ai trouvé
goût aux pénitences infligées par l'Eglise, et qui ne
rachetaient point assez ces fautes pour lesquelles le
prêtre fut sans doute trop indulgent. Dieu sans doute
a placé la punition au cœur de toutes ces erreurs en
chargeant de sa vengeance celui pour qui elles furent
commises. Donner mes cheveux, n'était-ce pas me promettre? Pourquoi donc aimai-je à mettre une robe

blanche? ainsi je me croyais mieux votre lys; ne m'aviez-
vous pas aperçue, pour la première fois, ici, en robe
blanche? Hélas! j'ai moins aimé mes enfants, car toute
affection vive est prise sur les affections dues. Vous
voyez bien, Félix? toute souffrance a sa signification.
Frappez, frappez plus fort que n'ont frappé monsieur
de Mortsauf et mes enfants. Cette femme est un instrument de la colère de Dieu, je vais l'aborder sans
haine, je lui sourirai; sous peine de ne pas être chrétienne, épouse et mère, je dois l'aimer. Si, comme vous
le dites, j'ai pu contribuer à préserver votre cœur du
contact qui l'eût défleuri, cette Anglaise ne saurait me
haïr. Une femme doit aimer la mère de celui qu'elle
aime, et je suis votre mère. Qu'ai-je voulu dans votre
cœur? la place laissée vide par madame de Vandenesse.
Oh! oui, vous vous êtes toujours plaint de ma froideur! Oui, je ne suis bien que votre mère. Pardon-
nez-moi donc les duretés involontaires que je vous ai
dites à votre arrivée, car une mère doit se réjouir
en sachant son fils si bien aimé. Elle appuya sa tête
sur mon sein, en répétant : — Pardon! pardon! J'entendis alors des accents inconnus. Ce n'était ni sa voix
de jeune fille et ses notes joyeuses, ni sa voix de femme
et ses terminaisons despotiques, ni les soupirs de la
mère endolorie; c'était une déchirante, une nouvelle
voix pour des douleurs nouvelles. — Quant à vous,
Félix, reprit-elle en s'animant, vous êtes l'ami qui ne
saurait mal faire. Ah! vous n'avez rien perdu dans
mon cœur, ne vous reprochez rien, n'ayez pas le plus
léger remords. N'était-ce pas le comble de l'égoïsme
que de vous demander de sacrifier à un avenir impossible les plaisirs les plus immenses, puisque pour
les goûter une femme abandonne ses enfants, abdique
son rang, et renonce à l'éternité. Combien de fois ne

vous ai-je pas trouvé supérieur à moi! vous étiez grand et noble, moi, j'étais petite et criminelle! Allons, voilà qui est dit, je ne puis être pour vous qu'une lueur élevée, scintillante et froide, mais inaltérable. Seulement, Félix, faites que je ne sois pas seule à aimer le frère que je me suis choisi. Chérissez-moi! L'amour d'une sœur n'a ni mauvais lendemain, ni moments difficiles. Vous n'aurez pas besoin de mentir à cette âme indulgente qui vivra de votre belle vie, qui ne manquera jamais à s'affliger de vos douleurs, qui s'égaiera de vos joies, aimera les femmes qui vous rendront heureux et s'indignera des trahisons. Moi je n'ai pas eu de frère à aimer ainsi. Soyez assez grand pour vous dépouiller de tout amour-propre, pour résoudre notre attachement jusqu'ici si douteux et plein d'orages par cette douce et sainte affection. Je puis encore vivre ainsi. Je commencerai la première en serrant la main de lady Dudley.

Elle ne pleurait pas, elle! en prononçant ces paroles pleines d'une science amère, et par lesquelles, en arrachant le dernier voile qui me cachait son âme et ses douleurs, elle me montrait par combien de liens elle s'était attachée à moi, combien de fortes chaînes j'avais hachées. Nous étions dans un tel délire, que nous ne nous apercevions point de la pluie qui tombait à torrents.

— Madame la comtesse ne veut-elle pas entrer un moment ici? dit le cocher en désignant la principale auberge de Ballan.

Elle fit un signe de consentement, et nous restâmes une demi-heure environ sous la voûte d'entrée, au grand étonnement des gens de l'hôtellerie qui se demandèrent pourquoi madame de Mortsauf était à onze heures par les chemins. Allait-elle à Tours? En revenait-elle? Quand l'orage eut cessé, que la pluie fut convertie en ce qu'on nomme à Tours une *brouée,* qui n'empêchait pas la lune d'éclairer les brouillards supérieurs rapidement emportés par le vent du haut, le cocher sortit et retourna sur ses pas, à ma grande joie.

— Suivez mon ordre, lui cria doucement la comtesse.

Nous prîmes donc le chemin des landes de Charlemagne où la pluie recommença. A moitié des landes, j'entendis les aboiements du chien favori d'Arabelle; un cheval s'élança tout à coup de dessous une truisse de chêne, franchit d'un bond le chemin, sauta le fossé creusé par les propriétaires pour distinguer leurs terrains respectifs dans ces friches que l'on croyait susceptibles de culture, et lady Dudley s'alla placer dans la lande pour voir passer la calèche.

— Quel plaisir d'attendre ainsi son amant, quand on le peut sans crime! dit Henriette.

Les aboiements du chien avaient appris à lady Dudley que j'étais dans la voiture, elle crut sans doute que je venais ainsi la chercher à cause du mauvais temps; quand nous arrivâmes à l'endroit où se tenait la marquise, elle vola sur le bord du chemin avec cette dextérité de cavalier qui lui est particulière, et dont Henriette s'émerveilla comme d'un prodige. Par mignonnerie, Arabelle ne disait que la dernière syllabe de mon nom, prononcée à l'anglaise, espèce d'appel qui sur ses lèvres avait un charme digne d'une fée. Elle savait ne devoir être entendue que de moi en criant : *My Dee.*

— C'est lui, madame, répondit la comtesse en contemplant sous un clair rayon de la lune la fantastique créature dont le visage impatient était bizarrement accompagné de ses longues boucles défrisées.

Vous savez avec quelle rapidité deux femmes s'examinent. L'Anglaise reconnut sa rivale et fut glorieusement Anglaise; elle nous enveloppa d'un regard plein de son mépris anglais et disparut dans la bruyère avec la rapidité d'une flèche.

— Vite à Clochegourde! s'écria la comtesse pour qui cet âpre coup d'œil fut comme un coup de hache au cœur.

Le cocher retourna pour prendre le chemin de Chinon qui était meilleur que celui de Saché. Quand la calèche longea de nouveau les landes, nous entendîmes le galop furieux du cheval d'Arabelle et les pas de son chien. Tous trois, ils rasaient les bois de l'autre côté de la bruyère.

— Elle s'en va, vous la perdez à jamais, me dit Henriette.

— Eh! bien, lui répondis-je, qu'elle s'en aille! Elle n'aura pas un regret.

— Oh! les pauvres femmes, s'écria la comtesse en exprimant une compatissante horreur. Mais où va-t-elle?

— A la Grenadière, une petite maison près de Saint-Cyr, dis-je.

— Elle s'en va seule, reprit Henriette d'un ton qui me prouva que les femmes se croient solidaires en amour et ne s'abandonnent jamais.

Au moment où nous entrions dans l'avenue de Clochegourde, le chien d'Arabelle jappa d'une façon joyeuse en accourant au-devant de la calèche.

— Elle nous a devancés, s'écria la comtesse. Puis elle reprit, après une pause : Je n'ai jamais vu de plus belle femme. Quelle main et quelle taille! Son teint efface le lys, et ses yeux ont l'éclat du diamant! Mais elle monte trop bien à cheval, elle doit aimer à

déployer sa force, je la crois active et violente; puis
elle me semble se mettre un peu trop hardiment au-
dessus des conventions : la femme qui ne reconnaît
pas de lois est bien près de n'écouter que ses caprices.
Ceux qui aiment tant à briller, à se mouvoir, n'ont pas
reçu le don de constance. Selon mes idées, l'amour
veut plus de tranquillité : je me le suis figuré comme
un lac immense où la sonde ne trouve point le fond,
où les tempêtes peuvent être violentes, mais rares et
contenues en des bornes infranchissables, où deux êtres
vivent dans une île fleurie, loin du monde dont le
luxe et l'éclat les offenseraient. Mais l'amour doit
prendre l'empreinte des caractères, j'ai tort peut-être.
Si les principes de la nature se plient aux formes
voulues par les climats, pourquoi n'en serait-il pas
ainsi des sentiments chez les individus? Sans doute
les sentiments, qui tiennent à la loi générale par la
masse, ne contrastent que dans l'expression seulement.
Chaque âme a sa manière. La marquise est la femme
forte qui franchit les distances et agit avec la puissance de l'homme; qui délivrerait son amant de capti-
vité, tuerait geôlier, gardes et bourreaux; tandis que
certaines créatures ne savent qu'aimer de toute leur
âme; dans le danger, elles s'agenouillent, prient et
meurent. Quelle est de ces deux femmes celle qui vous
plaît le plus, voilà toute la question. Mais oui, la marquise vous aime, elle vous a fait tant de sacrifices!
Peut-être est-ce elle qui vous aimera toujours quand
vous ne l'aimerez plus!

— Permettez-moi, cher ange, de répéter ce que vous
m'avez dit un jour : comment savez-vous ces choses?

— Chaque douleur a son enseignement, et j'ai souffert sur tant de points que mon savoir est vaste.

Mon domestique avait entendu donner l'ordre, il

crut que nous reviendrions par les terrasses, et tenait
mon cheval tout prêt dans l'avenue : le chien d'Arabelle avait senti le cheval; et sa maîtresse, conduite
par une curiosité bien légitime, l'avait suivi à travers
les bois où sans doute elle était cachée.

— Allez faire votre paix, me dit Henriette en souriant et sans trahir de mélancolie. Dites-lui combien
elle s'est trompée sur mes intentions; je voulais lui
révéler tout le prix du trésor qui lui est échu; mon
cœur n'enferme que de bons sentiments pour elle et
n'a surtout ni colère ni mépris; expliquez-lui que je
suis sa sœur et non pas sa rivale.

— Je n'irai point! m'écriai-je.

— N'avez-vous jamais éprouvé, dit-elle avec l'étin-
celante fierté des martyrs, que certains ménagements
arrivent jusqu'à l'insulte? Allez, allez.

Je courus alors vers lady Dudley pour savoir en
quelles dispositions elle était. — Si elle pouvait se
fâcher et me quitter! pensai-je, je reviendrais à Clochegourde. Le chien me conduisit sous un chêne, d'où
la marquise s'élança en me criant : — *Away! away!*
Tout ce que je pus faire fut de la suivre jusqu'à
Saint-Cyr, où nous arrivâmes à minuit.

— Cette dame est en parfaite santé, me dit Arabelle
quand elle descendit de cheval.

Ceux qui l'ont connue peuvent seuls imaginer tous
les sarcasmes que contenait cette observation sèchement
jetée d'un air qui voulait dire : — Moi je serais
morte!

— Je te défends de hasarder une seule de tes
plaisanteries à triple dard sur madame de Mortsauf,
lui répondis-je.

— Serait-ce déplaire à Votre Grâce que de remar-
quer la parfaite santé dont jouit un être cher à votre

précieux cœur? Les femmes françaises haïssent, dit-on, jusqu'au chien de leurs amants; en Angleterre, nous aimons tout ce que nos souverains seigneurs aiment, nous haïssons tout ce qu'ils haïssent, parce que nous vivons dans la peau de nos seigneurs. Permettez-moi donc d'aimer cette dame autant que vous l'aimez vous-même. Seulement, cher enfant, dit-elle en m'enlaçant de ses bras humides de pluie, si tu me trahissais, je ne serais ni debout ni couchée, ni dans une calèche flanquée de laquais, ni à me promener dans les landes de Charlemagne, ni dans aucune des landes d'aucun pays d'aucun monde, ni dans mon lit, ni sous le toit de mes pères! Je ne serais plus, moi. Je suis née dans le Lancashire, pays où les femmes meurent d'amour. Te connaître et te céder! Je ne te céderais à aucune puissance, pas même à la mort, car je m'en irais avec toi.

Elle m'emmena dans sa chambre, où déjà le confort avait étalé ses jouissances.

— Aime-la, ma chère, lui dis-je avec chaleur, elle t'aime, elle, non pas d'une façon railleuse, mais sincèrement.

— Sincèrement, petit? dit-elle en délaçant son amazone.

Par vanité d'amant, je voulus révéler la sublimité du caractère d'Henriette à cette orgueilleuse créature. Pendant que la femme de chambre, qui ne savait pas un mot de français, lui arrangeait les cheveux, j'essayai de peindre madame de Mortsauf en en esquissant la vie, et je répétai les grandes pensées que lui avait suggérées la crise où toutes les femmes deviennent petites et mauvaises. Quoique Arabelle parût ne pas me prêter la moindre attention, elle ne perdit aucune de mes paroles.

— Je suis enchantée, dit-elle quand nous fûmes seuls, de connaître ton goût pour ces sortes de conversations chrétiennes; il existe dans une de mes terres un vicaire qui s'entend comme personne à composer des sermons, nos paysans les comprennent, tant cette prose est bien appropriée à l'auditeur. J'écrirai demain à mon père de m'envoyer ce bonhomme par le paquebot, et tu le trouveras à Paris; quand tu l'auras une fois écouté, tu ne voudras plus écouter que lui, d'autant plus qu'il jouit aussi d'une parfaite santé; sa morale ne te causera point de ces secousses qui font pleurer, elle coule sans tempêtes, comme une source claire, et procure un délicieux sommeil. Tous les soirs, si cela te plaît, tu satisferas ta passion pour les sermons en digérant ton dîner. La morale anglaise, cher enfant, est aussi supérieure à celle de Touraine que notre coutellerie, notre argenterie et nos chevaux le sont à vos couteaux et à vos bêtes. Fais-moi la grâce d'entendre mon vicaire, promets-le moi? Je ne suis que femme, mon amour, je sais aimer, je puis mourir pour toi si tu le veux; mais je n'ai point étudié à Eton, ni à Oxford, ni à Edimbourg; je ne suis ni docteur, ni révérend; je ne saurais donc te préparer de la morale, j'y suis tout à fait impropre, je serais de la dernière maladresse si j'essayais. Je ne te reproche pas tes goûts, tu en aurais de plus dépravés que celui-ci, je tâcherais de m'y conformer; car je veux te faire trouver près de moi tout ce que tu aimes, plaisirs d'amour, plaisirs de table, plaisirs d'église, bon claret et vertus chrétiennes. Veux-tu que je mette un cilice ce soir? Elle est bien heureuse, cette femme, de te servir de la morale! Dans quelle université les femmes françaises prennent-elles leurs grades? Pauvre moi! je ne puis que me donner, je ne suis que ton esclave...

— Alors, pourquoi t'es-tu donc enfuie quand je voulais vous voir ensemble?

— Es-tu fou, *my Dee?* J'irais de Paris à Rome déguisée en laquais, je ferais pour toi les choses les plus déraisonnables; mais comment puis-je parler sur les chemins à une femme qui ne m'a pas été présentée et qui allait commencer un sermon en trois points? Je parlerai à des paysans, je demanderai à un ouvrier de partager son pain avec moi, si j'ai faim, je lui donnerai quelques guinées, et tout sera convenable; mais arrêter une calèche, comme font les gentilshommes de grande route en Angleterre, ceci n'est pas dans mon code, à moi. Tu ne sais donc qu'aimer, pauvre enfant, tu ne sais donc pas vivre? D'ailleurs, je ne te ressemble pas encore complètement, mon ange! Je n'aime pas la morale. Mais pour te plaire, je suis capable des plus grands efforts. Allons, tais-toi, je m'y mettrai! Je tâcherai de devenir prêcheuse. Auprès de moi, Jérémie ne sera bientôt qu'un bouffon. Je ne me permettrai plus de caresses sans les larder de versets de la Bible.

Elle usa de son pouvoir, elle en abusa dès qu'elle vit dans mon regard cette ardente expression qui s'y peignait aussitôt que commençaient ses sorcelleries. Elle triompha de tout, et je mis complaisamment au-dessus des finasseries catholiques la grandeur de la femme qui se perd, qui renonce à l'avenir et fait toute sa vertu de l'amour.

— Elle s'aime donc mieux qu'elle ne t'aime? me dit-elle. Elle te préfère donc quelque chose qui n'est pas toi? Comment attacher à ce qui est de nous d'autre importance que celle dont vous l'honorez? Aucune femme, quelque grande moraliste qu'elle soit, ne peut être l'égale d'un homme. Marchez sur nous, tuez-nous, n'embarrassez jamais votre existence de nous. A nous de

mourir, à vous de vivre grands et fiers. De vous à
nous le poignard, de nous à vous l'amour et le pardon.
Le soleil s'inquiète-t-il des moucherons qui sont dans
ses rayons et qui vivent de lui? ils restent tant qu'ils
peuvent, et quand il disparaît ils meurent...

— Ou ils s'envolent, dis-je en l'interrompant.

— Ou ils s'envolent, reprit-elle avec une indifférence
qui aurait piqué l'homme le plus déterminé à user
du singulier pouvoir dont elle l'investissait. Crois-tu
qu'il soit digne d'une femme de faire avaler à un
homme des tartines beurrées de vertu pour lui persuader que la religion est incompatible avec l'amour?
Suis-je donc une impie? On se donne, ou l'on se
refuse; mais se refuser et moraliser, il y a double
peine, ce qui est contraire au droit de tous les pays.
Ici tu n'auras que d'excellents *sandwiches* apprêtés
par la main de ta servante Arabelle, de qui toute la
morale sera d'imaginer des caresses qu'aucun homme
n'a encore ressenties et que les anges m'inspirent.

Je ne sais rien de plus dissolvant que la plaisanterie maniée par une Anglaise, elle y met le sérieux
éloquent, l'air de pompeuse conviction sous lequel les
Anglais couvrent les hautes niaiseries de leur vie à
préjugés. La plaisanterie française est une dentelle
avec laquelle les femmes savent embellir la joie qu'elles
donnent et les querelles qu'elles inventent; c'est une
parure morale, gracieuse comme leur toilette. Mais la
plaisanterie anglaise est un acide qui corrode si bien
les êtres sur lesquels il tombe qu'il en fait des sque-
lettes lavés et brossés. La langue d'une Anglaise spirituelle ressemble à celle d'un tigre qui emporte la
chair jusqu'à l'os en voulant jouer. Arme toute puissante du démon qui vient dire en ricanant : *Ce n'est
que cela?* la moquerie laisse un venin mortel dans les

blessures qu'elle ouvre à plaisir. Pendant cette nuit,
Arabelle voulut montrer son pouvoir comme un sultan
qui, pour prouver son adresse, s'amuse à décoller des
innocents.

— Mon ange, me dit-elle quand elle m'eut plongé
dans ce demi-sommeil où l'on oublie tout excepté le
bonheur, je viens de me faire de la morale aussi,
moi! Je me suis demandé si je commettais un crime
en t'aimant, si je violais les lois divines, et j'ai trouvé
que rien n'était plus religieux ni plus naturel. Pourquoi
Dieu créerait-il des êtres plus beaux que les autres
si ce n'est pour nous indiquer que nous devons les
adorer? Le crime serait de ne pas t'aimer, n'es-tu pas
un ange? Cette dame t'insulte en te confondant avec
les autres hommes, les règles de la morale ne te sont
pas applicables, Dieu t'a mis au-dessus de tout. N'est-ce
pas se rapprocher de lui que de t'aimer? pourra-t-il
en vouloir à une pauvre femme d'avoir perdu appétit
des choses divines? Ton vaste et lumineux cœur ressemble tant au ciel que je m'y trompe comme les moucherons qui viennent se brûler aux bougies d'une
fête! les punira-t-on, ceux-ci de leur erreur? d'ailleurs,
est-ce une erreur? n'est-ce pas une haute adoration de
la lumière? Ils périssent par trop de religion, si l'on
appelle périr se jeter au cou de ce qu'on aime. J'ai la
faiblesse de t'aimer, tandis que cette femme a la force
de rester dans sa chapelle catholique! Ne fronce pas
le sourcil! tu crois que je lui en veux? Non, petit!
J'adore sa morale qui lui a conseillé de te laisser
libre et m'a permis ainsi de te conquérir, de te garder
à jamais; car tu es à moi pour toujours, n'est-ce pas?

— Oui.

— A jamais?

— Oui.

— Me fais-tu donc une grâce, sultan? Moi seule ai deviné tout ce que tu valais! Elle sait cultiver les terres, dis-tu? Moi je laisse cette science aux fermiers, j'aime mieux cultiver ton cœur.

Je tâche de me rappeler ces enivrants bavardages afin de vous bien peindre cette femme, de vous justifier ce que je vous en ai dit, et vous mettre ainsi dans tout le secret du dénoûment. Mais comment vous décrire les accompagnements de ces jolies paroles que vous savez! C'était des folies comparables aux fantaisies les plus exorbitantes de nos rêves; tantôt des créations semblables à celles de mes bouquets : la grâce unie à la force, la tendresse et ses molles lenteurs, opposées aux irruptions volcaniques de la fougue; tantôt les gradations les plus savantes de la musique appliquées au concert de nos voluptés; puis des jeux pareils à ceux des serpents entrelacés; enfin, les plus caressants discours ornés des plus riantes idées, tout ce que l'esprit peut ajouter de poésie aux plaisirs des sens. Elle voulait anéantir sous les foudroiements de son amour impétueux les impressions laissées dans mon cœur par l'âme chaste et recueillie d'Henriette. La marquise avait aussi bien vu la comtesse, que madame de Mortsauf l'avait vue : elles s'étaient bien jugées toutes deux. La grandeur de l'attaque faite par Arabelle me révélait l'étendue de sa peur et sa secrète admiration pour sa rivale. Au matin, je la trouvai les yeux en pleurs et n'ayant pas dormi.

— Qu'as-tu? lui dis-je.

— J'ai peur que mon extrême amour ne me nuise, répondit-elle. J'ai tout donné. Plus adroite que je ne le suis, cette femme possède quelque chose en elle que tu peux désirer. Si tu la préfères, ne pense plus à moi : je ne t'ennuierai point de mes douleurs, de

mes remords, de mes souffrances; non, j'irai mourir
loin de toi, comme une plante sans son vivifiant
soleil.

Elle sut m'arracher des protestations d'amour qui la
comblèrent de joie. Que dire en effet à une femme qui
pleure au matin? Une dureté me semble alors infâme.
Si nous ne lui avons pas résisté la veille, le lendemain
ne sommes-nous pas obligés à mentir, car le Code-
Homme nous fait en galanterie un devoir du mensonge.

— Hé! bien, je suis généreuse, dit-elle en essuyant ses
larmes, retourne auprès d'elle, je ne veux pas te devoir
à la force de mon amour, mais à ta propre volonté.
Si tu reviens ici, je croirai que tu m'aimes autant que
je t'aime, ce qui m'a toujours paru impossible.

Elle sut me persuader de retourner à Clochegourde.
La fausseté de la situation dans laquelle j'allais entrer
ne pouvait être devinée par un homme gorgé de
bonheur. En refusant d'aller à Clochegourde, je donnais gain de cause à lady Dudley sur Henriette. Arabelle m'emmenait alors à Paris. Mais y aller, n'était-ce
pas insulter madame de Mortsauf? dans ce cas, je
devais revenir encore plus sûrement à Arabelle. Une
femme a-t-elle jamais pardonné de semblables crimes
de lèse-amour? A moins d'être un ange descendu des
cieux, et non l'esprit purifié qui s'y rend, une femme
aimante préférerait voir son amant souffrant une
agonie à le voir heureux par une autre : plus elle
aime, plus elle sera blessée. Ainsi vue sous ses deux
faces, ma situation, une fois sorti de Clochegourde
pour aller à la Grenadière, était aussi mortelle à mes
amours d'élection que profitable à mes amours de
hasard. La marquise avait calculé tout avec une profondeur étudiée. Elle m'avoua plus tard que si madame

de Mortsauf ne l'avait pas rencontrée dans les landes, elle avait médité de me compromettre en rôdant autour de Clochegourde.

Au moment où j'abordai la comtesse, que je vis pâle, abattue comme une personne qui a souffert quelque dure insomnie, j'exerçai soudain, non pas ce tact, mais le *flairer* qui fait ressentir aux cœurs encore jeunes et généreux la portée de ces actions indifférentes aux yeux de la masse, criminelles selon la jurisprudence des grandes âmes. Aussitôt, comme un enfant qui, descendu dans un abîme en jouant, en cueillant des fleurs, voit avec angoisse qu'il lui sera impossible de remonter, n'aperçoit plus le sol humain qu'à une distance infranchissable, se sent tout seul, à la nuit, et entend les hurlements sauvages, je compris que nous étions séparés par tout un monde. Il se fit dans nos deux âmes une grande clameur et comme un retentissement du *Consummatum est!* qui se crie dans les églises le vendredi-saint à l'heure où le Sauveur expira, horrible scène qui glace les jeunes âmes pour qui la religion est un premier amour. Toutes les illusions d'Henriette étaient mortes d'un seul coup, son cœur avait souffert une passion. Elle, si respectée par le plaisir qui ne l'avait jamais enlacée de ses engourdissants replis, devinait-elle aujourd'hui les voluptés de l'amour heureux, pour me refuser ses regards? car elle me retira la lumière qui depuis six ans brillait sur ma vie. Elle savait donc que la source des rayons épanchés de nos yeux était dans nos âmes, auxquelles ils servaient de route pour pénétrer l'une chez l'autre ou pour se confondre en une seule, se séparer, jouer comme deux femmes sans défiance qui se disent tout? Je sentis amèrement la faute d'apporter sous ce toit inconnu aux caresses un visage où les ailes du plaisir avaient semé

leur poussière diaprée. Si, la veille, j'avais laissé lady
Dudley s'en aller seule; si j'étais revenu à Clochegourde, où peut-être Henriette m'avait attendu, peut-
être... enfin peut-être madame de Mortsauf ne se
serait-elle pas si cruellement proposée d'être ma
sœur. Elle mit à toutes ses complaisances le faste d'une
force exagéré, elle entrait violemment dans son rôle
pour n'en point sortir. Pendant le déjeuner, elle eut
pour moi mille attentions, des attentions humiliantes,
elle me soignait comme un malade de qui elle avait pitié.

— Vous vous êtes promené de bonne heure, me dit
le comte; vous devez alors avoir un excellent appétit,
vous dont l'estomac n'est pas détruit!

Cette phrase, qui n'attira pas sur les lèvres de la
comtesse le sourire d'une sœur rusée, acheva de me
prouver le ridicule de ma position. Il était impossible
d'être à Clochegourde le jour, à Saint-Cyr la nuit.
Arabelle avait compté sur ma délicatesse et sur la
grandeur de madame de Mortsauf. Pendant cette
longue journée, je sentis combien il est difficile de
devenir l'ami d'une femme longtemps désirée. Cette
transition, si simple quand les ans la préparent, est
une maladie au jeune âge. J'avais honte, je maudissais
le plaisir, j'aurais voulu que madame de Mortsauf me
demandât mon sang. Je ne pouvais lui déchirer à
belles dents sa rivale, elle évitait d'en parler, et médire
d'Arabelle était une infamie qui m'aurait fait mépriser
Henriette magnifique et noble jusque dans les derniers
replis de son cœur. Après cinq ans de délicieuse intimité, nous ne savions de quoi parler; nos paroles ne
répondaient point à nos pensées; nous nous cachions
mutuellement de dévorantes douleurs, nous pour qui
la douleur avait toujours été un fidèle truchement.
Henriette affectait un air heureux et pour elle et

pour moi; mais elle était triste. Quoiqu'elle se dît à
tout propos ma sœur, et qu'elle fût femme, elle ne
trouvait aucune idée pour entretenir la conversation,
et nous demeurions la plupart du temps dans un
silence contraint. Elle accrut mon supplice intérieur,
en feignant de se croire la seule victime de cette lady.

— Je souffre plus que vous, lui dis-je en un moment
où la sœur laissa échapper une ironie toute féminine.

— Comment? répondit-elle avec ce ton de hauteur
que prennent les femmes quand on veut primer leurs
sensations.

— Mais j'ai tous les torts.

Il y eut un moment où la comtesse prit avec moi un
air froid et indifférent qui me brisa; je résolus de partir.
Le soir, sur la terrasse, je fis mes adieux à la famille
réunie. Tous me suivirent au boulingrin où piaffait
mon cheval dont ils s'écartèrent. Elle vint à moi quand
j'en pris la bride.

— Allons seuls, à pied, dans l'avenue, me dit-elle.

Je lui donnai le bras, et nous sortîmes par les cours
en marchant à pas lents, comme si nous savourions nos
mouvements confondus; nous atteignîmes ainsi un bouquet d'arbres qui enveloppait un coin de l'enceinte
extérieure.

— Adieu, mon ami, dit-elle en s'arrêtant, en jetant
sa tête sur mon cœur et ses bras à mon cou.
Adieu, nous ne nous reverrons plus. Dieu m'a donné le
triste pouvoir de regarder dans l'avenir. Ne vous rappelez-vous pas la terreur qui m'a saisie, un jour, quand
vous êtes revenu si beau! si jeune! et que je vous ai
vu me tournant le dos comme aujourd'hui que vous
quittez Clochegourde pour aller à la Grenadière? Hé!
bien, encore une fois, pendant cette nuit j'ai pu jeter
un coup d'œil sur nos destinées. Mon ami, nous nous

parlons en ce moment pour la dernière fois. A peine
pourrai-je vous dire encore quelques mots, car ce
ne sera plus moi tout entière qui vous parlerai. La
mort a déjà frappé quelque chose en moi. Vous aurez
alors enlevé leur mère à mes enfants, remplacez-la près
d'eux! vous le pourrez! Jacques et Madeleine vous
aiment comme si vous les aviez toujours fait souffrir.

— Mourir! dis-je effrayé en la regardant et revoyant
le feu sec de ses yeux luisants dont on ne peut donner
une idée à ceux qui n'ont pas connu des êtres chers
atteints de cette horrible maladie, qu'en comparant ses
yeux à des globes d'argent bruni. Mourir! Henriette,
je t'ordonne de vivre. Tu m'as autrefois demandé
des serments, eh! bien, aujourd'hui j'en exige un de
toi : jure-moi de consulter Origet et de lui obéir en
tout...

— Voulez-vous donc vous opposer à la clémence de
Dieu? dit-elle en m'interrompant par le cri du désespoir indigné d'être méconnu.

— Vous ne m'aimez donc pas assez pour m'obéir
aveuglément en toute chose comme cette misérable
lady...

— Oui, tout ce que tu voudras, dit-elle poussée par
une jalousie qui lui fit en un moment franchir les
distances qu'elle avait respectées jusqu'alors.

— Je reste ici, lui dis-je en la baisant sur les yeux.
Effrayée de ce consentement, elle s'échappa de mes
bras, alla s'appuyer contre un arbre; puis elle rentra
chez elle en marchant avec précipitation, sans tourner
la tête; mais je la suivis, elle pleurait et priait. Arrivé
au boulingrin, je lui pris la main et la baisai respec-
tueusement. Cette soumission inespérée la toucha.

— A toi quand même! lui dis-je, car je t'aime comme
t'aimait ta tante.

Elle tressaillit en me serrant alors violemment la main.

— Un regard, lui dis-je, encore un de nos anciens regards! La femme qui se donne tout entière, m'écriai-je en sentant mon âme illuminée par le coup d'œil qu'elle me jeta, donne moins de vie et d'âme que je viens d'en recevoir. Henriette, tu es la plus aimée, la seule aimée.

— Je vivrai! me dit-elle, mais guérissez-vous aussi.

Ce regard avait effacé l'impression des sarcasmes d'Arabelle. J'étais donc le jouet des deux passions inconciliables que je vous ai décrites et dont j'éprouvais alternativement l'influence. J'aimais un ange et un démon; deux femmes également belles, parées l'une de toutes les vertus que nous meurtrissons en haine de nos imperfections, l'autre de tous les vices que nous déifions par égoïsme. En parcourant cette avenue, où je me retournais de moments en moments pour revoir madame de Mortsauf appuyée sur un arbre et entourée de ses enfants qui agitaient leurs mouchoirs, je surpris dans mon âme un mouvement d'orgueil de me savoir l'arbitre de deux destinées si belles, d'être la gloire à des titres si différents de deux femmes si supérieures, et d'avoir inspiré de si grandes passions que de chaque côté la mort arriverait si je leur manquais. Cette fatuité passagère a été doublement punie, croyez-le bien! Je ne sais quel démon me disait d'attendre près d'Arabelle le moment où quelque désespoir, où la mort du comte me livrerait Henriette, car Henriette m'aimait toujours : ses duretés, ses larmes, ses remords, sa chrétienne résignation étaient d'éloquentes traces d'un sentiment qui ne pouvait pas plus s'effacer de son cœur que du mien. En allant au pas dans cette jolie avenue, et faisant ces réflexions, je n'avais plus vingt-cinq ans, j'en avais cinquante. N'est-ce pas encore plus le jeune homme que la femme qui passe en un moment de trente à soixante ans? Quoique j'aie chassé d'un souffle ces mauvaises pensées, elles m'obsédèrent, je dois l'avouer! Peut-être leur principe se trouvait-il aux Tuileries, sous les lambris du cabinet royal. Qui pouvait résister à l'esprit déflorateur de Louis XVIII, lui qui disait qu'on n'a de véritables passions que dans l'âge mûr, parce que la passion n'est belle et furieuse que quand il s'y mêle de l'impuissance et qu'on se trouve alors à chaque plaisir comme un joueur à son dernier enjeu? Quand je fus au bout de l'avenue, je me retournai et la franchis en un clin d'œil en voyant qu'Henriette y était encore, elle seule! Je vins lui dire un dernier adieu, mouillé de larmes expiatrices dont la cause lui fut cachée. Larmes sincères, accordées sans le savoir à ces belles amours à jamais perdues, à ces vierges émotions, à ces fleurs de la vie qui ne renaissent plus; car, plus tard, l'homme ne donne plus, il reçoit; il s'aime lui-même dans sa maîtresse; tandis qu'au jeune âge, il aime sa maîtresse en lui : plus tard nous inoculons nos goûts, nos vices peut-être à la femme qui nous aime; tandis qu'au début de la vie, celle que nous aimons nous impose ses vertus, ses délicatesses; elle nous convie au beau par un sourire, et nous apprend le dévouement par son exemple. Malheur à qui n'a pas eu son Henriette! Malheur à qui n'a pas connu quelque lady Dudley! S'il se marie, celui-ci ne gardera pas sa femme, celui-là sera peut-être abandonné par sa maîtresse; mais heureux qui peut trouver les deux en une seule; heureux, Natalie l'homme que vous aimez!

De retour à Paris, Arabelle et moi devînmes plus intimes que par le passé. Bientôt nous abolîmes insensiblement l'un et l'autre les lois de convenance que je m'étais imposées, et dont la stricte observation fait souvent pardonner par le monde la fausseté de la position où s'était mise lady Dudley. Le monde, qui aime tant à pénétrer au delà des apparences, les légitime dès qu'il connaît le secret qu'elles enveloppent. Les amants forcés de vivre au milieu du grand monde auront toujours tort de renverser ces barrières exigées par la jurisprudence des salons, tort de ne pas obéir scrupuleusement à toutes les conventions imposées par les mœurs; il s'agit alors moins des autres que d'eux-mêmes. Les distances à franchir, le respect extérieur à conserver, les comédies à jouer, le mystère à obscurcir, toute cette stratégie de l'amour heureux occupe la vie, renouvelle le désir et protège notre cœur contre les relâchements de l'habitude. Mais essentiellement dissipatrices, les premières passions, de même que les jeunes gens, coupent leurs forêts à blanc au lieu de les aménager. Arabelle n'adoptait pas ces idées bourgeoises, elle s'y était pliée pour me plaire; semblable au bourreau marquant d'avance sa proie afin de se l'approprier, elle voulait me compromettre à la face de tout Paris pour faire de moi son *sposo*. Aussi employa-t-elle ses coquetteries à me garder chez elle, car elle n'était pas contente de son élégant esclandre qui, faute de preuves, n'encourageait que les chuchotteries sous l'éventail. En la voyant si heureuse de commettre une imprudence qui dessinerait franchement sa position, comment n'aurais-je pas cru à son amour? Une fois plongé dans les douceurs d'un mariage illicite, le désespoir me saisit, car je voyais ma vie arrêtée au rebours des idées reçues et des recommandations d'Henriette. Je vécus alors avec l'espèce de rage qui saisit un poitrinaire quand, pressentant sa fin, il ne veut pas qu'on interroge le bruit de sa respiration. Il y avait un coin de mon cœur où je ne pouvais me retirer sans souffrance; un esprit vengeur me jetait incessamment des idées sur lesquelles je n'osais m'appesantir. Mes lettres à Henriette peignaient cette maladie morale, et lui causaient un mal infini. « Au prix de tant de trésors perdus, elle me voulait au moins heureux! » me dit-elle dans la seule réponse que je reçus. Et je n'étais pas heureux! Chère Natalie, le bonheur est absolu, il ne souffre pas de comparaisons. Ma première ardeur passée, je comparai nécessairement ces deux femmes l'une à l'autre, contraste que je n'avais pas encore pu étudier. En effet, toute grande passion pèse si fortement sur notre caractère qu'elle en refoule d'abord les aspérités et comble la trace des habitudes qui constituent nos défauts ou nos qualités; mais plus tard, chez deux amants bien accoutumés l'un à l'autre, les traits de la physionomie morale reparaissent; tous deux se jugent alors mutuellement, et souvent il se déclare, durant cette réaction du caractère sur la passion, des antipathies qui préparent ces désunions dont s'arment les gens superficiels pour accuser le cœur humain d'instabilité. Cette période commença donc. Moins aveuglé par les séductions, et détaillant pour ainsi dire mon plaisir, j'entrepris, sans le vouloir peut-être, un examen qui nuisit à lady Dudley.

Je lui trouvai d'abord en moins l'esprit qui distingue la Française entre toutes les femmes, et la rend la plus délicieuse à aimer, selon l'aveu des gens que les hasards de leur vie ont mis à même d'éprouver les manières d'aimer de chaque pays. Quand une Française aime, elle se métamorphose; sa coquetterie si vantée, elle l'emploie à parer son amour; sa vanité si dangereuse, elle l'immole et met toutes ses prétentions à bien aimer. Elle épouse les intérêts, les haines, les

amitiés de son amant; elle acquiert en un jour les sub-
tilités expérimentées de l'homme d'affaires, elle étudie
le code, elle comprend le mécanisme du crédit, et séduit
la caisse d'un banquier; étourdie et prodigue, elle ne
fera pas une seule faute et ne gaspillera pas un seul
louis; elle devient à la fois mère, gouvernante, médecin,
et donne à toutes ses transformations une grâce de
bonheur qui révèle dans les plus légers détails un
amour infini; elle réunit les qualités spéciales qui recommandent les femmes de chaque pays en donnant
à ce mélange de l'unité par l'esprit, cette semence
française qui anime, permet, justifie, varie tout et
détruit la monotonie d'un sentiment appuyé sur le
premier temps d'un seul verbe. La femme française
aime toujours, sans relâche ni fatigue, à tout moment,
en public et seule; en public, elle trouve un accent qui ne
résonne que dans une oreille, elle parle par son silence
même, et sait vous regarder les yeux baissés; si l'occasion lui interdit la parole et le regard, elle emploiera
le sable sur lequel s'imprime son pied pour y écrire
une pensée; seule, elle exprime sa passion même pendant le sommeil; enfin elle plie le monde à son amour.
Au contraire, l'Anglaise plie son amour au monde.
Habituée par son éducation à conserver cette habitude
glaciale, ce maintien britannique si égoïste dont je
vous ai parlé, elle ouvre et ferme son cœur avec la
facilité d'une mécanique anglaise. Elle possède un
masque impénétrable qu'elle met et qu'elle ôte flegma-
tiquement; passionnée comme une Italienne quand
aucun œil ne la voit, elle devient froidement digne
aussitôt que le monde intervient. L'homme le plus
aimé doute alors de son empire en voyant la profonde
immobilité du visage, le calme de la voix, la parfaite
liberté de contenance qui distingue une Anglaise sortie

de son boudoir. En ce moment, l'hypocrisie va jusqu'à l'indifférence, l'Anglaise a tout oublié. Certes la femme qui sait jeter son amour comme un vêtement fait croire qu'elle peut en changer. Quelles tempêtes soulèvent alors les vagues du cœur quand elles sont remuées par l'amour-propre blessé de voir une femme prenant, interrompant, reprenant l'amour comme une tapisserie à main! Ces femmes sont trop maîtresses d'elles-mêmes pour vous bien appartenir; elles accordent trop d'influence au monde pour que notre règne soit entier. Là où la Française console le patient par un regard, trahit sa colère contre les visiteurs par quelques jolies moqueries, le silence des Anglaises est absolu, agace l'âme et taquine l'esprit. Ces femmes trônent si constamment en toute occasion que, pour la plupart d'entre elles, l'omnipotence de la *fashion* doit s'étendre jusque sur leurs plaisirs. Qui exagère la pudeur doit exagérer l'amour, les Anglaises sont ainsi; elles mettent tout dans la forme, sans que chez elles l'amour de la forme produise le sentiment de l'art : quoi qu'elles puissent dire, le protestantisme et le catholicisme expliquent les différences qui donnent à l'âme des Françaises tant de supériorité sur l'amour raisonné, calculateur des Anglaises. Le protestantisme doute, examine et tue les croyances, il est donc la mort de l'art et de l'amour. Là où le monde commande, les gens du monde doivent obéir; mais les gens passionnés le fuient aussitôt, il leur est insupportable. Vous comprendrez alors combien fut choqué mon amour-propre en découvrant que lady Dudley ne pouvait point se passer du monde, et que la transition britannique lui était familière : ce n'était pas un sacrifice que le monde lui imposait; non, elle se manifestait naturellement sous deux formes ennemies l'une de l'autre; quand elle aimait, elle aimait avec ivresse; aucune femme d'aucun pays ne lui était comparable, elle valait tout un sérail; mais le rideau tombé sur cette scène de féerie en bannissait jusqu'au souvenir. Elle ne répondait ni à un regard ni à un sourire; elle n'était ni maîtresse ni esclave, elle était comme une ambassadrice obligée d'arrondir ses phrases et ses coudes, elle impatientait par son calme, elle outrageait le cœur par son décorum; elle ravalait ainsi l'amour jusqu'au besoin, au lieu de l'élever jusqu'à l'idéal par l'enthousiasme. Elle n'exprimait ni crainte, ni regrets, ni désir; mais à l'heure dite sa tendresse se dressait comme des feux subitement allumés, et semblait insulter à sa réserve. A laquelle de ces deux femmes devais-je croire? Je sentis alors par mille piqûres d'épingle les différences infinies qui séparaient Henriette d'Arabelle. Quand madame de Mortsauf me quittait pour un moment, elle semblait laisser à l'air le soin de me parler d'elle; les plis de sa robe, quand elle s'en allait, s'adressaient à mes yeux comme leur bruit onduleux arrivait joyeusement à mon oreille quand elle revenait; il y avait des tendresses infinies dans la manière dont elle dépliait ses paupières en abaissant ses yeux vers la terre; sa voix, cette voix musicale, était une caresse continuelle; ses discours témoignaient d'une pensée constante, elle se ressemblait toujours à elle-même; elle ne scindait pas son âme en deux atmosphères, l'une ardente et l'autre glacée; enfin, madame de Mortsauf réservait son esprit et la fleur de sa pensée pour exprimer ses sentiments, elle se faisait coquette par les idées avec ses enfants et avec moi. Mais l'esprit d'Arabelle ne lui servait pas à rendre la vie aimable, elle ne l'exerçait point à mon profit, il n'existait que par le monde et pour le monde, elle était purement

moqueuse; elle aimait à déchirer, à mordre, non pour
m'amuser, mais pour satisfaire un goût. Madame de
Mortsauf aurait dérobé son bonheur à tous les regards,
lady Arabelle voulait montrer le sien à tout Paris, et,
par une horrible grimace, elle restait dans les convenances tout en paradant au Bois avec moi. Ce mélange
d'ostentation et de dignité, d'amour et de froideur,
blessait constamment mon âme, à la fois vierge et
passionnée; et, comme je ne savais point passer ainsi
d'une température à l'autre, mon humeur s'en ressentait; j'étais palpitant d'amour quand elle reprenait sa
pudeur de convention. Quand je m'avisai de me
plaindre, non sans de grands ménagements, elle tourna
sa langue à triple dard contre moi, mêlant les gascon-
nades de sa passion à ces plaisanteries anglaises que
j'ai tâché de vous peindre. Aussitôt qu'elle se trouvait
en contradiction avec moi, elle se faisait un jeu de
froisser mon cœur et d'humilier mon esprit, elle me
maniait comme une pâte. A des observations sur le
milieu que l'on doit garder en tout, elle répondait par
la caricature de mes idées, qu'elle portait à l'extrême.
Quand je lui reprochais son attitude, elle me demandait si je voulais qu'elle m'embrassât devant tout Paris,
aux Italiens; elle s'y engageait si sérieusement, que,
connaissant son envie folle de faire parler d'elle, je
tremblais de lui voir exécuter sa promesse. Malgré sa
passion réelle, je ne sentais jamais rien de recueilli,
de saint, de profond comme chez Henriette : elle était
toujours insatiable comme une terre sablonneuse.
Madame de Mortsauf était toujours rassurée et sentait
mon âme dans une accentuation ou dans un coup
d'œil, tandis que la marquise n'était jamais accablée
par un regard, ni par un serrement de main, ni par
une douce parole. Il y a plus! le bonheur de la veille

n'était rien le lendemain; aucune preuve d'amour ne
l'étonnait; elle éprouvait un si grand désir d'agitation,
de bruit, d'éclat, que rien n'atteignait sans doute à
son beau idéal en ce genre, et de là ses furieux efforts
d'amour; dans sa fantaisie exagérée, il s'agissait d'elle
et non de moi. Cette lettre de madame de Mortsauf,
lumière qui brillait encore sur ma vie, et qui prouvait
la manière dont la femme la plus vertueuse sait obéir
au génie de la Française, en accusant une perpétuelle
vigilance, une entente continuelle de toutes mes fortunes; cette lettre a dû vous faire comprendre avec
quel soin Henriette s'occupait de mes intérêts maté-
riels, de mes relations politiques, de mes conquêtes
morales, avec quelle ardeur elle embrassait ma vie par
les endroits permis. Sur tous ces points, lady Dudley
affectait la réserve d'une personne de simple connaissance. Jamais elle ne s'informa ni de mes affaires, ni
de ma fortune, ni de mes travaux, ni des difficultés de
ma vie, ni de mes haines, ni de mes amitiés d'homme.
Prodigue pour elle-même sans être généreuse, elle
séparait vraiment un peu trop les intérêts et l'amour;
tandis que, sans l'avoir éprouvé, je savais qu'afin de
m'éviter un chagrin, Henriette aurait trouvé pour moi
ce qu'elle n'aurait pas cherché pour elle. Dans un de
ces malheurs qui peuvent attaquer les hommes les plus
élevés et les plus riches, l'histoire en atteste assez!
j'aurais consulté Henriette, mais je me serais laissé
traîner en prison sans dire un mot à lady Dudley.

Jusqu'ici le contraste repose sur les sentiments, mais
il en était de même pour les choses. Le luxe est en
France l'expression de l'homme, la reproduction de ses
idées, de sa poésie spéciale; il peint le caractère, et
donne entre amants du prix aux moindres soins en faisant rayonner autour de nous la pensée dominante de

l'être aimé; mais ce luxe anglais dont les recherches m'avaient séduit par leur finesse était mécanique aussi! lady Dudley n'y mettait rien d'elle, il venait des gens, il était acheté. Les mille attentions caressantes de Clochegourde étaient, aux yeux d'Arabelle, l'affaire des domestiques; à chacun d'eux son devoir et sa spécialité. Choisir les meilleurs laquais était l'affaire de son majordome, comme s'il se fût agi de chevaux. Cette femme ne s'attachait point à ses gens, la mort du plus précieux d'entre eux ne l'aurait point affectée, on l'eût à prix d'argent remplacé par quelque autre également habile. Quant au prochain, jamais je ne surpris dans ses yeux une larme pour les malheurs d'autrui, elle avait même une naïveté d'égoïsme de laquelle il fallait absolument rire. Les draperies rouges de la grande dame couvraient cette nature de bronze. La délicieuse Almée qui se roulait le soir sur ses tapis, qui faisait sonner tous les grelots de son amoureuse folie, réconciliait promptement un homme jeune avec l'Anglaise insensible et dure; aussi ne découvris-je que pas à pas le tuf sur lequel je perdais mes semailles, et qui ne devait point donner de moissons. Madame de Mortsauf avait pénétré tout d'un coup cette nature dans sa rapide rencontre; je me souvins de ses paroles prophétiques. Henriette avait eu raison en tout, l'amour d'Arabelle me devenait insupportable. J'ai remarqué depuis que la plupart des femmes qui montent bien à cheval ont peu de tendresse. Comme aux Amazones, il leur manque une mamelle, et leurs cœurs sont endurcis en un certain endroit, je ne sais lequel.

Au moment où je commençai à sentir la pesanteur de ce joug, où la fatigue me gagnait le corps et l'âme, où je comprenais bien tout ce que le sentiment vrai donne de sainteté à l'amour, où j'étais accablé par les sou-

venirs de Clochegourde en respirant, malgré la distance,
le parfum de toutes ses roses, la chaleur de sa terrasse,
en entendant le chant de ses rossignols, en ce moment
affreux où j'apercevais le lit pierreux du torrent sous
ses eaux diminuées, je reçus un coup qui retentit
encore dans ma vie, car à chaque heure il trouve un
écho. Je travaillais dans le cabinet du roi qui devait
sortir à quatre heures, le duc de Lenoncourt était de
service; en le voyant entrer le roi lui demanda des
nouvelles de la comtesse; je levai brusquement la tête
d'une façon trop significative; le roi, choqué de ce
mouvement, me jeta le regard qui précédait ces mots
durs qu'il savait si bien dire.

— Sire, ma pauvre fille se meurt, répondit le duc.

— Le roi daignera-t-il m'accorder un congé? dis-je
les larmes aux yeux en bravant une colère près d'éclater.

— Courez, mylord, me répondit-il en souriant de
mettre une épigramme dans chaque mot et me faisant
grâce de sa réprimande en faveur de son esprit.

Plus courtisan que père, le duc ne demanda point de
congé et monta dans la voiture du roi pour l'accompagner. Je partis sans dire adieu à lady Dudley, qui
par bonheur était sortie et à laquelle j'écrivis que
j'allais en mission pour le service du roi. A la Croix de
Berny, je rencontrai Sa Majesté qui revenait de Ver-
rières. En acceptant un bouquet de fleurs qu'il laissa
tomber à ses pieds, le roi me jeta un regard plein de
ces royales ironies accablantes de profondeur, et qui
semblait me dire : — « Si tu veux être quelque chose
en politique, reviens! Ne t'amuse pas à parlementer
avec les morts! » Le duc me fit avec la main un signe
de mélancolie. Les deux pompeuses calèches à huit
chevaux, les colonels dorés, l'escorte et ses tourbillons

de poussière passèrent rapidement aux cris de Vive le roi! Il me sembla que la cour avait foulé le corps de madame de Mortsauf avec l'insensibilité que la nature témoigne pour nos catastrophes. Quoique ce fût un excellent homme, le duc allait sans doute faire le whist de Monsieur, après le coucher du roi. Quant à la duchesse, elle avait depuis longtemps porté le premier coup à sa fille en lui parlant, elle seule, de lady Dudley.

Mon rapide voyage fut comme un rêve, mais un rêve de joueur ruiné; j'étais au désespoir de ne point avoir reçu de nouvelles. Le confesseur avait-il poussé la rigidité jusqu'à m'interdire l'accès de Clochegourde? J'accusais Madeleine, Jacques, l'abbé de Dominis, tout, jusqu'à monsieur de Mortsauf. Au delà de Tours, en débouchant par les ponts Saint-Sauveur, pour descendre dans le chemin bordé de peupliers qui mène à Poncher, et que j'avais tant admiré quand je courais à la recherche de mon inconnue, je rencontrai monsieur Origet; il devina que je me rendais à Clochegourde, je devinai qu'il en revenait; nous arrêtâmes chacun notre voiture et nous en descendîmes, moi pour demander des nouvelles et lui pour m'en donner.

— Hé! bien, comment va madame de Mortsauf? lui dis-je.

— Je doute que vous la trouviez vivante, me répondit-il. Elle meurt d'une affreuse mort, elle meurt d'inanition. Quand elle me fit appeler au mois de juin dernier, aucune puissance médicale ne pouvait plus combattre la maladie; elle avait les affreux symptômes que monsieur de Mortsauf vous aura sans doute décrits, puisqu'il croyait les éprouver. Madame la comtesse n'était pas alors sous l'influence passagère d'une perturbation due à une lutte intérieure que la médecine

dirige et qui devient la cause d'un état meilleur, ou
sous le coup d'une crise commencée et dont le
désordre se répare; non, la maladie était arrivée au
point où l'art est inutile : c'est l'incurable résultat
d'un chagrin, comme une blessure mortelle est la
conséquence d'un coup de poignard. Cette affection
est produite par l'inertie d'un organe dont le jeu est
aussi nécessaire à la vie que celui du cœur. Le chagrin
a fait l'office du poignard. Ne vous y trompez pas!
madame de Mortsauf meurt de quelque peine inconnue.

— Inconnue! dis-je. Ses enfants n'ont point été malades?

— Non, me dit-il en me regardant d'un air significatif, et depuis qu'elle est sérieusement atteinte, monsieur de Mortsauf ne l'a plus tourmentée. Je ne suis
plus utile, monsieur Deslandes d'Azay suffit, il n'existe
aucun remède, et les souffrances sont horribles. Riche,
jeune, belle, et mourir maigrie, vieillie par la faim,
car elle mourra de faim! Depuis quarante jours, l'estomac étant comme fermé rejette tout aliment, sous
quelque forme qu'on le présente.

Monsieur Origet me pressa la main que je lui tendis,
il me l'avait presque demandée par un geste de respect.

— Du courage, monsieur, dit-il en levant les yeux au
ciel.

Sa phrase exprimait de la compassion pour des
peines qu'il croyait également partagées; il ne soup-
çonnait pas le dard envenimé de ses paroles qui
m'atteignirent comme une flèche au cœur. Je montai
brusquement en voiture en promettant une bonne
récompense au postillon si j'arrivais à temps.

Malgré mon impatience, je crus avoir fait le chemin

en quelques minutes, tant j'étais absorbé par les réflexions amères qui se pressaient dans mon âme. Elle meurt de chagrin, et ses enfants vont bien! elle mourait donc par moi! Ma conscience menaçante prononça un de ces réquisitoires qui retentissent dans toute la vie et quelquefois au delà. Quelle faiblesse et quelle impuissance dans la justice humaine! elle ne venge que les actes patents. Pourquoi la mort et la honte au meurtrier qui tue d'un coup, qui vous surprend généreusement dans le sommeil et vous endort pour toujours, ou qui frappe à l'improviste, en vous évitant l'agonie? Pourquoi la vie heureuse, pourquoi l'estime au meurtrier qui verse goutte à goutte le fiel dans l'âme et mine le corps pour le détruire? Combien de meurtriers impunis! Quelle complaisance pour le vice élégant! quel acquittement pour l'homicide causé par les persécutions morales! Je ne sais quelle main vengeresse leva tout à coup le rideau peint qui couvre la société. Je vis plusieurs de ces victimes qui vous sont aussi connues qu'à moi : madame de Beauséant partie mourante en Normandie [1] quelques jours avant mon départ! La duchesse de Langeais compromise [2]! Lady Brandon arrivée en Touraine pour y mourir dans cette humble maison [3] où lady Dudley était restée deux semaines, et tuée, par quel horrible dénoûment? vous le savez! Notre époque est fertile en événements de ce genre. Qui n'a connu cette pauvre jeune femme qui s'est empoisonnée [4], vaincue par la jalousie qui tuait peut-être madame de Mortsauf? Qui n'a frémi du destin de cette délicieuse jeune fille qui, semblable à une fleur piquée par un taon, a dépéri en deux ans de mariage, victime de sa pudique ignorance, victime d'un misérable auquel Ronquerolles, Montriveau, de Marsay donnent la main parce qu'il sert leurs projets

politiques? Qui n'a palpité au récit des derniers moments de cette femme qu'aucune prière n'a pu fléchir
et qui n'a jamais voulu revoir son mari après en avoir
si noblement payé les dettes? Madame d'Aiglemont
n'a-t-elle pas vu la tombe de bien près [1], et sans les
soins de mon frère vivrait-elle? Le monde et la science
sont complices de ces crimes pour lesquels il n'est point
de Cour d'Assises. Il semble que personne ne meure
de chagrin, ni de désespoir, ni d'amour, ni de misères
cachées, ni d'espérances cultivées sans fruit, incessamment replantées et déracinées. La nomenclature nouvelle a des mots ingénieux pour tout expliquer : la
gastrite, la péricardite, les mille maladies de femme
dont les noms se disent à l'oreille, servent de passe-
port aux cercueils escortés de larmes hypocrites que
la main du notaire a bientôt essuyées. Y a-t-il au fond
de ce malheur quelque loi que nous ne connaissons
pas? Le centenaire doit-il impitoyablement joncher le
terrain de morts, et le dessécher autour de lui pour
s'élever, de même que le millionnaire s'assimile les
efforts d'une multitude de petites industries? Y a-t-il
une forte vie venimeuse qui se repaît des créatures
douces et tendres? Mon Dieu! appartenais-je donc à la
race des tigres? Le remords me serrait le cœur de ses
doigts brûlants, et j'avais les joues sillonnées de larmes
quand j'entrai dans l'avenue de Clochegourde par une
humide matinée d'octobre qui détachait les feuilles
mortes des peupliers dont la plantation avait été dirigée
par Henriette, dans cette avenue où naguère elle agitait
son mouchoir comme pour me rappeler! Vivait-elle?
Pourrais-je sentir ses deux blanches mains sur ma tête
prosternée? En un moment je payai tous les plaisirs
donnés par Arabelle et les trouvai chèrement vendus!
je me jurai de ne jamais la revoir, et je pris en haine

l'Angleterre. Quoique lady Dudley soit une variété
de l'espèce, j'enveloppai toutes les Anglaises dans les
crêpes de mon arrêt.

En entrant à Clochegourde, je reçus un nouveau
coup. Je trouvai Jacques, Madeleine et l'abbé de Dominis agenouillés tous trois au pied d'une croix de bois
plantée au coin d'une pièce de terre qui avait été
comprise dans l'enceinte, lors de la construction de la
grille, et que ni le comte, ni la comtesse n'avaient voulu
abattre. Je sautai hors de ma voiture et j'allai vers eux
le visage plein de larmes, et le cœur brisé par le
spectacle de ces deux enfants et de ce grave personnage
implorant Dieu. Le vieux piqueur y était aussi, à
quelques pas, la tête nue.

— Eh! bien, monsieur? dis-je à l'abbé de Dominis
en baisant au front Jacques et Madeleine qui me
jetèrent un regard froid, sans cesser leur prière. L'abbé
se leva, je lui pris le bras pour m'y appuyer en lui
disant : — Vit-elle encore? Il inclina la tête par un
mouvement triste et doux. — Parlez, je vous en supplie,
au nom de la Passion de Notre Seigneur! Pourquoi
priez-vous au pied de cette croix? pourquoi êtes-vous
ici et non près d'elle? pourquoi ses enfants sont-ils
dehors par une si froide matinée? dites-moi tout, afin
que je ne cause pas quelque malheur par ignorance.

— Depuis plusieurs jours, madame la comtesse ne
veut voir ses enfants qu'à des heures déterminées. —
Monsieur, reprit-il après une pause, peut-être devriez-
vous attendre quelques heures avant de revoir madame de Mortsauf, elle est bien changée! mais il est
utile de la préparer à cette entrevue, vous pourriez lui
causer quelque surcroît de souffrance... Quant à la
mort, ce serait un bienfait.

Je serrai la main de cet homme divin dont le regard

et la voix caressaient les blessures d'autrui sans les aviver.

— Nous prions tous ici pour elle, reprit-il; car elle, si sainte, si résignée, si faite à mourir, depuis quelques jours elle a pour la mort une horreur secrète, elle jette sur ceux qui sont pleins de vie des regards où, pour la première fois, se peignent des sentiments sombres et envieux. Ses vertiges sont excités, je crois, moins par l'effroi de la mort que par une ivresse intérieure, par les fleurs fanées de sa jeunesse qui fermentent en se flétrissant. Oui, le mauvais ange dispute cette belle âme au ciel. Madame subit sa lutte au mont des Oliviers, elle accompagne de ses larmes la chute des roses blanches qui couronnaient sa tête de Jephté mariée, et tombées une à une. Attendez, ne vous montrez pas encore, vous lui apporteriez les clartés de la cour, elle retrouverait sur votre visage un reflet des fêtes mondaines et vous rendriez de la force à ses plaintes. Ayez pitié d'une faiblesse que Dieu lui-même a pardonnée à son Fils devenu homme. Quels mérites aurions-nous d'ailleurs à vaincre sans adversaire? Permettez que son confesseur ou moi, deux vieillards dont les ruines n'offensent point sa vue, nous la préparions à une entrevue inespérée, à des émotions auxquelles l'abbé Birotteau avait exigé qu'elle renonçât. Mais il est dans les choses de ce monde une invisible trame de causes célestes qu'un œil religieux aperçoit, et si vous êtes venu ici, peut-être y êtes-vous amené par une de ces célestes étoiles qui brillent dans le monde moral, et qui conduisent vers le tombeau comme vers la crèche...

Il me dit alors, en employant cette onctueuse éloquence qui tombe sur le cœur comme une rosée, que depuis six mois la comtesse avait chaque jour souffert

davantage, malgré les soins de monsieur Origet. Le
docteur était venu pendant deux mois, tous les soirs,
à Clochegourde, voulant arracher cette proie à la mort,
car la comtesse avait dit : — « Sauvez-moi! » —
« Mais, pour guérir le corps, il aurait fallu que le cœur
fût guéri! » s'était un jour écrié le vieux médecin.

— Selon les progrès du mal, les paroles de cette
femme si douce sont devenues amères, me dit l'abbé de
Dominis. Elle crie à la terre de la garder, au lieu de
crier à Dieu de la prendre; puis, elle se repent de murmurer contre les décrets d'en haut. Ces alternatives lui
déchirent le cœur, et rendent horrible la lutte du corps
et de l'âme. Souvent le corps triomphe! — « Vous me
coûtez bien cher! » a-t-elle dit un jour à Madeleine
et à Jacques en les repoussant de son lit. Mais en ce
moment, rappelée à Dieu par ma vue, elle a dit à
mademoiselle Madeleine ces angéliques paroles : « Le
bonheur des autres devient la joie de ceux qui ne
peuvent plus être heureux. » Et son accent fut si déchirant que j'ai senti mes paupières se mouiller. Elle
tombe, il est vrai; mais, à chaque faux pas, elle se
relève plus haut vers le ciel.

Frappé des messages successifs que le hasard m'envoyait, et qui, dans ce grand concert d'infortunes, préparaient par de douloureuses modulations le thème
funèbre, le grand cri de l'amour expirant, je m'écriai :
— Vous le croyez, ce beau lys coupé refleurira dans
le ciel?

— Vous l'avez laissée fleur encore, me répondit-il,
mais vous la retrouverez consumée, purifiée dans le
feu des douleurs, et pure comme un diamant encore
enfoui dans les cendres. Oui, ce brillant esprit, étoile
angélique, sortira splendide de ses nuages pour aller
dans le royaume de lumière.

Au moment où je serrais la main de cet homme
évangélique, le cœur oppressé de reconnaissance, le
comte montra hors de la maison sa tête entièrement
blanchie et s'élança vers moi par un mouvement où se
peignait la surprise.

— Elle a dit vrai! le voici. « Félix, Félix, voici
Félix qui vient! » s'est écriée madame de Mortsauf.
Mon ami, reprit-il en me jetant des regards insensés
de terreur, la mort est ici. Pourquoi n'a-t-elle pas pris
un vieux fou comme moi qu'elle avait entamé?...

Je marchai vers le château, rappelant mon courage;
mais sur le seuil de la longue antichambre qui menait
du boulingrin au perron, en traversant la maison,
l'abbé Birotteau m'arrêta.

— Madame la comtesse vous prie de ne pas entrer
encore, me dit-il.

En jetant un coup d'œil, je vis les gens allant et
venant, tous affairés, ivres de douleur et surpris sans
doute des ordres que Manette leur communiquait.

— Qu'arrive-t-il? dit le comte effarouché de ce mouvement autant par crainte de l'horrible événement, que
par l'inquiétude naturelle à son caractère.

— Une fantaisie de malade, répondit l'abbé. Madame
la comtesse ne veut pas recevoir monsieur le vicomte
dans l'état où elle est; elle parle de toilette, pourquoi
la contrarier?

Manette alla chercher Madeleine, et nous vîmes
Madeleine sortant quelques moments après être entrée
chez sa mère. Puis en nous promenant tous les cinq,
Jacques et son père, les deux abbés et moi, tous silencieux le long de la façade sur le boulingrin, nous dépas-
sâmes la maison. Je contemplai tour à tour Montbazon
et Azay, regardant la vallée jaunie dont le deuil
répondait alors comme en toute occasion aux senti-

ments qui m'agitaient. Tout à coup j'aperçus la chère mignonne courant après les fleurs d'automne et les cueillant sans doute pour composer des bouquets. En pensant à tout ce que signifiait cette réplique de mes soins amoureux, il se fit en moi je ne sais quel mouvement d'entrailles, je chancelai, ma vue s'obscurcit, et les deux abbés entre lesquels je me trouvais me portèrent sur la margelle d'une terrasse où je demeurai pendant un moment comme brisé, mais sans perdre entièrement connaissance.

— Pauvre Félix, me dit le comte, elle avait bien défendu de vous écrire, elle sait combien vous l'aimez!

Quoique préparé à souffrir, je m'étais trouvé sans force contre une attention qui résumait tous mes souvenirs de bonheur. « La voilà, pensai-je, cette lande desséchée comme un squelette, éclairée par un jour gris, au milieu de laquelle s'élevait un seul buisson de fleurs, que jadis dans mes courses je n'ai pas admirée sans un sinistre frémissement et qui était l'image de cette heure lugubre! » Tout était morne dans ce petit castel, autrefois si vivant, si animé! tout pleurait, tout disait le désespoir et l'abandon. C'était des allées ratissées à moitié, des travaux commencés et abandonnés, des ouvriers debout regardant le château. Quoique l'on vendangeât les clos, l'on n'entendait ni bruit ni babil. Les vignes semblaient inhabitées, tant le silence était profond. Nous allions comme des gens dont la douleur repousse des paroles banales, et nous écoutions le comte, le seul de nous qui parlât. Après les phrases dictées par l'amour machinal qu'il ressentait pour sa femme, le comte fut conduit par la pente de son esprit à se plaindre de la comtesse. Sa femme n'avait jamais voulu se soigner ni l'écouter quand il lui donnait de bons avis; il s'était aperçu le premier

des symptômes de la maladie; car il les avait étudiés
sur lui-même, les avait combattus et s'en était guéri
tout seul sans autre secours que celui d'un régime, et
en évitant toute émotion forte. Il aurait bien pu guérir
aussi la comtesse; mais un mari ne saurait accepter
de semblables responsabilités, surtout lorsqu'il a le
malheur de voir en toute affaire son expérience dé-
daignée. Malgré ses représentations, la comtesse avait
pris Origet pour médecin. Origet, qui l'avait jadis si
mal soigné, lui tuait sa femme. Si cette maladie a pour
cause d'excessifs chagrins, il avait été dans toutes les
conditions pour l'avoir; mais quels pouvaient être les
chagrins de sa femme? La comtesse était heureuse, elle
n'avait ni peines ni contrariétés! leur fortune était,
grâce à ses soins et à ses bonnes idées, dans un état
satisfaisant; il laissait madame de Mortsauf régner à
Clochegourde; ses enfants, bien élevés, bien portants,
ne donnaient plus aucune inquiétude; d'où pouvait
donc procéder le mal? Et il discutait et il mêlait
l'expression de son désespoir à des accusations insensées. Puis, ramené bientôt par quelque souvenir à l'admiration que méritait cette noble créature, quelques
larmes s'échappaient de ses yeux, secs depuis si longtemps.

Madeleine vint m'avertir que sa mère m'attendait.
L'abbé Birotteau me suivit. La grave jeune fille resta
près de son père, en disant que la comtesse désirait
être seule avec moi, et prétextait la fatigue que lui
causerait la présence de plusieurs personnes. La solennité de ce moment produisit en moi cette impression
de chaleur intérieure et de froid au dehors qui nous
brise dans les grandes circonstances de la vie. L'abbé
Birotteau, l'un de ces hommes que Dieu a marqués
comme siens en les revêtant de douceur, de simplicité,

en leur accordant la patience et la miséricorde, me
prit à part.

— Monsieur, me dit-il, sachez que j'ai fait tout ce
qui était humainement possible pour empêcher cette
réunion. Le salut de cette sainte le voulait ainsi. Je
n'ai vu qu'elle et non vous. Maintenant que vous allez
revoir celle dont l'accès aurait dû vous être interdit
par les anges, apprenez que je resterai entre vous
pour la défendre contre vous-même et contre elle
peut-être! Respectez sa faiblesse. Je ne vous demande
pas grâce pour elle comme prêtre, mais comme un
humble ami que vous ne saviez pas avoir, et qui veut
vous éviter des remords. Notre chère malade meurt
exactement de faim et de soif. Depuis ce matin, elle
est en proie à l'irritation fiévreuse qui précède cette
horrible mort, et je ne puis vous cacher combien elle
regrette la vie. Les cris de sa chair révoltée s'éteignent
dans mon cœur où ils blessent des échos encore trop
tendres; mais monsieur de Dominis et moi nous avons
accepté cette tâche religieuse, afin de dérober le spectacle de cette agonie morale à cette noble famille qui
ne reconnaît plus son étoile du soir et du matin. Car
l'époux, les enfants, les serviteurs, tous demandent :
Où est-elle? tant elle est changée. A votre aspect, les
plaintes vont renaître. Quittez les pensées de l'homme
du monde, oubliez les vanités du cœur, soyez près
d'elle l'auxiliaire du ciel et non celui de la terre. Que
cette sainte ne meure pas dans une heure de doute,
en laissant échapper des paroles de désespoir...

Je ne répondis rien. Mon silence consterna le pauvre
confesseur. Je voyais, j'entendais, je marchais et n'étais
cependant plus sur la terre. Cette réflexion : « Qu'est-
il donc arrivé? dans quel état dois-je la trouver, pour
que chacun use de telles précautions? » engendrait

des appréhensions d'autant plus cruelles qu'elles étaient
indéfinies : elle comprenait toutes les douleurs ensemble. Nous arrivâmes à la porte de la chambre que
m'ouvrit le confesseur inquiet. J'aperçus alors Henriette en robe blanche, assise sur son petit canapé,
placé devant la cheminée ornée de nos deux vases
pleins de fleurs; puis des fleurs encore sur le guéri-
don placé devant la croisée. Le visage de l'abbé Birotteau, stupéfait à l'aspect de cette fête improvisée et du
changement de cette chambre subitement rétablie en
son ancien état, me fit deviner que la mourante avait
banni le repoussant appareil qui environne le lit des
malades. Elle avait dépensé les dernières forces d'une
fièvre expirante à parer sa chambre en désordre pour
y recevoir dignement celui qu'elle aimait en ce moment
plus que toute chose. Sous les flots de dentelles, sa
figure amaigrie, qui avait la pâleur verdâtre des fleurs
du magnolia quand elles s'entr'ouvrent, apparaissait
comme sur la toile jaune d'un portrait les premiers
contours d'une tête chérie dessinée à la craie; mais,
pour sentir combien la griffe du vautour s'enfonça
profondément dans mon cœur, supposez achevés et
pleins de vie les yeux de cette esquisse, des yeux caves
qui brillaient d'un éclat inusité dans une figure éteinte.
Elle n'avait plus la majesté calme que lui communiquait la constante victoire remportée sur ses douleurs.
Son front, seule partie du visage qui eût gardé ses
belles proportions, exprimait l'audace agressive du
désir et des menaces réprimées. Malgré les tons de
cire de sa face allongée, des feux intérieurs s'en échappaient par un rayonnement semblable au fluide qui
flambe au-dessus des champs par une chaude journée.
Ses tempes creusées, ses joues rentrées montraient les
formes intérieures du visage, et le sourire que formaient

ses lèvres blanches ressemblait vaguement au ricanement de la mort. Sa robe croisée sur son sein attestait la maigreur de son beau corsage. L'expression de sa tête disait assez qu'elle se savait changée et qu'elle en était au désespoir. Ce n'était plus ma délicieuse Henriette, ni la sublime et sainte madame de Mortsauf; mais le quelque chose sans nom de Bossuet qui se débattait contre le néant, et que la faim, les désirs trompés poussaient au combat égoïste de la vie contre la mort. Je vins m'asseoir près d'elle en lui prenant pour la baiser sa main que je sentis brûlante et desséchée. Elle devina ma douloureuse surprise dans l'effort même que je fis pour la déguiser. Ses lèvres décolorées se tendirent alors sur ses dents affamées pour essayer un de ces sourires forcés sous lesquels nous cachons également l'ironie de la vengeance, l'attente du plaisir, l'ivresse de l'âme et la rage d'une déception.

— Ah! c'est la mort, mon pauvre Félix, me dit-elle, et vous n'aimez pas la mort! la mort odieuse, la mort de laquelle toute créature, même l'amant le plus intrépide, a horreur. Ici finit l'amour : je le savais bien. Lady Dudley ne vous verra jamais étonné de son changement. Ah! pourquoi vous ai-je tant souhaité, Félix? vous êtes enfin venu : je vous récompense de ce dévouement par l'horrible spectacle qui fit jadis du comte de Rancé un trappiste, moi qui désirais demeurer belle et grande dans votre souvenir, y vivre comme un lys éternel, je vous enlève vos illusions. Le véritable amour ne calcule rien. Mais ne vous enfuyez pas, restez. Monsieur Origet m'a trouvée beaucoup mieux ce matin, je vais revenir à la vie, je renaîtrai sous vos regards. Puis, quand j'aurai recouvré quelques forces, quand je commencerai à pouvoir prendre quelque nourriture, je redeviendrai belle. A peine ai-je

trente-cinq ans, je puis encore avoir de belles années.
Le bonheur rajeunit, et je veux connaître le bonheur.
J'ai fait des projets délicieux, nous les laisserons à
Clochegourde et nous irons ensemble en Italie.

Des pleurs humectèrent mes yeux, je me tournai
vers la fenêtre comme pour regarder les fleurs; l'abbé
Birotteau vint à moi précipitamment, et se pencha
vers le bouquet : — Pas de larmes! me dit-il à l'oreille.

— Henriette, vous n'aimez donc plus notre chère
vallée? lui répondis-je afin de justifier mon brusque
mouvement.

— Si, dit-elle en apportant son front sous mes lèvres
par un mouvement de câlinerie; mais, sans vous, elle
m'est funeste... *sans toi*, reprit-elle en effleurant mon
oreille de ses lèvres chaudes pour y jeter ces deux
syllabes comme deux soupirs.

Je fus épouvanté par cette folle caresse qui agrandissait encore les terribles discours des deux abbés.
En ce moment ma première surprise se dissipa; mais
si je pus faire usage de ma raison, ma volonté ne fut
pas assez forte pour réprimer le mouvement nerveux
qui m'agita pendant cette scène. J'écoutais sans répondre, ou plutôt je répondais par un sourire fixe et
par des signes de consentement, pour ne pas la contrarier, agissant comme une mère avec son enfant. Après
avoir été frappé de la métamorphose de la personne,
je m'aperçus que la femme, autrefois si imposante par
ses sublimités, avait dans l'attitude, dans la voix, dans
les manières, dans les regards et les idées, la naïve
ignorance d'un enfant, les grâces ingénues, l'avidité
de mouvement, l'insouciance profonde de ce qui n'est
pas son désir ou lui, enfin toutes les faiblesses qui
recommandent l'enfant à la protection. En est-il ainsi
de tous les mourants? dépouillent-ils tous les dégui-

sements sociaux, de même que l'enfant ne les a pas
encore revêtus? Ou, se trouvant au bord de l'éternité,
la comtesse, en n'acceptant plus de tous les sentiments
humains que l'amour, en exprimait-elle la suave innocence à la manière de Chloé?

— Comme autrefois vous allez me rendre à la santé,
Félix, dit-elle, et ma vallée me sera bienfaisante. Comment ne mangerais-je pas ce que vous me présenterez?
Vous êtes un si bon garde-malade! Puis, vous êtes si
riche de force et de santé, qu'auprès de vous la vie est
contagieuse. Mon ami, prouvez-moi donc que je ne
puis mourir, mourir trompée! Ils croient que ma plus
vive douleur est la soif. Oh! oui, j'ai bien soif, mon
ami. L'eau de l'Indre me fait bien mal à voir, mais
mon cœur éprouve une plus ardente soif. J'avais soif
de toi, me dit-elle d'une voix plus étouffée en me
prenant les mains dans ses mains brûlantes et m'attirant à elle pour me jeter ces paroles à l'oreille : mon
agonie a été de ne pas te voir! Ne m'as-tu pas dit de
vivre? je veux vivre. Je veux monter à cheval aussi,
moi! je veux tout connaître, Paris, les fêtes, les plaisirs.

Ah! Natalie, cette clameur horrible que le maté-
rialisme des sens trompés rend froide à distance, nous
faisait tinter les oreilles au vieux prêtre et à moi :
les accents de cette voix magnifique peignaient les
combats de toute une vie, les angoisses d'un véritable
amour déçu. La comtesse se leva par un mouvement
d'impatience, comme un enfant qui veut un jouet.
Quand le confesseur vit sa pénitente ainsi, le pauvre
homme tomba soudain à genoux, joignit les mains,
et récita des prières.

— Oui, vivre! dit-elle en me faisant lever et s'appuyant sur moi, vivre de réalités et non de mensonges.

Tout a été mensonge dans ma vie, je les ai comptées
depuis quelques jours, ces impostures. Est-il possible
que je meure, moi qui n'ai pas vécu? moi qui ne suis
jamais allée chercher quelqu'un dans une lande? Elle
s'arrêta, parut écouter, et sentit à travers les murs
je ne sais quelle odeur. — Félix! les vendangeuses vont
dîner, et moi, moi, dit-elle d'une voix d'enfant, qui
suis la maîtresse, j'ai faim. Il en est ainsi de l'amour,
elles sont heureuses, elles!

— *Kyrie eleison!* disait le pauvre abbé, qui, les mains
jointes, l'œil au ciel, récitait les litanies.

Elle jeta ses bras autour de mon cou, m'embrassa
violemment, et me serra en disant : — Vous ne m'échap-
perez plus! Je veux être aimée, je ferai des folies
comme lady Dudley, j'apprendrai l'anglais pour bien
dire : *My Dee.* Elle me fit un signe de tête comme elle
en faisait autrefois en me quittant, pour me dire qu'elle
allait revenir à l'instant : Nous dînerons ensemble,
me dit-elle, je vais prévenir Manette... Elle fut arrêtée
par une faiblesse qui survint, et je la couchai tout
habillée sur son lit.

— Une fois déjà, vous m'avez portée ainsi, me dit-
elle en ouvrant les yeux.

Elle était bien légère, mais surtout bien ardente;
en la prenant, je sentis son corps entièrement brûlant.
Monsieur Deslandes entra, fut étonné de trouver la
chambre ainsi parée; mais en me voyant tout lui parut
expliqué.

— On souffre bien pour mourir, monsieur, dit-elle
d'une voix altérée.

Il s'assit, tâta le pouls de sa malade, se leva brusquement, vint parler à voix basse au prêtre, et sortit;
je le suivis.

— Qu'allez-vous faire? lui demandai-je.

— Lui éviter une épouvantable agonie, me dit-il.
Qui pouvait croire à tant de vigueur? Nous ne com-
prenons comment elle vit encore qu'en pensant à la
manière dont elle a vécu. Voici le quarante-deuxième
jour que madame la comtesse n'a bu, ni mangé, ni
dormi.

Monsieur Deslandes demanda Manette. L'abbé Birotteau m'emmena dans les jardins.

— Laissons faire le docteur, me dit-il. Aidé par
Manette, il va l'envelopper d'opium. Eh! bien, vous
l'avez entendue, me dit-il, si toutefois elle est complice
de ces mouvements de folie!...

— Non, dis-je, ce n'est plus elle.

J'étais hébété de douleur. Plus j'allais, plus chaque
détail de cette scène prenait d'étendue. Je sortis brusquement par la petite porte en bas de la terrasse, et
vins m'asseoir dans la toue, où je me cachai pour
demeurer seul à dévorer mes pensées. Je tâchai de me
détacher moi-même de cette force par laquelle je vivais; supplice comparable à celui par lequel les Tar-
tares punissaient l'adultère en prenant un membre du
coupable dans une pièce de bois, et lui laissant un
couteau pour se le couper, s'il ne voulait pas mourir
de faim : leçon terrible que subissait mon âme, de
laquelle il fallait me retrancher la plus belle moitié.
Ma vie était manquée aussi! Le désespoir me suggérait
les plus étranges idées. Tantôt je voulais mourir avec
elle, tantôt aller m'enfermer à la Meilleraye où venaient
de s'établir les trappistes. Mes yeux ternis ne voyaient
plus les objets extérieurs. Je contemplais les fenêtres
de la chambre où souffrait Henriette, croyant y apercevoir la lumière qui l'éclairait pendant la nuit où
je m'étais fiancé à elle. N'aurais-je pas dû obéir à la
vie simple qu'elle m'avait créée, en me conservant à

elle dans le travail des affaires? Ne m'avait-elle pas
ordonné d'être un grand homme, afin de me préserver
des passions basses et honteuses que j'avais subies,
comme tous les hommes? La chasteté n'était-elle pas
une sublime distinction que je n'avais pas su garder?
L'amour, comme le concevait Arabelle, me dégoûta
soudain. Au moment où je relevais ma tête abattue
en me demandant d'où me viendraient désormais la
lumière et l'espérance, quel intérêt j'aurais à vivre,
l'air fut agité d'un léger bruit; je me tournai vers la
terrasse, j'y aperçus Madeleine se promenant seule, à
pas lents. Pendant que je remontais vers la terrasse
pour demander compte à cette chère enfant du froid
regard qu'elle m'avait jeté au pied de la croix, elle
s'était assise sur le banc; quand elle m'aperçut à moitié
chemin, elle se leva, et feignit de ne pas m'avoir vu,
pour ne pas se trouver seule avec moi; sa démarche
était hâtée, significative. Elle me haïssait, elle fuyait
l'assassin de sa mère. En revenant par les perrons à Clochegourde, je vis Madeleine comme une statue, immobile et debout, écoutant le bruit de mes pas. Jacques
était assis sur une marche, et son attitude exprimait
la même insensibilité qui m'avait frappé quand nous
nous étions promenés tous ensemble, et m'avait inspiré
de ces idées que nous laissons dans un coin de notre
âme, pour les reprendre et les creuser plus tard, à
loisir. J'ai remarqué que les jeunes gens qui portent
en eux la mort sont tous insensibles aux funérailles. Je
voulus interroger cette âme sombre. Madeleine avait-
elle gardé ses pensées pour elle seule, avait-elle inspiré
sa haine à Jacques?

— Tu sais, lui dis-je pour entamer la conversation,
que tu as en moi le plus dévoué des frères.

— Votre amitié m'est inutile, je suivrai ma mère!

répondit-il en me jetant un regard farouche de douleur.

— Jacques, m'écriai-je, toi aussi?

Il toussa, s'écarta loin de moi; puis, quand il revint, il me montra rapidement son mouchoir ensanglanté.

— Comprenez-vous? dit-il.

Ainsi chacun d'eux avait un fatal secret. Comme je le vis depuis, la sœur et le frère se fuyaient. Henriette tombée, tout était en ruine à Clochegourde.

— Madame dort, vint nous dire Manette heureuse de savoir la comtesse sans souffrance.

Dans ces affreux moments, quoique chacun en sache l'inévitable fin, les affections vraies deviennent folles et s'attachent à de petits bonheurs. Les minutes sont des siècles que l'on voudrait rendre bienfaisants. On voudrait que les malades reposassent sur des roses, on voudrait prendre leurs souffrances, on voudrait que le dernier soupir fût pour eux inattendu.

— Monsieur Deslandes a fait enlever les fleurs qui agissaient trop fortement sur les nerfs de madame, me dit Manette.

Ainsi donc les fleurs avaient causé son délire, elle n'en était pas complice. Les amours de la terre, les fêtes de la fécondation, les caresses des plantes l'avaient enivrée de leurs parfums et sans doute avaient réveillé les pensées d'amour heureux qui sommeillaient en elle depuis sa jeunesse.

— Venez donc, monsieur Félix, me dit-elle, venez voir madame, elle est belle comme un ange.

Je revins chez la mourante au moment où le soleil se couchait et dorait la dentelle des toits du château d'Azay. Tout était calme et pur. Une douce lumière éclairait le lit où reposait Henriette baignée d'opium. En ce moment le corps était pour ainsi dire annulé; l'âme seule régnait sur ce visage, serein comme un beau

ciel après la tempête. Blanche et Henriette, ces deux
sublimes faces de la même femme, reparaissaient d'autant plus belles que mon souvenir, ma pensée, mon
imagination, aidant la nature, réparaient les altérations
de chaque trait où l'âme triomphante envoyait ses
lueurs par des vagues confondues avec celles de la
respiration. Les deux abbés étaient assis auprès du lit.
Le comte resta foudroyé, debout, en reconnaissant les
étendards de la mort qui flottaient sur cette créature
adorée. Je pris sur le canapé la place qu'elle avait
occupée. Puis nous échangeâmes tous quatre des regards
où l'admiration de cette beauté céleste se mêlait à des
larmes de regret. Les lumières de la pensée annonçaient le retour de Dieu dans un de ses plus beaux
tabernacles. L'abbé de Dominis et moi, nous nous parlions par signes, en nous communiquant des idées
mutuelles. Oui, les anges veillaient Henriette! Oui,
leurs glaives brillaient au-dessus de ce noble front où
revenaient les augustes expressions de la vertu qui en
faisaient jadis comme une âme visible avec laquelle
s'entretenaient les esprits de sa sphère. Les lignes de
son visage se purifiaient, en elle tout s'agrandissait
et devenait majestueux sous les invisibles encensoirs
des Séraphins qui la gardaient. Les teintes vertes de la
souffrance corporelle faisaient place aux tons entièrement blancs, à la pâleur mate et froide de la mort
prochaine. Jacques et Madeleine entrèrent, Madeleine
nous fit tous frissonner par le mouvement d'adoration
qui la précipita devant le lit, lui joignit les mains
et lui inspira cette sublime exclamation : — Enfin!
voilà ma mère! Jacques souriait, il était sûr de suivre
sa mère là où elle allait.

— Elle arrive au port, dit l'abbé Birotteau.

L'abbé de Dominis me regarda comme pour me

répéter : — N'ai-je pas dit que l'étoile se lèverait brillante?

Madeleine resta les yeux attachés sur sa mère, respirant quand elle respirait, imitant son souffle léger, dernier fil par lequel elle tenait à la vie, et que nous suivions avec terreur, craignant à chaque effort de le voir se rompre. Comme un ange aux portes du sanctuaire, la jeune fille était avide et calme, forte et prosternée. En ce moment, l'Angélus sonna au clocher du bourg. Les flots de l'air adouci jetèrent par ondées les tintements qui nous annonçaient qu'à cette heure la chrétienté tout entière répétait les paroles dites par l'ange à la femme qui racheta les fautes de son sexe. Ce soir, l'*Ave Maria* nous parut une salutation du ciel. La prophétie était si claire et l'événement si proche que nous fondîmes en larmes. Les murmures du soir, brise mélodieuse dans les feuillages, derniers gazouillements d'oiseau, refrains et bourdonnements d'insectes, voix des eaux, cri plaintif de la rainette, toute la campagne disait adieu au plus beau lys de la vallée, à sa vie simple et champêtre. Cette poésie religieuse unie à toutes ces poésies naturelles exprimait si bien le chant du départ que nos sanglots furent aussitôt répétés. Quoique la porte de la chambre fût ouverte, nous étions si bien plongés dans cette terrible contemplation, comme pour en empreindre à jamais dans notre âme le souvenir, que nous n'avions pas aperçu les gens de la maison agenouillés en un groupe où se disaient de ferventes prières. Tous ces pauvres gens, habitués à l'espérance, croyaient encore conserver leur maîtresse, et ce présage si clair les accabla. Sur un geste de l'abbé Birotteau, le vieux piqueur sortit pour aller chercher le curé de Saché. Le médecin, debout près du lit, calme comme la science, et qui

tenait la main endormie de la malade, avait fait un
signe au confesseur pour lui dire que ce sommeil
était la dernière heure sans souffrance qui restait à
l'ange rappelé. Le moment était venu de lui administrer les derniers sacrements de l'Eglise. A neuf heures,
elle s'éveilla doucement, nous regarda d'un œil surpris
mais doux, et nous revîmes tous notre idole dans la
beauté de ses beaux jours.

— Ma mère, tu es trop belle pour mourir, la vie
et la santé te reviennent, cria Madeleine.

— Chère fille, je vivrai, mais en toi, dit-elle en
souriant.

Ce fut alors des embrassements déchirants de la
mère aux enfants et des enfants à la mère. Monsieur
de Mortsauf baisa sa femme pieusement au front. La
comtesse rougit en me voyant.

— Cher Félix, dit-elle, voici, je crois, le seul chagrin
que je vous aurai donné, moi! Mais oubliez ce que
j'aurai pu vous dire, pauvre insensée que j'étais. Elle
me tendit la main, je la pris pour la baiser, elle me
dit alors avec son gracieux sourire de vertu : — Comme
autrefois, Félix?...

Nous sortîmes tous, et nous allâmes dans le salon
pendant tout le temps que devait durer la dernière
confession de la malade. Je me plaçai près de Madeleine. En présence de tous, elle ne pouvait me fuir
sans impolitesse; mais, à l'imitation de sa mère, elle
ne regardait personne, et garda le silence sans jeter
une seule fois les yeux sur moi.

— Chère Madeleine, lui dis-je à voix basse, qu'avez-
vous contre moi? Pourquoi des sentiments froids quand
en présence de la mort chacun doit se réconcilier?

— Je crois entendre ce que dit en ce moment ma
mère, me répondit-elle en prenant l'air de tête qu'Ingres

a trouvé pour sa *Mère de Dieu,* cette Vierge déjà douloureuse et qui s'apprête à protéger le monde où son
fils va périr.

— Et vous me condamnez au moment où votre
mère m'absout, si toutefois je suis coupable.

— *Vous,* et toujours *vous!*

Son accent trahissait une haine réfléchie comme
celle d'un Corse, implacable comme sont les jugements
de ceux qui, n'ayant pas étudié la vie, n'admettent
aucune atténuation aux fautes commises contre les lois
du cœur. Une heure s'écoula dans un silence profond.
L'abbé Birotteau revint après avoir reçu la confession
générale de la comtesse de Mortsauf, et nous rentrâmes
tous au moment où, suivant une de ces idées qui saisissent ces nobles âmes, toutes sœurs d'intention, Henriette s'était fait revêtir d'un long vêtement qui devait
lui servir de linceul. Nous la trouvâmes sur son séant,
belle de ses expiations et belle de ses espérances : je
vis dans la cheminée les cendres noires de mes lettres,
qui venaient d'être brûlées, sacrifice qu'elle n'avait
voulu faire, me dit son confesseur, qu'au moment de
la mort. Elle nous sourit à tous de son sourire d'autrefois. Ses yeux humides de larmes annonçaient un dessil-
lement suprême, elle apercevait déjà les joies célestes
de la terre promise.

— Cher Félix, me dit-elle en me tendant la main
et en serrant la mienne, restez. Vous devez assister à
l'une des dernières scènes de ma vie, et qui ne sera pas
la moins pénible de toutes, mais où vous êtes pour
beaucoup.

Elle fit un geste, la porte se ferma. Sur son invita-
tion le comte s'assit, l'abbé Birotteau et moi nous restâmes debout. Aidée de Manette, la comtesse se leva,
se mit à genoux devant le comte surpris, et voulut

rester ainsi. Puis, quand Manette se fut retirée, elle releva sa tête, qu'elle avait appuyée sur les genoux du comte étonné.

— Quoique je me sois conduite envers vous comme une fidèle épouse, lui dit-elle d'une voix altérée, il peut m'être arrivé, monsieur, de manquer parfois à mes devoirs; je viens de prier Dieu de m'accorder la force de vous demander pardon de mes fautes. J'ai pu porter dans les soins d'une amitié placée hors de la famille des attentions plus affectueuses encore que celles que je vous devais. Peut-être vous ai-je irrité contre moi par la comparaison que vous pouviez faire de ces soins, de ces pensées et de celles que je vous donnais. J'ai eu, dit-elle à voix basse, une amitié vive que personne, pas même celui qui en fut l'objet, n'a connue en entier. Quoique je sois demeurée vertueuse, selon les lois humaines, que j'aie été pour vous une épouse irréprochable, souvent des pensées, involontaires ou volontaires, ont traversé mon cœur, et j'ai peur en ce moment de les avoir trop accueillies. Mais comme je vous ai tendrement aimé, que je suis restée votre femme soumise, que les nuages, en passant sous le ciel, n'en ont point altéré la pureté, vous me voyez sollicitant votre bénédiction d'un front pur. Je mourrai sans aucune pensée amère si j'entends de votre bouche une douce parole pour votre Blanche, pour la mère de vos enfants, et si vous lui pardonnez toutes ces choses qu'elle ne s'est pardonnées à elle-même qu'après les assurances du tribunal duquel nous relevons tous.

— Blanche, Blanche, s'écria le vieillard en versant soudain des larmes sur la tête de sa femme, veux-tu me faire mourir? Il l'éleva jusqu'à lui avec une force inusitée, la baisa saintement au front, et, la gardant ainsi : N'ai-je pas des pardons à te demander? reprit-

il. N'ai-je pas été souvent dur, moi? Ne grossis-tu pas
des scrupules d'enfant?

— Peut-être, reprit-elle. Mais, mon ami, soyez indulgent aux faiblesses des mourants, tranquillisez-moi.
Quand vous arriverez à cette heure, vous penserez que
je vous ai quitté vous bénissant. Me permettez-vous
de laisser à notre ami que voici ce gage d'un sentiment
profond? dit-elle en montrant une lettre qui était sur
la cheminée; il est maintenant mon fils d'adoption,
voilà tout. Le cœur, cher comte, a ses testaments : mes
derniers vœux imposent à ce cher Félix des œuvres
sacrées à accomplir, je ne crois pas avoir trop présumé
de lui, faites que je n'aie pas trop présumé de vous
en me permettant de lui léguer quelques pensées. Je
suis toujours femme, dit-elle en penchant la tête avec
une suave mélancolie, après mon pardon je vous demande une grâce.

— Lisez, mais seulement après ma mort, me dit-elle
en me tendant le mystérieux écrit.

Le comte vit pâlir sa femme, il la prit et la porta
lui-même sur le lit, où nous l'entourâmes.

— Félix, me dit-elle, je puis avoir des torts envers
vous. Souvent j'ai pu vous causer quelques douleurs
en vous laissant espérer des joies devant lesquelles j'ai
reculé; mais n'est-ce pas au courage de l'épouse et de
la mère que je dois de mourir réconciliée avec tous?
Vous me pardonnerez donc aussi, vous qui m'avez
accusée si souvent, et dont l'injustice me faisait plaisir!

L'abbé Birotteau mit un doigt sur ses lèvres. A ce
geste, la mourante pencha la tête, une faiblesse survint,
elle agita les mains pour dire de faire entrer le clergé,
ses enfants et ses domestiques; puis elle me montra
par un geste impérieux le comte anéanti et ses enfants
qui survinrent. La vue de ce père de qui seuls nous

connaissions la secrète démence, devenu le tuteur de
ces êtres si délicats, lui inspira de muettes supplica-
tions qui tombèrent dans mon âme comme un feu
sacré. Avant de recevoir l'extrême-onction, elle demanda
pardon à ses gens de les avoir quelquefois brusqués;
elle implora leurs prières, et les recommanda tous
individuellement au comte; elle avoua noblement avoir
proféré, durant ce dernier mois, des plaintes peu chrétiennes qui avaient pu scandaliser ses gens; elle avait
repoussé ses enfants, elle avait conçu des sentiments
peu convenables; mais elle rejeta ce défaut de soumission aux volontés de Dieu sur ses intolérables douleurs.
Enfin elle remercia publiquement avec une touchante
effusion de cœur l'abbé Birotteau de lui avoir montré
le néant des choses humaines. Quand elle eut cessé
de parler, les prières commencèrent; puis le curé de
Saché lui donna le viatique. Quelques moments après,
sa respiration s'embarrassa, un nuage se répandit sur
ses yeux qui bientôt se rouvrirent, elle me lança un
dernier regard, et mourut aux yeux de tous, en entendant peut-être le concert de nos sanglots. Par un hasard
assez naturel à la campagne, nous entendîmes alors le
chant alternatif de deux rossignols qui répétèrent plusieurs fois leur note unique, purement filée comme un
tendre appel. Au moment où son dernier soupir
s'exhala, dernière souffrance d'une vie qui fut une
longue souffrance, je sentis en moi-même un coup par
lequel toutes mes facultés furent atteintes. Le comte
et moi, nous restâmes auprès du lit funèbre pendant
toute la nuit, avec les deux abbés et le curé, veillant
à la lueur des cierges, la morte étendue sur le som-
mier de son lit; maintenant calme, là où elle avait tant
souffert. Ce fut ma première communication avec la
mort. Je demeurai pendant toute cette nuit les yeux

attachés sur Henriette, fasciné par l'expression pure
que donne l'apaisement de toutes les tempêtes, par la
blancheur du visage que je douais encore de ses innombrables affections, mais qui ne répondait plus à mon
amour. Quelle majesté dans ce silence et dans ce
froid! combien de réflexions n'exprime-t-il pas? Quelle
beauté dans ce repos absolu, quel despotisme dans cette
immobilité : tout le passé s'y trouve encore, et l'avenir
y commence. Ah! je l'aimais morte, autant que je l'aimais vivante. Au matin, le comte s'alla coucher, les
trois prêtres fatigués s'endormirent à cette heure pesante, si connue de ceux qui veillent. Je pus alors,
sans témoins, la baiser au front avec tout l'amour
qu'elle ne m'avait jamais permis d'exprimer.

Le surlendemain, par une fraîche matinée d'automne,
nous accompagnâmes la comtesse à sa dernière demeure. Elle était portée par le vieux piqueur, les deux
Martineau et le mari de Manette. Nous descendîmes
par le chemin que j'avais si joyeusement monté le jour
où je la retrouvai; nous traversâmes la vallée de l'Indre
pour arriver au petit cimetière de Saché; pauvre cimetière de village, situé au revers de l'église, sur la croupe
d'une colline, et où par humilité chrétienne elle voulut
être enterrée avec une simple croix de bois noir,
comme une pauvre femme des champs, avait-elle dit.
Lorsque du milieu de la vallée, j'aperçus l'église du
bourg et la place du cimetière, je fus saisi d'un frisson
convulsif. Hélas! nous avons tous dans la vie un Gol-
gotha où nous laissons nos trente-trois premières années en recevant un coup de lance au cœur, en sentant
sur notre tête la couronne d'épines qui remplace la
couronne de roses : cette colline devait être pour moi
le mont des expiations. Nous étions suivis d'une foule
immense accourue pour dire les regrets de cette vallée

où elle avait enterré dans le silence une foule de belles
actions. On sut par Manette, sa confidente, que pour
secourir les pauvres elle économisait sur sa toilette,
quand ses épargnes ne suffisaient plus. C'était des enfants nus habillés, des layettes envoyées, des mères
secourues, des sacs de blé payés aux meuniers en hiver
pour des vieillards impotents, une vache donnée à propos à quelque pauvre ménage; enfin les œuvres de
la chrétienne, de la mère et de la châtelaine, puis des
dots offertes à propos pour unir des couples qui s'ai-
maient, et des remplacements payés à des jeunes gens
tombés au sort, touchantes offrandes de la femme aimante qui disait : — *Le bonheur des autres est la
consolation de ceux qui ne peuvent plus être heureux.*
Ces choses contées à toutes les veillées depuis trois jours
avaient rendu la foule immense. Je marchais avec
Jacques et les deux abbés derrière le cercueil. Suivant
l'usage, ni Madeleine, ni le comte n'étaient avec nous,
ils demeuraient seuls à Clochegourde. Manette voulut
absolument venir.

— Pauvre madame! Pauvre madame! La voilà heureuse, entendis-je à plusieurs reprises à travers ses
sanglots.

Au moment où le cortège quitta la chaussée des moulins, il y eut un gémissement unanime mêlé de pleurs
qui semblait faire croire que cette vallée pleurait son
âme. L'église était pleine de monde. Après le service,
nous allâmes au cimetière où elle devait être enterrée
près de la croix. Quand j'entendis rouler les cailloux
et le gravier de la terre sur le cercueil, mon courage
m'abandonna, je chancelai, je priai les deux Martineau
de me soutenir, et ils me conduisirent mourant jusqu'au château de Saché; les maîtres m'offrirent poliment un asile que j'acceptai. Je vous l'avoue, je ne

voulus point retourner à Clochegourde, il me répugnait
de me retrouver à Frapesle d'où je pouvais voir le castel
d'Henriette. Là, j'étais près d'elle. Je demeurai quelques jours dans une chambre dont les fenêtres donnent
sur ce vallon tranquille et solitaire dont je vous ai
parlé. C'est un vaste pli de terrain bordé par des
chênes deux fois centenaires, et où par les grandes
pluies coule un torrent. Cet aspect convenait à la médi-
dation sévère et solennelle à laquelle je voulais me
livrer. J'avais reconnu, pendant la journée qui suivit
la fatale nuit, combien ma présence allait être importune à Clochegourde. Le comte avait ressenti de violentes émotions à la mort d'Henriette, mais il s'attendait à ce terrible événement, et il y avait dans le fond
de sa pensée un parti pris qui ressemblait à de l'indifférence. Je m'en étais aperçu plusieurs fois, et quand
la comtesse prosternée me remit cette lettre que je
n'osais ouvrir, quand elle parla de son affection pour
moi, cet homme ombrageux ne me jeta pas le foudroyant regard que j'attendais de lui. Les paroles
d'Henriette, il les avait attribuées à l'excessive délicatesse de cette conscience qu'il savait si pure. Cette
insensibilité d'égoïste était naturelle. Les âmes de ces
deux êtres ne s'étaient pas plus mariées que leurs corps,
ils n'avaient jamais eu ces constantes communications
qui ravivent les sentiments; ils n'avaient jamais
échangé ni peines ni plaisirs, ces liens si forts qui
nous brisent par mille points quand ils se rompent,
parce qu'ils touchent à toutes nos fibres, parce qu'ils se
sont attachés dans les replis de notre cœur, en même
temps qu'ils ont caressé l'âme qui sanctionnait chacune
de ces attaches. L'hostilité de Madeleine me fermait
Clochegourde. Cette dure jeune fille n'était pas disposée
à pactiser avec sa haine sur le cercueil de sa mère, et

j'aurais été horriblement gêné entre le comte, qui
m'aurait parlé de lui, et la maîtresse de la maison, qui
m'aurait marqué d'invincibles répugnances. Etre ainsi,
là où jadis les fleurs mêmes étaient caressantes, où les
marches des perrons étaient éloquentes, où tous mes
souvenirs revêtaient de poésie les balcons, les margelles,
les balustrades et les terrasses, les arbres et les points
de vue; être haï là où tout m'aimait : je ne supportais
point cette pensée. Aussi, dès l'abord mon parti fut-il
pris. Hélas! tel était donc le dénoûment du plus vif
amour qui jamais ait atteint le cœur d'un homme. Aux
yeux des étrangers, ma conduite allait être condam-
nable, mais elle avait la sanction de ma conscience.
Voilà comment finissent les plus beaux sentiments et
les plus grands drames de la jeunesse. Nous partons
presque tous au matin, comme moi de Tours pour
Clochegourde, nous emparant du monde, le cœur
affamé d'amour; puis, quand nos richesses ont passé
par le creuset, quand nous nous sommes mêlés aux
hommes et aux événements, tout se rapetisse insensiblement, nous trouvons peu d'or parmi beaucoup de
cendres. Voilà la vie! la vie telle qu'elle est : de
grandes prétentions, de petites réalités. Je méditai
longuement sur moi-même, en me demandant ce que
j'allais faire après un coup qui fauchait toutes mes
fleurs. Je résolus de m'élancer vers la politique et la
science, dans les sentiers tortueux de l'ambition, d'ôter
la femme de ma vie et d'être un homme d'Etat, froid,
et sans passions, de demeurer fidèle à la sainte que
j'avais aimée. Mes méditations allaient à perte de vue,
pendant que mes yeux restaient attachés sur la magnifique tapisserie des chênes dorés, aux cimes sévères, aux
pieds de bronze : je me demandais si la vertu d'Henriette n'avait pas été de l'ignorance, si j'étais bien cou-

pable de sa mort. Je me débattais au milieu de mes
remords. Enfin, par un suave midi d'automne, un de
ces derniers sourires du ciel, si beaux en Touraine, je
lus sa lettre que, suivant sa recommandation, je ne
devais ouvrir qu'après sa mort. Jugez de mes impressions en la lisant!

LETTRE DE MADAME DE MORTSAUF AU VICOMTE FÉLIX
DE VANDENESSE

« Félix, ami trop aimé, je dois maintenant vous
» ouvrir mon cœur, moins pour vous montrer combien
» je vous aime que pour vous apprendre la grandeur
» de vos obligations en vous dévoilant la profondeur
» et la gravité des plaies que vous y avez faites. Au
» moment où je tombe harassée par les fatigues du
» voyage, épuisée par les atteintes reçues pendant le
» combat, heureusement la femme est morte, la mère
» seule a survécu. Vous allez voir, cher, comment vous
» avez été la cause première de mes maux. Si plus tard
» je me suis complaisamment offerte à vos coups,
» aujourd'hui je meurs atteinte par vous d'une dernière
» blessure; mais il y a d'excessives voluptés à se sentir
» brisée par celui qu'on aime. Bientôt les souffrances
» me priveront sans doute de ma force, je mets donc
» à profit les dernières lueurs de mon intelligence pour
» vous supplier encore de remplacer auprès de mes
» enfants le cœur dont vous les aurez privés. Je vous
» imposerais cette charge avec autorité si je vous aimais
» moins; mais je préfère vous la laisser prendre de
» vous-même, par l'effet d'un saint repentir, et aussi
» comme une continuation de votre amour : l'amour
» ne fut-il pas en nous constamment mêlé de repen-

» tantes méditations et de craintes expiatoires? Et, je
» le sais, nous nous aimons toujours. Votre faute n'est
» pas si funeste par vous que le retentissement que je
» lui ai donné au dedans de moi-même. Ne vous
» avais-je pas dit que j'étais jalouse, mais jalouse à
» mourir? eh! bien, je meurs. Consolez-vous, cepen-
» dant : nous avons satisfait aux lois humaines.
» L'Eglise, par une de ses voix les plus pures, m'a dit
» que Dieu serait indulgent à ceux qui avaient immolé
» leurs penchants naturels à ses commandements. Mon
» aimé, apprenez donc tout, car je ne veux pas que vous
» ignoriez une seule de mes pensées. Ce que je confierai
» à Dieu dans mes derniers moments, vous devez le
» savoir aussi, vous le roi de mon cœur, comme il est
» le roi du ciel. Jusqu'à cette fête donnée au duc
» d'Angoulême, la seule à laquelle j'aie assisté, le ma-
» riage m'avait laissée dans l'ignorance qui donne à
» l'âme des jeunes filles la beauté des anges. J'étais
» mère, il est vrai; mais l'amour ne m'avait point en-
» vironnée de ses plaisirs permis. Comment suis-je
» restée ainsi? je n'en sais rien; je ne sais pas davan-
» tage par quelles lois tout en moi fut changé dans
» un instant. Vous souvenez-vous encore aujourd'hui
» de vos baisers? ils ont dominé ma vie, ils ont sillonné
» mon âme; l'ardeur de votre sang a réveillé l'ardeur
» du mien; votre jeunesse a pénétré ma jeunesse, vos
» désirs sont entrés dans mon cœur. Quand je me suis
» levée si fière, j'éprouvais une sensation pour laquelle
» je ne sais de mot dans aucun langage, car les enfants
» n'ont pas encore trouvé de parole pour exprimer le
» mariage de la lumière et de leurs yeux, ni le baiser
» de la vie sur leurs lèvres. Oui, c'était bien le son
» arrivé dans l'écho, la lumière jetée dans les ténèbres,
» le mouvement donné à l'univers, ce fut du moins

» rapide comme toutes ces choses; mais beaucoup plus
» beau, car c'était la vie de l'âme! Je compris qu'il
» existait je ne sais quoi d'inconnu pour moi dans le
» monde, une force plus belle que la pensée, c'était
» toutes les pensées, toutes les forces, tout un avenir
» dans une émotion partagée. Je ne me sentis plus
» mère qu'à demi. En tombant sur mon cœur, ce coup
» de foudre y alluma des désirs qui sommeillaient à
» mon insu; je devinai soudain tout ce que voulait
» dire ma tante quand elle me baisait sur le front en
» s'écriant : — *Pauvre Henriette!* En retournant à
» Clochegourde, le printemps, les premières feuilles, le
» parfum des fleurs, les jolis nuages blancs, l'Indre,
» le ciel, tout me parlait un langage jusqu'alors in-
» compris, et qui rendait à mon âme un peu du mou-
» vement que vous aviez imprimé à mes sens. Si vous
» avez oublié ces terribles baisers, moi, je n'ai jamais
» pu les effacer de mon souvenir : j'en meurs! Oui,
» chaque fois que je vous ai vu depuis, vous en ranimiez
» l'empreinte; j'étais émue de la tête aux pieds par
» votre aspect, par le seul pressentiment de votre
» arrivée. Ni le temps, ni ma ferme volonté n'ont pu
» dompter cette impérieuse volupté. Je me demandais
» involontairement : Que doivent être les plaisirs? Nos
» regards échangés, les respectueux baisers que vous
» mettiez sur mes mains, mon bras posé sur le vôtre,
» votre voix dans ses tons de tendresse, enfin les
» moindres choses me remuaient si violemment que
» presque toujours il se répandait un nuage sur mes
» yeux : le bruit des sens révoltés remplissait alors
» mon oreille. Ah! si dans ces moments où je redou-
» blais de froideur, vous m'eussiez prise dans vos bras,
» je serais morte de bonheur. J'ai parfois désiré de
» vous quelque violence, mais la prière chassait promp-

» tement cette mauvaise pensée. Votre nom prononcé
» par mes enfants m'emplissait le cœur d'un sang plus
» chaud qui colorait aussitôt mon visage, et je tendais
» des pièges à ma pauvre Madeleine pour le lui faire
» dire, tant j'aimais les bouillonnements de cette sensa-
» tion. Que vous dirai-je? votre écriture avait un
» charme, je regardais vos lettres comme on contemple
» un portrait. Si, dès ce premier jour, vous aviez
» déjà conquis sur moi je ne sais quel fatal pouvoir,
» vous comprenez, mon ami, qu'il devint infini quand
» il me fut donné de lire dans votre âme. Quelles
» délices m'inondèrent en vous trouvant si pur, si
» complètement vrai, doué de qualités si belles, capable
» de si grandes choses, et déjà si éprouvé! Homme et
» enfant, timide et courageux! Quelle joie quand je
» nous trouvai sacrés tous deux par de communes souf-
» frances! Depuis cette soirée où nous nous confiâmes
» l'un à l'autre, vous perdre, pour moi c'était mourir :
» aussi vous ai-je laissé près de moi par égoïsme. La
» certitude qu'eut monsieur de la Berge de la mort que
» me causerait votre éloignement le toucha beaucoup,
» car il lisait dans mon âme. Il jugea que j'étais néces-
» saire à mes enfants, au comte : il ne m'ordonna
» point de vous fermer l'entrée de ma maison, car je
» lui promis de rester pure d'action et de pensée. —
« La pensée est involontaire, me dit-il, mais elle peut
» être gardée au milieu des supplices. — Si je pense,
» lui répondis-je, tout sera perdu, sauvez-moi de moi-
» même! Faites qu'il demeure près de moi, et que je
» reste pure! » Le bon vieillard, quoique bien sévère,
» fut alors indulgent à tant de bonne foi. — « Vous
» pouvez l'aimer comme on aime un fils, en lui desti-
» nant votre fille », me dit-il. J'acceptai courageuse-
» ment une vie de souffrances pour ne pas vous perdre;

» et je souffris avec amour en voyant que nous étions
» attelés au même joug. Mon Dieu! je suis restée
» neutre, fidèle à mon mari, ne vous laissant pas faire
» un seul pas, Félix, dans votre propre royaume. La
» grandeur de mes passions a réagi sur mes facultés,
» j'ai regardé les tourments que m'infligeait monsieur
» de Mortsauf comme des expiations, et je les endurais
» avec orgueil pour insulter à mes penchants cou-
» pables. Autrefois j'étais disposée à murmurer, mais
» depuis que vous êtes demeuré près de moi, j'ai repris
» quelque gaieté, dont monsieur de Mortsauf s'est
» bien trouvé. Sans cette force que vous me prêtiez,
» j'aurais succombé depuis longtemps à ma vie inté-
» rieure que je vous ai racontée. Si vous avez été pour
» beaucoup dans mes fautes, vous avez été pour beau-
» coup dans l'exercice de mes devoirs. Il en fut de
» même pour mes enfants. Je croyais les avoir privés
» de quelque chose, et je craignais de ne faire jamais
» assez pour eux. Ma vie fut dès lors une continuelle
» douleur que j'aimais. En sentant que j'étais moins
» mère, moins honnête femme, le remords s'est logé
» dans mon cœur; et, craignant de manquer à mes
» obligations j'ai constamment voulu les outrepasser.
» Pour ne pas faillir, j'ai donc mis Madeleine entre
» vous et moi, et je vous ai destinés l'un à l'autre, en
» m'élevant ainsi des barrières entre nous deux. Bar-
» rières impuissantes! rien ne pouvait étouffer les tres-
» saillements que vous me causiez. Absent ou présent,
» vous aviez la même force. J'ai préféré Madeleine
» à Jacques, parce que Madeleine devait être à vous.
» Mais je ne vous cédais pas à ma fille sans combats.
» Je me disais que je n'avais que vingt-huit ans quand
» je vous rencontrai, que vous en aviez presque vingt-
» deux; je rapprochais les distances, je me livrais à

» de faux espoirs. O mon Dieu, Félix, je vous fais ces
» aveux afin de vous épargner des remords, peut-
» être aussi afin de vous apprendre que je n'étais pas
» insensible, que nos souffrances d'amour étaient bien
» cruellement égalés, et qu'Arabelle n'avait aucune
» supériorité sur moi. J'étais aussi une de ces filles
» de la race déchue que les hommes aiment tant. Il y
» eut un moment où la lutte fut si terrible que je pleu-
» rais pendant toutes les nuits : mes cheveux tom-
» baient. Ceux-là, vous les avez eus! Vous vous sou-
» venez de la maladie que fit monsieur de Mortsauf.
» Votre grandeur d'âme d'alors, loin de m'élever, m'a
» rapetissée. Hélas! dès ce jour je souhaitais me donner
» à vous comme une récompense due à tant d'héroïsme;
» mais cette folie a été courte. Je l'ai mise aux pieds
» de Dieu pendant la messe à laquelle vous avez refusé
» d'assister. La maladie de Jacques et les souffrances
» de Madeleine m'ont paru des menaces de Dieu, qui
» tirait fortement à lui la brebis égarée. Puis votre
» amour si naturel pour cette Anglaise m'a révélé des
» secrets que j'ignorais moi-même. Je vous aimais plus
» que je ne croyais vous aimer. Madeleine a disparu.
» Les constantes émotions de ma vie orageuse, les
» efforts que je faisais pour me dompter moi-même
» sans autres secours que la religion, tout a préparé la
» maladie dont je meurs. Ce coup terrible a déterminé
» des crises sur lesquelles j'ai gardé le silence. Je voyais
» dans la mort le seul dénoûment possible de cette
» tragédie inconnue. Il y a eu toute une vie emportée,
» jalouse, furieuse, pendant les deux mois qui se sont
» écoulés entre la nouvelle que me donna ma mère de
» votre liaison avec lady Dudley et votre arrivée. Je
» voulais aller à Paris, j'avais soif de meurtre, je
» souhaitais la mort de cette femme, j'étais insensible

» aux caresses de mes enfants. La prière, qui jusqu'alors
» avait été pour moi comme un baume, fut sans action
» sur mon âme. La jalousie a fait la large brèche par
» où la mort est entrée. Je suis restée néanmoins le
» front calme. Oui, cette saison de combats fut un
» secret entre Dieu et moi. Quand j'ai bien su que
» j'étais aimée autant que je vous aimais moi-même
» et que je n'étais trahie que par la nature et non par
» votre pensée, j'ai voulu vivre... et il n'était plus
» temps. Dieu m'avait mise sous sa protection, pris sans
» doute de pitié pour une créature vraie avec elle-
» même, vraie avec lui, et que ses souffrances avaient
» souvent amenée aux portes du sanctuaire. Mon bien-
» aimé, Dieu m'a jugée, monsieur de Mortsauf me par-
» donnera sans doute; mais vous, serez-vous clément?
» écouterez-vous la voix qui sort en ce moment de ma
» tombe? réparerez-vous les malheurs dont nous
» sommes également coupables, vous moins que moi
» peut-être? Vous savez ce que je veux vous demander.
» Soyez auprès de monsieur de Mortsauf comme est
» une sœur de charité auprès d'un malade, écoutez-le,
» aimez-le; personne ne l'aimera. Interposez-vous entre
» ses enfants et lui comme je le faisais. Votre tâche ne
» sera pas de longue durée : Jacques quittera bientôt
» la maison pour aller à Paris auprès de son grand-
» père, et vous m'avez promis de le guider à travers
» les écueils de ce monde. Quant à Madeleine, elle se
» mariera; puissiez-vous un jour lui plaire! elle est
» tout moi-même, et de plus elle est forte, elle a cette
» volonté qui m'a manqué, cette énergie nécessaire à
» la compagne d'un homme que sa carrière destine aux
» orages de la vie politique, elle est adroite et péné-
» trante. Si vos destinées s'unissaient, elle serait plus
» heureuse que ne le fut sa mère. En acquérant ainsi le

» droit de continuer mon œuvre à Clochegourde, vous
» effaceriez des fautes qui n'auront pas été suffisam-
» ment expiées, bien que pardonnées au ciel et sur la
» terre, car *il* est généreux et me pardonnera. Je suis,
» vous le voyez, toujours égoïste; mais n'est-ce pas la
» preuve d'un despotique amour? Je veux être aimée
» par vous dans les miens. N'ayant pu être à vous, je
» vous lègue mes pensées et mes devoirs! Si vous
» m'aimez trop pour m'obéir, si vous ne voulez pas
» épouser Madeleine, vous veillerez du moins au repos
» de mon âme en rendant monsieur de Mortsauf aussi
» heureux qu'il peut l'être.

« Adieu, cher enfant de mon cœur, ici est l'adieu
» complètement intelligent, encore plein de vie, l'adieu
» d'une âme où tu as répandu de trop grandes joies
» pour que tu puisses avoir le moindre remords de la
» catastrophe qu'elles ont engendrée; je me sers de ce
» mot en pensant que vous m'aimez, car moi j'arrive
» au lieu du repos, immolée au devoir, et, ce qui me
» fait frémir, non sans regret! Dieu saura mieux que
» moi si j'ai pratiqué ses saintes lois selon leur esprit.
» J'ai sans doute chancelé souvent, mais je ne suis
» point tombée, et la plus puissante excuse de mes
» fautes est dans la grandeur même des séductions qui
» m'ont environnée. Le Seigneur me verra tout aussi
» tremblante que si j'avais succombé. Encore adieu, un
» adieu semblable à celui que j'ai fait hier à notre
» belle vallée, au sein de laquelle je reposerai bientôt,
» et où vous reviendrez souvent, n'est-ce pas?

» Henriette. »

Je tombai dans un abîme de réflexions en apercevant
les profondeurs inconnues de cette vie alors éclairée
par cette dernière flamme. Les nuages de mon égoïsme

se dissipèrent. Elle avait donc souffert autant que moi, plus que moi, car elle était morte. Elle croyait que les autres devaient être excellents pour son ami; elle avait été si bien aveuglée par son amour qu'elle n'avait pas soupçonné l'inimitié de sa fille. Cette dernière preuve de sa tendresse me fit bien mal. Pauvre Henriette qui voulait me donner Clochegourde et sa fille!

Natalie, depuis ce jour à jamais terrible où je suis entré pour la première fois dans un cimetière en accompagnant les dépouilles de cette noble Henriette, que maintenant vous connaissez, le soleil a été moins chaud et moins lumineux, la nuit plus obscure, le mouvement moins prompt, la pensée plus lourde. Il est des personnes que nous ensevelissons dans la terre, mais il en est de plus particulièrement chéries qui ont eu notre cœur pour linceul, dont le souvenir se mêle chaque jour à nos palpitations; nous pensons à elle comme nous respirons, elles sont en nous par la douce loi d'une métempsycose propre à l'amour. Une âme est en mon âme. Quand quelque bien est fait par moi, quand une belle parole est dite, cette âme parle, elle agit; tout ce que je puis avoir de bon émane de cette tombe, comme d'un lys les parfums qui embaument l'atmosphère. La raillerie, le mal, tout ce que vous blâmez en moi vient de moi-même. Maintenant, quand mes yeux sont obscurcis par un nuage et se reportent vers le ciel, après avoir longtemps contemplé la terre, quand ma bouche est muette à vos paroles et à vos soins, ne me demandez plus : — *A quoi pensez-vous?*

Chère Natalie, j'ai cessé d'écrire pendant quelque temps, ces souvenirs m'avaient trop ému. Maintenant je vous dois le récit de ces événements qui suivirent cette catastrophe, et qui veulent peu de paroles. Lorsqu'une vie ne se compose que d'action et de mouvement, tout est bientôt dit; mais quand elle s'est passée dans les régions les plus élevées de l'âme, son histoire est diffuse. La lettre d'Henriette faisait briller un espoir à mes yeux. Dans ce grand naufrage, j'aperçois une île où je pouvais aborder. Vivre à Clochegourde auprès de Madeleine en lui consacrant ma vie était une destinée où se satisfaisaient toutes les idées dont mon cœur était agité; mais il fallait connaître les véritables pensées de Madeleine. Je devais faire mes adieux au comte; j'allai donc à Clochegourde le voir, et je le rencontrai sur la terrasse. Nous nous promenâmes pendant longtemps. D'abord il me parla de la comtesse en homme qui connaissait l'étendue de sa perte, et tout le dommage qu'elle causait à sa vie intérieure. Mais, après le premier cri de sa douleur, il se montra plus préoccupé de l'avenir que du présent. Il craignait sa fille, qui n'avait pas, me dit-il, la douceur de sa mère. Le caractère ferme de Madeleine, chez laquelle je ne sais quoi d'héroïque se mêlait aux qualités gracieuses de sa mère, épouvantait ce vieillard accoutumé aux tendresses d'Henriette, et qui pressentait une volonté que rien ne devait plier. Mais ce qui pouvait le consoler de cette perte irréparable, était la certitude de bientôt rejoindre sa femme : les agitations et les chagrins de ces derniers jours avaient augmenté son état maladif, et réveillé ses anciennes douleurs; le combat qui se préparait entre son autorité de père et celle de sa fille, qui devenait maîtresse de maison, allait lui faire finir ses jours dans l'amertume; car là où il avait pu lutter avec sa femme, il devait toujours céder à son enfant. D'ailleurs son fils s'en irait, sa fille se marierait; quel gendre aurait-il? Quoiqu'il parlât de mourir promptement, il se sentait seul, sans sympathies pour longtemps encore.

Pendant cette heure où il ne parla que de lui-même en me demandant mon amitié au nom de sa femme, il acheva de me dessiner complètement la grande figure de l'Emigré, l'un des types les plus imposants de notre époque. Il était en apparence faible et cassé, mais la vie semblait devoir persister en lui, précisément à cause de ses mœurs sobres et de ses occupations champêtres. Au moment où j'écris il vit encore. Quoique Madeleine pût nous apercevoir allant le long de la terrasse, elle ne descendit pas; elle s'avança sur le perron et rentra dans la maison à plusieurs reprises, afin de me marquer son mépris. Je saisis le moment où elle vint sur le perron, je priai le comte de monter au château; j'avais à parler à Madeleine, je prétextai une dernière volonté que la comtesse m'avait confiée, je n'avais plus que ce moyen de la voir, le comte l'alla chercher et nous laissa seuls sur la terrasse.

— Chère Madeleine, lui dis-je, si je dois vous parler, n'est-ce pas ici où votre mère m'écouta quand elle eut à se plaindre moins de moi que des événements de la vie. Je connais vos pensées, mais ne me condamnez-vous pas sans connaître les faits? Ma vie et mon bonheur sont attachés à ces lieux, vous le savez, et vous m'en bannissez par la froideur que vous faites succéder à l'amitié fraternelle qui nous unissait, et que sa mort a resserrée par le lien d'une même douleur. Chère Madeleine, vous pour qui je donnerais à l'instant ma vie sans aucun espoir de récompense, sans que vous le sachiez même, tant nous aimons les enfants de celles qui nous ont protégés dans la vie, vous ignorez le projet caressé par votre adorable mère pendant ces sept années, et qui modifierait sans doute vos sentiments; mais je ne veux point de ces avantages. Tout ce que j'implore de vous, c'est de ne pas m'ôter le

droit de venir respirer l'air de cette terrasse, et
d'attendre que le temps ait changé vos idées sur la vie
sociale; en ce moment je me garderais bien de les
heurter; je respecte une douleur qui vous égare, car
elle m'ôte à moi-même la faculté de juger sainement les
circonstances dans lesquelles je me trouve. La sainte
qui veille en ce moment sur nous approuvera la
réserve dans laquelle je me tiens en vous priant seulement de demeurer neutre entre vos sentiments et moi.
Je vous aime trop malgré l'aversion que vous me
témoignez pour expliquer au comte un plan qu'il
embrasserait avec ardeur. Soyez libre. Plus tard, songez
que vous ne connaîtrez personne au monde mieux
que vous ne me connaissez, que nul homme n'aura
dans le cœur des sentiments plus dévoués...

Jusque-là, Madeleine m'avait écouté les yeux baissés,
mais elle m'arrêta par un geste.

— Monsieur, dit-elle d'une voix tremblante d'émotion, je connais aussi toutes vos pensées; mais je ne
changerai point de sentiments à votre égard, et j'aimerais mieux me jeter dans l'Indre que de me lier à vous.
Je ne vous parlerai pas de moi; mais si le nom de ma
mère conserve encore quelque puissance sur vous, c'est
en son nom que je vous prie de ne jamais venir à
Clochegourde tant que j'y serai. Votre aspect seul me
cause un trouble que je ne puis exprimer, et que je ne
surmonterai jamais.

Elle me salua par un mouvement plein de dignité, et
remonta vers Clochegourde, sans se retourner, impas-
sible comme l'avait été sa mère un seul jour, mais
impitoyable. L'œil clairvoyant de cette jeune fille avait,
quoique tardivement, tout deviné dans le cœur de sa
mère, et peut-être sa haine contre un homme qui lui
semblait funeste, s'était-elle augmentée de quelques

regrets sur son innocente complicité. Là tout était
abîme. Madeleine me haïssait, sans vouloir s'expliquer
si j'étais la cause ou la victime de ces malheurs : elle
nous eût haïs peut-être également, sa mère et moi, si
nous avions été heureux. Ainsi tout était détruit dans
le bel édifice de mon bonheur. Seul, je devais savoir
en son entier la vie de cette grande femme inconnue,
seul j'étais dans le secret de ses sentiments, seul j'avais
parcouru son âme dans toute son étendue; ni sa mère,
ni son père, ni son mari, ni ses enfants ne l'avaient
connue. Chose étrange! Je fouille ce monceau de
cendres et prends plaisir à les étaler devant vous, nous
pouvons tous y trouver quelque chose de nos plus
chères fortunes. Combien de familles ont aussi leur
Henriette! combien de nobles êtres quittent la terre
sans avoir rencontré un historien intelligent qui ait
sondé leurs cœurs, qui en ait mesuré la profondeur et
l'étendue! Ceci est la vie humaine dans toute sa vérité :
souvent les mères ne connaissent pas plus leurs enfants
que leurs enfants ne les connaissent; il en est ainsi des
époux, des amants et des frères! Savais-je, moi, qu'un
jour, sur le cercueil même de mon père, je plaiderais
avec Charles de Vandenesse, avec mon frère à l'avancement de qui j'ai tant contribué? Mon Dieu! combien
d'enseignements dans la plus simple histoire. Quand
Madeleine eut disparu par la porte du perron, je
revins, le cœur brisé, dire adieu à mes hôtes, et je partis
pour Paris en suivant la rive droite de l'Indre, par
laquelle j'étais venu dans cette vallée pour la première
fois. Je passai triste à travers le joli village de Pont-de-
Ruan. Cependant j'étais riche, la vie politique me
souriait, je n'étais plus le piéton fatigué de 1814. Dans
ce temps-là, mon cœur était plein de désirs, aujour-
d'hui mes yeux étaient pleins de larmes; autrefois

j'avais ma vie à remplir, aujourd'hui je la sentais déserte. J'étais bien jeune, j'avais vingt-neuf ans, mon cœur était déjà flétri. Quelques années avaient suffi pour dépouiller ce paysage de sa première magnificence et pour me dégoûter de la vie. Vous pouvez maintenant comprendre quelle fut mon émotion, lorsqu'en me retournant je vis Madeleine sur la terrasse.

Dominé par une impérieuse tristesse, je ne songeais plus au but de mon voyage. Lady Dudley était bien loin de ma pensée, que j'entrais dans sa cour sans le savoir. Une fois la sottise faite, il fallait la soutenir. J'avais chez elle des habitudes conjugales, je montai chagrin en songeant à tous les ennuis d'une rupture. Si vous avez bien compris le caractère et les manières de lady Dudley, vous imaginerez ma déconvenue, quand son majordome m'introduisit en habit de voyage dans un salon où je la trouvai pompeusement habillée, environnée de cinq personnes. Lord Dudley, l'un des vieux hommes d'Etat les plus considérables de l'Angleterre, se tenait debout devant la cheminée, gourmé, plein de morgue, froid, avec l'air railleur qu'il doit avoir au Parlement; il sourit en entendant mon nom. Les deux enfants d'Arabelle qui ressemblaient prodigieusement à de Marsay, l'un des fils naturels du vieux lord, et qui était là, sur la causeuse près de la marquise, se trouvaient près de leur mère. Arabelle en me voyant prit aussitôt un air hautain, fixa son regard sur ma casquette de voyage, comme si elle eût voulu me demander à chaque instant ce que je venais faire chez elle. Elle me toisa comme elle eût fait d'un gentilhomme campagnard qu'on lui aurait présenté. Quant à notre intimité, à cette passion éternelle, à ces serments de mourir si je cessais de l'aimer, à cette fantasmagorie d'Armide, tout avait disparu comme un rêve.

Je n'avais jamais serré sa main, j'étais un étranger, elle ne me connaissait pas. Malgré le sang-froid diplomatique auquel je commençai à m'habituer, je fus surpris, et tout autre à ma place ne l'eût pas été moins. De Marsay souriait à ses bottes qu'il examinait avec une affectation singulière. J'eus bientôt pris mon parti. De toute autre femme, j'aurais accepté modestement une défaite; mais outré de voir debout l'héroïne qui voulait mourir d'amour, et qui s'était moquée de la morte, je résolus d'opposer l'impertinence à l'impertinence. Elle savait le désastre de lady Brandon : le lui rappeler, c'était lui donner un coup de poignard au cœur quoique l'arme dût s'y émousser.

— Madame, lui dis-je, vous me pardonnerez d'entrer chez vous si cavalièrement, quand vous saurez que j'arrive de Touraine et que lady Brandon m'a chargé pour vous d'un message qui ne souffre aucun retard. Je craignais de vous trouver partie pour le Lancashire; mais, puisque vous restez à Paris, j'attendrai vos ordres et l'heure à laquelle vous daignerez me recevoir.

Elle inclina la tête et je sortis. Depuis ce jour, je ne l'ai plus rencontrée que dans le monde où nous échangeons un salut amical et quelquefois une épigramme. Je lui parle des femmes inconsolables de Lancashire, elle me parle des Françaises qui font honneur à leur désespoir de leurs maladies d'estomac. Grâce à ses soins, j'ai un ennemi mortel dans de Marsay, qu'elle affectionne beaucoup. Et moi je dis qu'elle épouse les deux générations. Ainsi rien ne manquait à mon désastre. Je suivis le plan que j'avais arrêté pendant ma retraite à Saché. Je me jetai dans le travail, je m'occupai de science, de littérature et de politique; j'entrai dans la diplomatie à l'avènement de Charles X qui supprima l'emploi que j'occupai sous le feu roi.

Dès ce moment je résolus de ne jamais faire attention
à aucune femme si belle, si spirituelle, si aimante
qu'elle pût être. Ce parti me réussit à merveille :
j'acquis une tranquillité d'esprit incroyable, une grande
force pour le travail, et je compris tout ce que ces
femmes dissipent de notre vie croyant nous avoir payé
par quelques paroles gracieuses. Mais toutes mes résolutions échouèrent : vous savez comment et pourquoi.
Chère Natalie, en vous disant ma vie sans réserve et
sans artifice, comme je me la dirais à moi-même; en
vous racontant des sentiments où vous n'étiez pour
rien, peut-être ai-je froissé quelque pli de votre cœur
jaloux et délicat; mais ce qui courroucerait une femme
vulgaire sera pour vous, j'en suis sûr, une nouvelle
raison de m'aimer. Auprès des âmes souffrantes et
malades, les femmes d'élite ont un rôle sublime à
jouer, celui de la sœur de charité qui panse les blessures, celui de la mère qui pardonne à l'enfant. Les
artistes et les grands poètes ne sont pas seuls à souffrir :
les hommes qui vivent pour leur pays, pour l'avenir
des nations, en élargissant le cercle de leurs passions
et de leurs pensées, se font souvent une bien cruelle
solitude. Ils ont besoin de sentir à leurs côtés un amour
pur et dévoué; croyez bien qu'ils en comprennent la
grandeur et le prix. Demain, je saurai si je me suis
trompé en vous aimant.

A MONSIEUR LE COMTE FÉLIX DE VANDENESSE

« Cher comte, vous avez reçu de cette pauvre ma-
» dame de Mortsauf une lettre qui, dites-vous, ne vous
» a pas été inutile pour vous conduire dans le monde,
» lettre à laquelle vous devez votre haute fortune. Per-

» mettez-moi d'achever votre éducation. De grâce, dé-
» faites-vous d'une détestable habitude; n'imitez pas les
» veuves qui parlent toujours de leur premier mari,
» qui jettent toujours à la face du second les vertus du
» défunt. Je suis Française, cher comte; je voudrais
» épouser tout l'homme que j'aimerais, et ne saurais
» en vérité épouser madame de Mortsauf. Après avoir
» lu votre récit avec l'attention qu'il mérite, et vous
» savez quel intérêt je vous porte, il m'a semblé que
» vous aviez considérablement ennuyé lady Dudley en
» lui opposant les perfections de madame de Mortsauf,
» et fait beaucoup de mal à la comtesse en l'accablant
» des ressources de l'amour anglais. Vous avez manqué
» de tact envers moi, pauvre créature, qui n'ai d'autre
» mérite que celui de vous plaire; vous m'avez donné
» à entendre que je ne vous aimais ni comme Hen-
» riette, ni comme Arabelle. J'avoue mes imper-
» fections, je les connais; mais pourquoi me les faire
» si rudement sentir? Savez-vous pour qui je suis prise
» de pitié? pour la quatrième femme que vous aimerez.
» Celle-là sera nécessairement forcée de lutter avec
» trois personnes; aussi dois-je vous prémunir, dans
» votre intérêt comme dans le sien, contre le danger
» de votre mémoire. Je renonce à la gloire laborieuse
» de vous aimer : il faudrait trop de qualités catho-
» liques ou anglicanes, et je ne me soucie pas de
» combattre des fantômes. Les vertus de la Vierge de
» Clochegourde désespéreraient la femme la plus sûre
» d'elle-même, et votre intrépide Amazone décourage
» les plus hardis désirs de bonheur. Quoi qu'elle fasse,
» une femme ne pourra jamais espérer pour vous des
» joies égales à son ambition. Ni le cœur ni les sens ne
» triompheront jamais de vos souvenirs. Vous avez
» oublié que nous montons souvent à cheval. Je n'ai

» pas su réchauffer le soleil attiédi par la mort de
» votre sainte Henriette, le frisson vous prendrait à
» côté de moi. Mon ami, car vous serez toujours mon
» ami, gardez-vous de recommencer de pareilles confi-
» dences qui mettent à nu votre désenchantement, qui
» découragent l'amour et forcent une femme à douter
» d'elle-même. L'amour, cher comte, ne vit que de
» confiance. La femme, qui, avant de dire une parole,
» ou de monter à cheval, se demande si une céleste
» Henriette ne parlait pas mieux, si une écuyère comme
» Arabelle ne déployait pas plus de grâces, cette
» femme-là, soyez-en sûr, aura les jambes et la langue
» tremblantes. Vous m'avez donné le désir de rece-
» voir quelques-uns de vos bouquets enivrants, mais
» vous n'en composez plus. Il est ainsi une foule de
» choses que vous n'osez plus faire, de pensées et de
» jouissances qui ne peuvent plus renaître pour
» vous. Nulle femme, sachez-le bien, ne voudra
» coudoyer dans votre cœur la morte que vous y
» gardez. Vous me priez de vous aimer par charité
» chrétienne. Je puis faire, je vous l'avoue, une infinité
» de choses par charité, tout, excepté l'amour. Vous
» êtes parfois ennuyeux et ennuyé, vous appelez votre
» tristesse du nom de mélancolie : à la bonne heure;
» mais vous êtes insupportable et vous donnez de
» cruels soucis à celle qui vous aime. J'ai trop souvent
» rencontré entre nous deux la tombe de la sainte :
» je me suis consultée, je me connais et je ne voudrais
» pas mourir comme elle. Si vous avez fatigué lady
» Dudley, qui est une femme extrêmement distinguée,
» moi qui n'ai pas ses désirs furieux, j'ai peur de me
» refroidir plus tôt qu'elle encore. Supprimons l'amour
» entre nous, puisque vous ne pouvez plus en goûter le
» bonheur qu'avec les mortes, et restons amis, je le

» veux. Comment, cher comte? vous avez eu pour votre
» début une adorable femme, une maîtresse parfaite
» qui songeait à votre fortune, qui vous a donné
» la pairie, qui vous aimait avec ivresse, qui ne vous
» demandait que d'être fidèle, et vous l'avez fait mourir
» de chagrin; mais je ne sais rien de plus monstrueux.
» Parmi les plus ardents et les plus malheureux jeunes
» gens qui traînent leurs ambitions sur le pavé de
» Paris, quel est celui qui ne resterait pas sage pendant
» dix ans pour obtenir la moitié des faveurs que vous
» n'avez pas su reconnaître? Quand on est aimé ainsi,
» que peut-on demander de plus? Pauvre femme! elle a
» bien souffert, et quand vous avez fait quelques phrases
» sentimentales, vous vous croyez quitte avec son cer-
» cueil. Voilà sans doute le prix qui attend ma ten-
» dresse pour vous. Merci, cher comte, je ne veux de
» rivale ni au delà ni en deçà de la tombe. Quand on
» a sur la conscience de pareils crimes, au moins ne
» faut-il pas les dire. Je vous ai fait une imprudente
» demande, j'étais dans mon rôle de femme, de fille
» d'Eve, le vôtre consistait à calculer la portée de votre
» réponse. Il fallait me tromper; plus tard, je vous
» aurais remercié. N'avez-vous donc jamais compris la
» vertu des hommes à bonnes fortunes? Ne sentez-vous
» pas combien ils sont généreux en nous jurant qu'ils
» n'ont jamais aimé, qu'ils aiment pour la première
» fois? Votre programme est inexécutable. Etre à la fois
» madame de Mortsauf et lady Dudley, mais, mon ami,
» n'est-ce pas vouloir réunir l'eau et le feu? Vous ne
» connaissez donc pas les femmes? elles sont ce qu'elles
» sont, elles doivent avoir les défauts de leurs qualités
» Vous avez rencontré lady Dudley trop tôt pour pou-
» voir l'apprécier, et le mal que vous en dites me
» semble une vengeance de votre vanité blessée; vous

» avez compris madame de Mortsauf trop tard, vous
» avez puni l'une de ne pas être l'autre; que va-t-il
» m'arriver à moi qui ne suis ni l'une ni l'autre? Je
» vous aime assez pour avoir profondément réfléchi à
» votre avenir, car je vous aime réellement beaucoup.
» Votre air de chevalier de la Triste Figure m'a tou-
» jours profondément intéressée : je croyais à la cons-
» tance des gens mélancoliques; mais j'ignorais que
» vous eussiez tué la plus belle et la plus vertueuse des
» femmes à votre entrée dans le monde. Eh! bien, je
» me suis demandé ce qui vous reste à faire : j'y ai
» bien songé. Je crois, mon ami, qu'il faut vous marier
» à quelque madame Shandy, qui ne saura rien de
» l'amour, ni des passions, qui ne s'inquiétera ni de
» lady Dudley, ni de madame de Mortsauf, très indif-
» férente à ces moments d'ennui que vous appelez mé-
» lancolie pendant lesquels vous êtes amusant comme
» la pluie, et qui sera pour vous cette excellente sœur
» de charité que vous demandez. Quant à aimer, à
» tressaillir d'un mot, à savoir attendre le bonheur, le
» donner, le recevoir, à ressentir les mille orages de
» la passion, à épouser les petites vanités d'une femme
» aimée, mon cher comte, renoncez-y. Vous avez trop
» bien suivi les conseils que votre bon ange vous a
» donnés sur les jeunes femmes; vous les avez si bien
» évitées que vous ne les connaissez point. Madame de
» Mortsauf a eu raison de vous placer haut du pre-
» mier coup, toutes les femmes auraient été contre vous,
» et vous ne seriez arrivé à rien. Il est trop tard main-
» tenant pour commencer vos études, pour apprendre
» à nous dire ce que nous aimons à entendre, pour
» être grand à propos, pour adorer nos petitesses quand
» il nous plaît d'être petites. Nous ne sommes pas si
» sottes que vous le croyez : quand nous aimons, nous

» plaçons l'homme de notre choix au-dessus de tout.
» Ce qui ébranle notre foi dans notre supériorité
» ébranle notre amour. En nous flattant, vous vous
» flattez vous-mêmes. Si vous tenez à rester dans le
» monde à jouir du commerce des femmes, cachez-leur
» avec soin tout ce que vous m'avez dit : elles n'aiment
» ni à semer les fleurs de leur amour sur des rochers,
» ni à prodiguer leurs caresses pour panser un cœur
» malade. Toutes les femmes s'apercevraient de la
» sécheresse de votre cœur, et vous seriez toujours
» malheureux. Bien peu d'entre elles seraient assez
» franches pour vous dire ce que je vous dis, et assez
» bonnes personnes pour vous quitter sans rancune
» en vous offrant leur amitié, comme le fait aujour-
» d'hui celle qui se dit votre amie dévouée,

» Natalie de Manerville. »

Paris, octobre 1835.

PRÉFACE DE L'ÉDITION DE 1836

Dans plusieurs fragments de son œuvre, l'auteur a produit un personnage qui raconte en son nom. Pour arriver au vrai, les écrivains emploient celui des artifices littéraires qui leur semble propre à prêter le plus de vie à leurs figures. Ainsi, le désir d'animer leurs créations a jeté les hommes les plus illustres du siècle dernier dans la prolixité du roman par lettres, seul système qui puisse rendre vraisemblable une histoire fictive. Le *je* sonde le cœur humain aussi profondément que le style épistolaire et n'en a pas les longueurs. A chaque œuvre, sa forme. L'art du romancier consiste à bien matérialiser ses idées. Clarisse Harlowe voulait sa vaste correspondance. Gil Blas voulait le *moi*. Mais le *moi* n'est pas sans danger pour l'auteur. Si la masse lisante s'est agrandie, la somme de l'intelligence publique n'a pas augmenté en proportion. Malgré l'autorité de la chose jugée, beaucoup de personnes se donnent encore aujourd'hui le ridicule de rendre un écrivain complice des sentiments qu'il attribue à ses personnages; et, s'il emploie le *je*, presque toutes sont tentées de le confondre avec le narrateur. *Le Lys dans la vallée* étant l'ouvrage le plus considérable de ceux où l'auteur a pris le *moi* pour se diriger à travers les sinuosités d'une histoire plus ou moins vraie, il croit nécessaire de déclarer ici qu'il ne s'est nulle part mis en scène. Il a sur la promiscuité des sentiments personnels et des sentiments fictifs une opinion sévère et des principes arrêtés. Selon lui, le trafic honteux de la prostitution est mille fois moins infâme que ne l'est la vente avec annonces de certaines émotions qui ne nous appartiennent jamais en entier. Les sentiments bons ou mauvais dont l'âme fut agitée la colorent de je ne sais quelle essence, et lui font exhaler des parfums qui en particularisent la pensée; certes, le style des êtres souffrants ou foudroyés ne ressemble pas au style de ceux dont la vie s'est écoulée sans catastrophes. Mais de cette physionomie sombre ou attendrissante, mondaine ou religieuse, joyeuse ou grave, à la prostitution des plus chers trésors du cœur, il est un abîme que franchissent seuls les esprits impurs. Si quelque poète entreprend ainsi sur sa double vie, que ce soit par hasard et non par un parti pris comme chez J.-J. Rousseau. L'auteur, qui admire l'écrivain dans les *Confessions,* a horreur de l'homme. Comment ce Jean-Jacques, si fier de ses sentiments, a-t-il osé libeller la condamnation de madame de Warens, quand il savait si bien plaider pour lui-même? Entassez toutes les couronnes de la terre sur sa tête, les anges maudiront éternellement ce rhéteur qui put immoler sur le triste autel de la Renommée, une femme en qui s'étaient trouvés pour lui le cœur d'une mère et l'âme d'une maîtresse, le bienfait sous la grâce du premier amour.

L'Auteur.

Paris, juillet 1835.

Je ne m'attendais pas après avoir écrit ces lignes sur la sainteté de la vie privée, que je serais obligé, à dix mois de là, de raconter une partie douloureuse de mon existence, et de comparaître en présence du public, ainsi que je le fais dans le récit suivant qui appartient essentiellement au *Lys dans la vallée,* et que, par une volonté bien déterminée, j'entends laisser en tête de mon œuvre, tant qu'elle subsistera; à moins qu'un arrêt ou mon propre vouloir ne l'en retirent.

DE BALZAC.

Paris, 2 juin 1836.

AVERTISSEMENT DE L'ÉDITION DE 1839

L'auteur a considéré comme une tache la préface qui précédait cette œuvre, et que des attaques odieuses l'avaient contraint à écrire; mais il est indispensable de dire qu'il ne la supprime aujourd'hui ni par peur, ni par générosité.

Cette dernière note, également due à la dignité de l'auteur et à celle des haines qu'il a soulevées, ne subsistera certes pas aussi longtemps que la reconnaissance à laquelle ont droit messieurs Alexandre Dumas, A. Pichot, Léon Gozlan, Frédéric Soulié, Roger de Beauvoir, Eugène Sue, Méry, Jules Janin, Loëve-Veimars, et autres signataires d'une déclaration par laquelle ces messieurs appuyaient ses ennemis, autorisaient la contrefaçon à domicile, et pouvaient lui faire perdre un procès vraiment ignoble.

Quant aux personnes jadis en cause, elles éprouveraient trop de satisfaction d'être encore nommées en compagnie de ces gens illustres, avec lesquels l'auteur semblerait avoir transigé, ou qui paraîtraient avoir demandé ce retranchement.

Aux Jardies, juin 1839.

HISTORIQUE DU PROCÈS
AUQUEL A DONNÉ LIEU
« LE LYS DANS LA VALLÉE »

EN commençant un récit empreint du *moi*, et qui
nécessairement va livrer à la publicité les dégoûts, les
tracas, les persécutions d'une vie cachée avec soin jusqu'ici, j'éprouve un mouvement d'amère tristesse.
L'âme souffrante a sa pudeur, comme les malades ont
la leur, et quand il s'agit de montrer pour la première
fois une plaie, il n'est personne qui ne tressaille; or,
je vais ici découvrir des plaies morales. Quelque lustre
que le caractère puisse recevoir par la révélation des
tourments intimes que les passions mauvaises infligent
à un artiste, et qui font sa lutte extérieure avec les
hommes aussi grande, par rapport à lui, que l'est son
combat avec sa pensée, cette exhibition inspire une
sorte de compassion, et j'avoue que j'ai horreur de la
pitié. Au prix de la gloire de Jean-Jacques, je ne voudrais pas exciter la commisération dont l'accablent les
cœurs généreux.

Au moment d'atteindre à la tranquillité, quand je
n'avais plus que quelques mois de tortures, parmi tant
d'intérêts mesquins qui me sont opposés, parmi tant

de sottises, de mensonges, de jalousies, de haines, de médiocrités, je rencontre un adversaire sans moyens personnels, mais armé de deux Revues, accompagné d'une troupe d'écrivains qu'il se vante d'avoir disciplinés, et dont il a fait ses feudataires, ayant conquis assez d'influence dans la presse parisienne pour en disposer. Cet homme m'attaque violemment. J'étais bien décidé à me taire dans cette dernière lutte, à ne jamais user, dans mon intérêt littéraire ou privé, d'un journal ou d'un livre dans lesquels un écrivain se trouve comme un orateur dans sa chaire, parlant sans contradicteurs à un public prévenu. Je me suis donc tu quand j'avais judiciairement le droit de m'expliquer. J'empêchai M. Labois, mon avoué, de réclamer dans dix-sept journaux de Paris, alors que la presse acceptait, de la main de mes adversaires, *l'annonce d'un fait faux,* calomnieux envers moi, celle d'un jugement qui n'existe pas, qui n'a été rendu *ni par défaut, ni contradictoirement,* et l'insérait avec d'outrageantes suppositions, *avant l'échéance même* de l'assignation que la *Revue* m'avait donnée. Pour moi, ces faits étaient du domaine de la procédure, ils devaient tomber sous les yeux des magistrats. Dans cette circonstance, mon silence complet était trop éloquent; il me vengeait trop hautement pour que je me crusse obligé d'aller me défendre au coin de toutes les bornes du journalisme avec des adversaires que j'ai le droit de mépriser.

Depuis long-temps, le parti d'un homme mis au ban de la littérature devait être pris envers tous les malheurs prévus de la guerre littéraire. Un jour vient où les blessures sont cicatrisées, où les lâchetés de ceux qui vous ont frappé par derrière sont oubliées; et, pour l'honneur de notre pays, il faut les laisser dans l'oubli : les injurieux articles passent, les livres restent; les grands ouvrages font justice des petits ennemis. Tôt ou tard l'avenir ou le présent vous savent gré d'avoir souffert en silence. Il est un grand homme qui, prévoyant sa gloire, s'en est épargné les souffrances : Walter-Scott a gardé pendant trente ans l'anonyme le plus sévère, il a joui sans amertume de toute sa renommée. Lord Byron, moins habile calculateur, a présenté sa poitrine et son front à ses inférieurs, qui se croyaient ses égaux; dix ans après son premier succès, il quittait à jamais l'Angleterre. Prenez garde, vous qui me lisez! je ne me plains pas, et surtout je ne me compare ici à personne; ce n'est pas ma faute si je prends des exemples élevés : nous ne connaissons pas les luttes obscures auxquelles je pourrais comparer la mienne; et quand il faut chercher des analogies pour justifier les malheurs des existences médiocres, elles ne se rencontrent que dans la vie des hommes illustres. Ainsi donc, j'espère que je trouverai quelque indulgence auprès de ceux qui pourraient m'accuser de manquer ici aux règles secrètes de ma conduite : je les ai observées dans des occasions plus irritantes que ne l'est celle-ci. La critique a souvent calomnié ma pensée. Or, les plus beaux génies n'ont pas été exempts de colère quand des critiques trompaient le public sur la nature de leurs ouvrages en disant que telle page était noire quand elle était blanche; mais ils riaient alors qu'on les accusait de boire dans un crâne. Un homme probe a sa vie pour se défendre contre une injure, mais que peut la pensée contre une calomnie? il y a de quoi allumer chez un homme la colère que ressentent les mères en voyant maltraiter leurs enfants.

Ne vous y trompez pas! En accusant Fréron d'avoir été au bagne, Voltaire, que je n'approuve point en ceci, voulait donner une horrible leçon aux calomnia-

teurs de la pensée. *Vous prêtez des infamies à mon
esprit, que diriez-vous si j'en prêtais à votre personne?*
est le sens de *L'Ecossaise.* Il m'est permis de parler de
ces choses, à moi qui ne juge point mes contemporains; à moi qui, nuit et jour emporté par le travail,
n'ai jamais écrit, ni dit un mot de blâme sur les
œuvres de ceux dont je pourrais envier les talents.
Je n'ai point défendu ma personne ridiculisée à plaisir; elle est connue de mes amis, elle est indifférente
au public. Je ne défendrai jamais mes œuvres, malgré
l'exemple de Schiller, qui écrivit vingt-trois lettres pour
justifier *Don Carlos,* malgré l'exemple de Voltaire, malgré la jurisprudence de la vieille école où chaque œuvre
donnait lieu à d'insultantes polémiques. Quand l'*Esprit
des Lois* a été nié par les plus grandes intelligences
du XVIIIᵉ siècle, et que Montesquieu a été forcé
d'écrire des livres pour la défense d'une œuvre qui
lui coûta la moitié de sa vie, ne doit-on pas se rési-
gner? J'ai remarqué que, si le soleil engendre des
nuées de moucherons, il en est de même de toute éclatante poésie : chaque fleur a son insecte particulier;
chaque succès, légitime ou surpris, a ses ennemis.

Mes adversaires ont fondé l'impunité de leurs assertions sur mon silence, en croyant que je me tairais
toujours. Cependant je ne pensais pas qu'après avoir
suffisamment crié par la fenêtre en plein tribunal, la
Revue de Paris continuerait chez elle le triste métier
qu'elle a fait à l'audience. Or, dimanche dernier,
29 mai, un compte rendu de notre procès, où tous les
faits sont encore tronqués, a paru dans la *Revue de
Paris,* recueil qui, par sa cherté, s'adresse à la classe
la plus élevée de la société. Cet écrit, destiné à influen-
cer mes vrais juges, pose des faits, publie des pièces
dont il n'a pas été question à l'audience; il continue

les plaidoiries de l'avocat, et malgré sa promesse d'impartialité, les paroles du mien n'y sont pas. *Le Droit,* seul journal qui ait donné le dessin des improvisations de M. Boinvilliers, les a seulement analysées. Alors, mes amis alarmés, m'ont appris que les indifférents croyaient les niaiseries dont la presse appâte régulièrement le public. Ils ont essayé de me prouver la nécessité où j'étais de prendre la parole en me rappelant une occasion récente dans laquelle j'ai durement éprouvé comment la calomnie des plus petits journaux réagit sur la vie et sur les intérêts.

En juillet dernier, de retour à Paris, après une absence de six semaines, j'ai trouvé mes amis convaincus par mes ennemis que j'avais été mis en prison pour dettes; ils m'apportèrent je ne sais combien d'articles insérés dans les petits journaux, et dont le premier de tous était, je crois, intitulé *Un Grand homme perdu;* si ces courageux gens de lettres ont regardé comme une plaisanterie cette attaque, qui certes n'avait rien de littéraire, ce n'en était pas une pour moi, pauvre écrivain qui, arrivant du fond de l'Allemagne, me trouvais naturellement dénué d'argent. J'eus chez moi une convocation, préparée par le journalisme, des créanciers que toutes les maisons habituées au crédit parisien ont coutume d'avoir. Mes affaires étaient dans un ordre parfait, les comptes bien en règle; car la basse littérature, manquant de mémoires à publier, s'était amusée à en entasser une certaine quantité sur ma table. Quand je me suis adressé dans ce péril à quelques personnes, toutes se sont enfuies comme devant un lépreux. En présentant les billets de mes libraires aux marchands d'argent, je leur aurais nui, je dus ne pas employer ces ressources; car, à ma première tentative, un loyal usurier me prévint que c'étaient des effets de complaisance souscrits pour me tirer d'affaire. J'ai, dans une semaine, liquidé cette petite émeute domestique, sans me plaindre ni des hommes, ni des choses. Pendant ce temps, chacun a pu savoir par les plaisanteries même des petits journaux, que je revenais de Vienne. Alors, je suis redevenu beaucoup plus riche que par le passé. Les petits journaux sont tombés d'un excès dans un autre. Un homme, je vous le donne bien organisé, mais facile au découragement, d'un naturel nerveux et impressionnable, comme le sont beaucoup d'artistes, aurait succombé en trouvant à sa porte quinze mille francs ameutés là pendant son absence, et ses amis en voyage. Certes, le désespoir aurait pu s'emparer de lui. Mais l'habitude des luttes inconnues, qui font de ma vie une guerre continuelle, m'avait endurci. Au lieu de faire d'inutiles élégies, j'achevai d'écrire à la hâte *Le Lys dans la vallée*.

Je ne raconte pas ce petit trait de convenance littéraire, et cet exemple du savoir-vivre qui régit la république des lettres, sans dessein. Mes amis m'ont fait apercevoir que l'attaque alors dirigée sans succès contre mon crédit, se recommence aujourd'hui contre mon caractère; que si la partie niaise du public, et qui est la plus considérable, avait cru jadis, suivant une expression d'une lettre signée Capo-Feuillide et lue la semaine dernière par M. Chaix-d'Est-Ange au tribunal, que je *voyageais à Clichy*, cette partie niaise allait croire Me Chaix-d'Est-Ange en ses plaidoiries, avec d'autant plus de raison que celles de mon avocat ne sont nulle part et que les siennes sont partout; avec d'autant plus de raison que j'étais présent et que je gardais le silence; que les niais ne se disent pas : *Il y a procès, attendons;* ils répètent : *Qui ne dit mot, consent.* Enfin, me dit-on, il existe des crimes de lèse-public; et quand le public daigne s'occuper de vous, il ne vous pardonne pas de ne point s'occuper de lui; le voilà sur les gradins de son amphithéâtre, il attend le gladiateur; si le gladiateur ne paraît pas, il le siffle absent. Enfin, j'ai tant rencontré de personnes qui m'ont dit depuis le 10 janvier dernier : « *Vous avez été condamné,* ou *vous avez donc perdu votre procès contre* La Revue de Paris? ou *pourquoi quittez-vous* La Revue de Paris? » que plusieurs fois, sans mes énervants travaux, je fus sur le point de céder à la plus douloureuse des nécessités, celle d'introduire sur la scène, non pas l'auteur qui n'a jamais abusé du droit de parler en son nom, mais l'homme privé. Savez-vous que c'est une grande douleur que d'assister à son inventaire de son vivant; ceci n'arrive que dans la séparation de corps et de biens quand on est marié, ou dans la faillite qui est une mort civile. Or, il fallait livrer quelque chose de son intérieur, cette douce patrie où l'on souffre, où l'on aime, où l'on est aimé; il fallait se découvrir la poitrine en public, et crier : — Voyez quelle passion les médiocrités infligent au travail qui réussit! Voici les calus de ma plume, et voilà les marques de mon crucifiement! Je reculais par paresse, car chaque jour a son travail, et j'aimais mieux retoucher une page pour les hommes d'élite, que de m'en laisser arracher une au profit des sots.

Je flottais encore indécis, confiant dans les juges, et pensant que la meilleure réponse en cette affaire serait le jugement. Mon avocat et mon ami, Me Boinvilliers, partageait mon opinion sur le profond dédain que méritent la boue des rues et les criailleries de la foule. Dans la révolution, quand l'abbé Maury entendit toute une place publique crier : *A la lanterne!* il a dit un mot et a continué son chemin. Enfin, une réflexion qui n'est pas sans intérêt pour ma vie littéraire a vaincu ma répugnance, et j'ai résolu de joindre cet historique à la préface de ce livre. Quoique mes adversaires ne méritent pas cet honneur, leurs attaques forment une page trop curieuse dans l'histoire littéraire, et prouvent trop contre les progrès de l'esprit humain, en mettant à nu les passions misérables qui, de tout temps, ont assailli les artistes, pour ne pas me faire souhaiter que le livre soit beau afin que la vengeance soit éternelle. Mon ouvrage des *Etudes* contient déjà plus de soixante sujets achevés; parmi cette grande quantité d'œuvres, s'il en est qui n'ont que cinq à six feuilles d'impression, beaucoup ont deux volumes; mais parmi toutes mes compositions, il s'en rencontrait deux : *Le Médecin de campagne* et *Le Lys dans la vallée*, qui, outre toutes les conditions nécessaires à l'exécution d'un ouvrage, exigeaient une grande tranquillité d'existence, la plus profonde paix dans l'âme, l'emploi unique de mes forces, la solitude sans bruit, tous les genres de calme, excepté celui de l'intelligence occupée à rassembler les mille petites pierres de ces deux patientes mosaïques. J'avais rêvé de polir avec persévérance deux figures, la Vertu sans reproche et le Repentir employant ses expiations au profit du monde, au lieu de s'ensevelir dans le cloître; je voulais surtout étudier la langue française aussi bien que les fibres les plus déliées du cœur, et aborder la grande question du paysage en littérature. Chacun de ces ouvrages aura été l'objet d'un procès, long, dispendieux, qui veut des courses, des démarches, des conférences; chacun de ces tristes débats aura soulevé des calomnies, des mensonges, des luttes sans profit, et où on laisse, quoi qu'il arrive, de sa chair aux blessures, et de son énergie à la Salle des Pas-Perdus. Au lieu de demeurer dans les steppes de l'intelligence à glaner ce que nos prédécesseurs nous ont laissé, la pensée de l'auteur devait aller par la ville, obéir à l'avoué, à l'avocat, elle devait subir la question des affaires, être gehennée par le premier venu, il fallait habiter le champ de bataille au lieu de demeurer dans le cabinet à la lueur des studieuses clartés de la nuit. Quelle fatalité! Quelle force conspire contre les tentations qui nous saisissent tous de faire quelque chose de grand? Quelle main est celle qui arrête le pinceau sur la toile commencée? quelle puissance ordonne à la glaise de se fendre avant que l'ébauchoir n'ait achevé? Est-ce un instinct des médiocrités qui s'escomptent leur vengeance? y a-t-il quelque chose de pernicieux dans les arts? Peut-être la morale de cette histoire de ma vie privée est-elle dans l'exclamation du psalmiste : *Heureux les pauvres d'esprit!*

N'était-ce pas en tête d'une œuvre que je crois belle de pensée, sinon parfaite d'exécution, que je devais faire savoir à la dernière moitié du 19e siècle qu'après tant d'illustres exemples, le monde a toujours une coquille prête pour tout ostracisme? Dans la ville où cent quatorze notaires, cent neuf avoués, douze cents avocats, mille comédiens, tous ennemis les uns des autres, sont tous réunis en corps et se soutiennent, les artistes sont isolés; quand l'un d'eux est calomnié, tous les autres arrivent à l'œuvre, la pelle à la main, et lui creusent sa fosse, espérant qu'il succombera, tandis que le corps entier des avoués, des avocats, se lève si l'on touche à l'un d'eux. Le sacerdoce est ainsi; mais, quant au sacerdoce de la pensée, tous lui disent : *Raca!* N'est-il pas utile de prouver, pour expliquer la déconsidération croissante de l'écrivain que l'on confond avec l'homme de lettres, comme si le magistrat était l'homme de loi, que la littérature se dit *Raca* à elle-même? Ainsi, dans la lutte actuelle, où je défends les intérêts de *l'exploité* contre *l'exploitant,* de l'écrivain contre le marchand, je suis seul. Pas un de ceux qui devraient, comme les apprentis de la Cité dans *Nigel,* crier : *Aux bâtons!* pas un ne bouge. Non, pas une sympathie! Je dois même rendre justice à la presse, il y a chez elle une honorable unanimité contre moi. Toutefois, dans la *Gazette de France,* récemment un homme d'un beau talent, un vigoureux critique, sans déguiser sa pensée sur mes œuvres, les condamnant ou les approuvant à son gré, a pris mon parti contre ces lâches, qui viennent effrontément s'asseoir chez moi sans y être jamais entrés, raconter ce qui s'y passe, ce qui s'y fait, y clouer de prétendus tapis, y poser des divans fantastiques, m'habiller des laquais, me vernir des carrosses, après avoir porté le désordre dans mes petites affaires. Critiquer les meubles de l'auteur, pour se dispenser de parler de ses livres, est une des faces de la polémique littéraire. Que M. A... N...[1] trouve ici l'expression de ma reconnaissance pour sa politesse! Et quelle épigramme contre le temps présent que de considérer comme une belle action l'observances des lois de la bonne compagnie! Encore si la république des lettres se contentait de me laisser seul; mais plusieurs véritables hommes de lettres sont intervenus hier en faveur de mon adversaire; ils le secourent de toutes leurs forces. — *Abattez-le, nous l'achèverons!* a dit naguères un journaliste qui avouait m'avoir poursuivi d'injures pendant trois ans. Seul contre tous, j'accepte et je commence. Si l'on venait m'accuser d'avoir pris les tours de Notre-Dame, je ne

ferais point comme le président de Harlay, je ne m'en-
fuirais pas, je dirais au juge : Allons ensemble à
Notre-Dame. Ici, ma défense sera la paraphrase de :
Allons ensemble à Notre-Dame.

Dans la vie littéraire, il y a deux points d'appui
nécessaires à tout homme qui se produit, et qui sont
ses tuteurs naturels : l'un est le libraire, l'autre est le
journal; ces deux points d'appui n'ont été pour moi
que des obstacles à vaincre. Quant au premier, tantôt
le libraire a fait faillite, tantôt il a voulu que le jour
eût cinquante heures, tantôt il s'est plaint du peu de
travail et des inexactitudes d'un homme qui publie
seize volumes en trois ans; ses plaintes étaient surtout
très-intenses quand il se trouvait en avance avec moi
par comptes courants, comme cela se pratique entre
négociants, et ici je me présente sous la forme purement commerciale; je le remboursais alors avec intérêts et indemnités. Aucun de ceux qui ont traité avec
moi ne peut dire que je lui aie fait perdre un centime,
et ils ont palpé jusqu'à des bénéfices sur les ouvrages
que je n'ai point faits. J'ai de tous des *quitus* parfaitement en règle, et quand j'ai rompu des traités avec
eux, les indemnités ont été toutes arbitrées par eux
seuls ou par des tiers. Cette probité me coûte seize
mille francs dont j'ai les quittances. Le dernier avec
lequel j'ai terminé mes relations, m'a vendu mes propres ouvrages à raison de quatre et cinq francs le
volume. Il n'existe pas dans la librairie une seule maison ayant droit de me demander un sou, ni une page,
excepté madame Béchet [1], à laquelle je dois deux
volumes in-octavo qui terminent une publication de
douze volumes, commencée en 1834 *, et qui sera finie
en 1836. Je n'ai eu qu'un procès, à propos du *Médecin*

---

* *Eugénie Grandet* a paru en janvier 1834. (*Note de l'Auteur.*)

de campagne, et sur mon appel est intervenue une sentence arbitrale rendue au souverain, qui contient un
blâme sévère de la conduite de mon adversaire. Cette
sentence a résolu nos conventions et stipulé les indemnités que je devais comme bénéfices anticipés d'ouvrages à faire, et dont par de bien justes motifs, je refu-
sais de m'occuper; j'ai payé les indemnités, la quittance
est chez Mᵉ Outrebon, notaire.

Or, comme tous les livres vendus par moi aux éditeurs dont je me suis séparé judiciairement ou à
l'amiable sont épuisés, que j'ai leurs quittances d'indemnités pour les œuvres et que je n'ai pas voulu leur
donner, je ne sais ce qu'aucun d'eux pourrait me
demander. Des livres? quand ils ont eu les miens, ils les
ont vendus jusqu'au dernier. Pour ceux que je leur ai
promis et que je n'ai pas voulu leur livrer, quoi? des
indemnités? ils les ont fixées et touchées. Prétendraient-
ils avoir mes sympathies, mon amitié? Veulent-ils qu'en
me séparant d'eux pour des raisons valables sans doute,
je leur accorde un culte? Le libraire est un fermier de
littérature, on le prend et on le quitte quand on veut.
M. de Lamartine loue l'exploitation de ses ouvrages
pour dix ans moyennant une somme, M. de Chateaubriand vend définitivement l'exploitation des siens. Moi,
je ne fais de conventions que pour une seule édition.
Voilà tout. Du moment que pas un de mes anciens fermiers ne peut se plaindre d'un dommage, il me semble
que tout finit là de lui à moi. Mais de moi à lui, si je
le quitte, j'ai des raisons, et je n'en dois compte qu'à
moi-même.

Aujourd'hui, lassé de mécontentements qui peuvent
être réciproques, car souvent un auteur peut être aussi
insupportable à son libraire que le libraire l'est à l'auteur; aujourd'hui, madame Béchet, qui s'est montrée en

toute occasion fort délicate, quittant le commerce, j'ai
fait choix d'un seul libraire, de M. Werdet [1], qui réunit
toutes les conditions d'activité, d'intelligence, de probité que je désire chez un éditeur; il est probable
que les relations amicales qui doivent s'établir entre
un auteur et son éditeur ne seront jamais troublées;
car, outre ces qualités, il est plein de cœur et de délicatesse, comme beaucoup de gens de lettres peuvent
l'attester; tout me présage donc la plus grande tranquillité sur ce point. Je ne veux faire ici le procès à
personne, mais la compatibilité d'humeur en pareille
occasion est extrêmement nécessaire.

Si je vous initie à ces petites affaires domestiques,
c'est qu'à l'audience on m'a représenté comme un
homme sans foi ni loi, comme un juste milieu entre
le bédouin littéraire qui vit d'emprunts, vend des livres,
en touche le prix, ne les fait pas, et l'industriel qui
vend, comme mes adversaires, ce qui ne lui appartient
pas et ce qu'il sait parfaitement ne pas lui appartenir;
c'est qu'en présence d'hommes graves, un jour, un monsieur, en plein salon, a dit que j'avais vendu le même
ouvrage à deux libraires; que, sommé par un de mes
amis de nommer l'ouvrage et les deux libraires, mais
ne le pouvant, il s'est honteusement retiré; c'est qu'il
y a de par le monde bon nombre de gens qui s'amu-
sent à répéter ces niaiseries, parce que je n'ai pas
autant d'amis qu'il y a de niais; c'est qu'enfin voici
quatre ans bientôt que mes amis me supplient de
démentir mille billevesées dont je ris. J'ai entendu
dire que M. de Villèle, sorti du ministère comme il y
était entré, avait gagné quarante millions à la Bourse.
Et quoi sur M. de Peyronnet? et quoi sur tous les
hommes publics par cette presse sans dignité qui fait
de la France une petite ville à cancans? Hommes d'Etat

d'aujourd'hui, le journalisme vous traite comme vous
avez traité ceux de la Restauration. Demandez à
M. Thiers et à M. Guizot ce qu'ils pensent aujourd'hui
de la presse qu'ils ont dirigée?

Ce qui arrive dans la haute sphère des affaires
publiques se passe également dans la sphère littéraire.
Vouloir démentir un journal, c'est imiter le chien qui
aboie après une chaise de poste. Le numéro qui vous
tue ou vous déshonore en vous faisant voyager à Clichy
est bien loin de vous quand vous vous plaignez; ceux
qui ont lu l'attaque ne lisent pas toujours la réponse.
Je savais cela, je souffrais patiemment.

Le souffle venimeux de la presse a passé dernièrement sur le front pur d'une jeune femme dont le nom
est européen; voici le fait. Une charmante princesse,
souffrante et maladive, va respirer l'air de Naples, et
les journaux allemands annoncent qu'elle a été surprise par son mari avec un amant dans une loge, en
plein spectacle, et tuée par le prince; tuée!... entendez-vous? Elle n'était ni tuée ni surprise. Je crois
même qu'elle n'était pas encore arrivée à Naples. Tous
les journaux démentent le fait *quinze jours après!* Eh
bien, supposez qu'elle ait, par hasard, un Werther
inconnu d'elle? en Allemagne, cela se peut! Supposez
le malheureux apprenant cette fausse nouvelle. Je le
demande, dans cette double calomnie qui tue deux
choses, l'honneur et la femme, n'y a-t-il pas de quoi
amorcer le suicide? En présence d'un exemple aussi
éclatant, comment parlerais-je des misérables articles
de journaux publiés sur des ridicules que l'on me
prête! peut-être en ai-je quelques-uns comme tout le
monde a les siens, ce sont des amitiés bien cimentées
que nos ridicules; mais enfin je tiens aux miens et
n'en veux pas d'autres. Comment pourrais-je intéresser

le railleur public de ce temps aux petites infamies
mensongères dont on affuble un pauvre artiste, qui
lutte dans un coin avec sa plume? Que Dantan m'accorde la royale prestance de Louis XVIII [1]; que l'on
donne à mon boudoir (où personne de ceux qui en
parlent n'est entré) une fastueuse célébrité [2]; que
l'on s'attaque à ma fortune, en me mettant en prison
pour dettes, moi qui paye les miennes et celles des
autres quelquefois (commercialement, cela arrive); que
l'on célèbre fantastiquement un jonc surmonté d'une
pomme ciselée, comme trente personnes en portent de
plus riches, entr'autres le comte V..., qui a sur sa
canne un diamant de six mille francs, et à qui je dois
rendre cette justice qu'il l'a présentée à la mienne (au
moins cette plaisanterie était de bon goût); que ce
siècle si grand devienne si frivole; que notre pays, si
riche d'hommes éminents, s'amuse à les railler, à les
poursuivre de cris, en laissant les gamins de la presse
empressée de signer *Crédeville* sur tous les monuments
frais; je vous le demande, n'y a-t-il pas de quoi haus-
ser les épaules, sourire de pitié quand c'est pitoyable,
ou rire avec les rieurs quand le bouffon est drôle? Frédéric, voyant qu'une affiche faite contre lui était trop
haut placée, la fit mettre plus bas. Mais il était roi;
moi, je n'ai pas cinquante mille hommes pour faire
adorer mes vices et mes vertus, et, la plupart du temps,
les gens occupés ne savent rien de ce que l'on dit
d'eux, et n'apprennent les calomnies que par leurs
amis, qui s'en affligent ou s'en réjouissent.

Si donc quelques personnes trompées par les cari-
catures, les faux portraits, les petits journaux et les
mensonges, m'attribuent une fortune colossale, des
palais, et surtout de si fréquents bonheurs, que, si
l'on disait vrai, je serais à Nice, mourant de consomp-

tion, je leur déclare ici que je suis un pauvre artiste,
préoccupé de l'art, travaillant à une longue histoire
de la société, laquelle sera bonne ou mauvaise; mais
que j'y travaille par nécessité, sans honte, comme Ros-
sini a fait des opéras, ou comme Du Ryer faisait jadis
des traductions et des volumes; que je vis très-soli-
tairement; que j'ai quelques amitiés fidèles qui datent
de quinze années; que mon nom est sur mon extrait de
naissance comme celui de M. de Fitz-James est sur le
sien; que, s'il est celui d'une vieille famille gauloise,
ce n'est pas ma faute, mais que mon nom de Balzac
est mon nom patronymique, avantage que n'ont pas
beaucoup de familles aristocratiques qui s'appellent
Odet avant de s'appeler Châtillon, Riquet avant de
s'appeler Caraman, Duplessis avant Richelieu, et qui
n'en sont pas moins de grandes familles. Il n'est pas de
gentilhomme qui n'ait quelque nom primitif, son nom
de soldat franc. Les vieux contes apprennent aux enfants ces choses historiques avec Ogier le Danois, Re-
naud de Montauban et les quatre fils Aymon. Le nom
primitif de la maison de Montmorency; qu'on lui a si
sottement reproché en 1793, procède de la même source
que celui de la maison de Bourbon. Tout change de
face au XIXᵉ siècle, comme tout a changé de face deux
fois depuis l'invasion des Romains, depuis l'invasion
des hommes du Nord. La noblesse a péri en 1789 en
tant que privilèges; aujourd'hui il n'y a plus dans un
vieux nom que l'obligation de se faire un mérite personnel, afin de reconstruire une aristocratie avec les
éléments de la noblesse. M. de Chateaubriand, M. de
Lamartine dans les lettres; M. de Talleyrand dans les
congrès; beaucoup de généraux et de colonels de vieille
roche sur les champs de bataille ont montré par
quelle voie il faut procéder pour refaire l'édifice

abattu. Si mon nom sonne trop bien à quelques oreilles, s'il est enviable à ceux qui ne sont pas contents du leur, je ne puis y renoncer. Quoique l'on affecte de m'appeler d'Entragues, ce titre ne saurait m'appartenir; je sais parfaitement que le dernier marquis était grand fauconnier sous Louis XV, et qu'il n'a laissé qu'une fille mariée à M. de Saint-Priest. Je suis forcé de dire ces choses, afin d'être au-dessus des ridicules qu'on voudrait bien me voir accepter. Mon père était parfaitement en mesure sur ce chapitre, ayant eu l'entrée au *Trésor des Chartes.* Je ne suis point gentilhomme dans l'acception historique et nobiliaire du mot, si profondément significatif pour les familles de la race conquérante. Je le dis, en opposant orgueil contre orgueil; car mon père se glorifiait d'être de la race conquise, d'une famille qui avait résisté en Auvergne à l'invasion, et d'où sont sortis les d'Entragues. Il avait trouvé, dans le *Trésor des Chartes,* la concession de terre faite au v⁰ siècle par les Balzac pour établir un monastère aux environs de la petite ville de Balzac, dont copie fut, me dit-il, enregistrée par ses soins au parlement de Paris [1]. Mais ceci est tout à fait en dehors de la question; il suffit de savoir que je n'ai pas, Dieu merci, taché mon nom, que j'espère lui donner de l'éclat par moi-même et continuer ce que mon père a commencé. Mon père était, sous Louis XV, secrétaire du Grand Conseil, dont il rédigeait les arrêts [2]. Le cardinal de Rohan et M. de Calonne l'avaient pris à cœur; et, plus tard, il fit cause commune avec son ami de Bertrand Molleville [3]. Sans la Révolution, il aurait fait une haute fortune sous la vieille monarchie, qu'il a vue crouler. S'il a modestement achevé une vie commencée avec quelques espérances, c'est que, brisé par la Révolution, il s'est trouvé loin des affaires et dans une position

inférieure, enfin vieillard en 1814, et repoussé avec
M. de Molleville, qui déconseillait la Charte à
Louis XVIII. A seize ans, je tenais la plume sous leur
dictée, pour rédiger un long mémoire, au moment où
M. de Polignac et M. de Villèle refusaient de reconnaître la Charte. Et j'entendais M. de Bertrand, ce
vieillard de haute taille, blanchi dans les révolutions,
s'écrier : « La Constitution a perdu Louis XVI, la
Charte tuera les Bourbons! On peut aujourd'hui ne
pas la donner : plus tard, on ne la retirera pas sans
danger. Ceci ne tiendra pas; mourons en paix, mon
cher ami, nous avons vu le commencement, nos fils
verront la fin! » Pendant que ce fidèle ministre de
Louis XVI disait ces paroles, que j'écoutais en jouant
avec son portefeuille de ministre, Fouché disait à
Louis XVIII de se coucher dans les draps de Napoléon.
Ainsi, le vieux 93 et le vieux ministre de Louis XVI
étaient d'accord sur ce point. Mon père, mort en 1828,
Secrétaire au Grand Conseil sous Louis XV, est entré,
vous le voyez, jeune aux affaires.

Quelques charitables loustics demandent pourquoi
j'étais M. Balzac en 1826? Si j'explique ma vie, autant
expliquer tout. Quand un éloquent député de la Restauration se faisait imprimeur à la presse, et gagnait
trois francs en tirant le décret qui le condamnait à
mort, il n'avouait pas son noble nom. A Trieste, un
pair de France s'appelait M. Labrosse en se faisant
commerçant. M. le baron Trouvé mettait tout uniment :
Imprimerie de Trouvé. On doit avoir l'esprit de
son état, quand on en prend un; et je connais en ce
moment quelques enfants de familles illustres qui ne
mettent pas leurs titres en signant leurs lettres de
commerce. Ainsi ai-je fait. Ceci est la fable du *Meunier,
son Fils et l'Ane*. Comme je ne répondrai plus jamais

à quoi que ce soit, je suis forcé de descendre ici aux plus menus détails.. Aussi, pour en finir sur ce point, dirai-je qu'avec ou sans particule, mon nom a la même valeur. Pour rassurer les commentateurs, j'ajouterai que mon homonyme littéraire, l'illustre Balzac, l'auteur des *Lettres,* s'appelait Guers, et prit son second nom d'une petite terre située près d'Angoulême, comme M. Arouet s'appela M. de Voltaire. J'irai plus loin : je dirai que, si je m'appelais Manchot ou Mangot, que mon nom me déplût, ou ne fût pas sonore et facile à prononcer comme l'ont été tous les noms illustres, je suivrais l'exemple de Guers, de Voltaire, de Molière et d'une foule de gens d'esprit. Quand Arouet s'est appelé Voltaire, il songeait à dominer son siècle, et voilà une prescience qui légitime toutes les audaces.

En voilà, j'espère, assez pour démontrer combien j'ai le droit d'être insensible aux attaques dont mes livres, ma fortune négative, ma personne et mon nom sont l'objet. Passons à l'exposé des faits dans mon affaire avec la *Revue,* qui, en convoquant le ban et l'arrière-ban des calomnies, en les ravivant, les réchauffant depuis cinq mois, m'a obligé à ce préambule auto-biographique, qui aura le mérite d'épargner quelque peine aux faiseurs de notices. J'arrive à MM. Buloz et Bonnaire.

Un auteur et un éditeur font ensemble toutes les conventions qu'il leur plaît de faire, quand il s'agit d'une œuvre littéraire, et voici les miennes avec tous les journaux dans lesquels j'ai inséré des articles. Je concède au journal le droit de les publier dans le journal seulement, de les insérer purement et simplement, et de ne les réimprimer que dans le cas où il serait nécessaire de le faire pour compléter des collections; si le nombre des abonnés de 1836, par exemple,

était supérieur à celui des abonnés de 1833, et que
les souscripteurs de 1836 voulussent l'année 1833; enfin,
je rentre dans tous mes droits de propriétaire après
un terme fixé, pour faire de mon œuvre ce que je
veux, comme si elle n'avait pas été publiée.

Sous l'empire de cette convention, la *Revue de
Paris,* qui a publié *pendant trois ans* des plaintes heb-
domadaires sur l'abus des contre-façons, qui a nommé
Léopold CONTRE-FAÇON Ier, qui a si souvent fulminé des
imprécations contre la Belgique, que j'ai compté
soixante *articles* sur ce sujet, *la Revue de Paris* a
vendu à Saint-Pétcrsbourg *Le Lys dans la vallée,*
ouvrage devant former la valeur de deux volumes in-
octavo, qui se composait pour elle à l'imprimerie de
M. Fournier [1].

Le Lys dans la vallée a paru à Saint-Pétersbourg en
octobre, novembre et *décembre* 1835. Le premier article du *Lys dans la vallée* a paru à Paris, dans la
Revue, le *vingt-trois novembre.*

Pour que *Le Lys* parût en octobre à Saint-Pétersbourg, quand il ne devait paraître que le 23 novembre
à Paris, il faut, *vu les distances,* que M. Buloz l'ait
livré à Paris à quelqu'un en septembre, à mon insu;
cela est clair.

Vu nos conventions, je laisse les honnêtes gens
apprécier ce fait. Les conventions ne sont pas niées; et
comment aurait-on pu les nier? elles sont approuvées
par M. Buloz, et entre les mains des magistrats au
moment où j'écris.

Ceci n'est rien. Tout art a ses difficultés, chaque
artiste travaille à sa manière, les combattants attaquent
le taureau comme ils peuvent. M. de Chateaubriand a
fait de prodigieux changements entre ses manuscrits
et ce que l'on appelle *le bon à tirer.* Bien plus, j'ai lu

la préface d'une onzième édition d'*Atala* qu'il dit ne ressembler en rien aux précédentes éditions. Buffon a fait de même. Ingres, en peinture, procède ainsi; il a, dit-on, refait dix fois le *Saint Symphorien*. Je me suis laissé dire la même chose de Meyerbeer. Ce malheur atteint avant tout l'artiste; quant au spéculateur, il agit en conséquence. Je travaille ainsi, malheur qui m'oblige à ne dormir que six heures dans les vingt-quatre, et à en consumer près de seize à constamment élaborer mon pauvre style, dont je ne suis pas encore satisfait. Ce malheur, heureux en ce qu'il préserve le public d'une fécondité indéfinie, n'est ignoré de personne; il a dans la typographie une horrible célébrité; j'ai eu la plaisante surprise d'entendre crier dans l'atelier de M. Everat : *J'ai fait mon heure de Balzac; à qui à prendre sa copie.* Car les ouvriers font cela par corvée. Ces corrections vont souvent à quarante francs par seize pages (une feuille). La *Revue de Paris* me payait deux cent cinquante francs par feuille. Un jour, M. Buloz se plaignit si amèrement de mes corrections en disant que je ruinais la *Revue,* qu'impatienté, comme tout artiste l'eût été, je lui dis : Je vous abandonne cinquante francs pour avoir mes coudées franches, ne me parlez plus de ceci. Voilà qui va bien. Avec moi (on le sait!), les questions pécuniaires sont bientôt tranchées : j'affirme que, quand j'ai écrit ma *Lettre aux Ecrivains modernes* [1] [sic] sur les grandes questions de propriété littéraire, comme je parlais pour tous, je n'ai rien voulu recevoir, et la *Revue de Paris* serait fort embarrassée de me montrer mes quittances de *La Femme de trente ans* et de *Madame Firmiani*. On m'a dit que, de même que la dette d'un roi mort n'obligeait pas la couronne de France, une direction n'engageait pas l'autre. Ces conventions, relatives aux

corrections, ont été faites précisément pour *Le Lys
dans la vallée* et pour la fin de *Séraphîta*. Alors, pour
ne pas engager dans ces deux œuvres qui devaient être
volumineuses, et qu'on voulait publier sans interruption, une grande quantité de caractères, M. Buloz, à
l'aise avec cinquante francs par feuille, ce qui pour
vingt feuilles faisait mille francs, a fait composer en
vieux cicéro, nommé typographiquement *têtes de clou*,
TOUT LE MANUSCRIT du *Lys dans la vallée*, qui formait
les deux tiers de l'ouvrage, attendu qu'on a composé
cent quatre feuillets de mon écriture et que le manuscrit n'en a que cent trente-six. De cette composition (la
composition s'entend, en imprimerie, de toutes les
lettres assemblées en ligne, en colonne, ni paginées ni
divisées), il devait être tiré une seule épreuve pour
moi, sur laquelle j'allais opérer toutes les corrections,
et qui représentait comme un second manuscrit destiné à être recomposé dans le caractère de la *Revue*,
qui est en petit-romain. C'était d'un grand administrateur. Qu'a fait M. Buloz?

Il a demandé pour lui un second exemplaire, c'est
ce second exemplaire qu'il a vendu à Saint-Pétersbourg.

Ainsi, sachant que, sur seize pages de primitive composition, il ne restait pas souvent un seul mot dans le
bon à tirer, il a livré à Saint-Pétersbourg les informes
pensées qui me servent d'esquisses et d'ébauches. Non-
seulement il a vendu ce qui ne lui appartenait pas,
mais il a trahi à l'étranger la cause de la littérature;
il a fait le plus immense tort à l'écrivain.

Ainsi la lettre de madame de Mortsauf à Félix de
Vandenesse, qui fait seize pages de la *Revue de Paris*,
ne se trouve pas dans la *Revue de Saint-Pétersbourg;*
ainsi toutes les phrases sont tronquées; ainsi, dans
mon manuscrit, il y avait des *notes* pour m'expliquer

à moi-même, ce que je voulais exécuter, comme dans un *scenario* où l'on met : *Ici, la reine reprochera à Pyrrhus son infidélité.*

Eh bien, ces notes, ces phrases sans commencement ou sans fin, sont imprimées dans la *Revue de Saint-Pétersbourg*. Il existe dans cette *Revue* un endroit, le plus palpitant du livre, où vous lisez en grosses lettres : Contraste. Il se trouve au moment où vous verrez Félix de Vandenesse quitter pour la première fois la vallée de l'Indre, emportant la lettre de madame de Mortsauf. J'avais mis ce mot pour me souvenir de placer en cet endroit cette lettre, qui doit servir à faire ressortir la différence qui existe entre les Françaises et les autres femmes; car vous voyez, en effet, la pensée qu'elle inspire à Félix de Vandenesse, quand il a laissé madame de Mortsauf pour lady Dudley (voyez pages 232 à 240, tome 2.) Embarrassé de ce mot, l'éditeur russe en a fait un titre.

Mais le comble de la trahison et du tragi-comique, le voici! La préface de l'auteur, l'envoi de Vandenesse, qui raconte sa vie à une femme, le récit qui est, à proprement parler, l'ouvrage même, tout se suit sans division en Russie, où le cadre est alors dans le tableau. En effet, dans les imprimeries, les ouvriers composent ligne à ligne, sans s'informer des divisions, ni des chapitres. L'auteur indique tout à un chef, nommé *metteur en page,* qui scinde les chapitres, dispose enfin la matière typographiquement avec les titres nécessaires. Or, ce travail n'existant pas dans cette informe composition livrée à mon caprice et à mon scalpel, les ouvriers russes l'ont reproduite avec la fidélité du fabricant chinois qui, recevant pour modèle une assiette écornée, a écorné de même tout le service de porcelaine qu'on lui commandait, imaginant, en Chi-

nois adorateur du bizarre, que les Européens abandonnaient la théorie du beau idéal; en sorte que, dans
la *Revue de Saint-Pétersbourg*, ce qui est à la page 45,
est à Paris à la page 19. Les incorrections de langage,
les scories de la pensée qui bouillonnent dans l'encrier
de l'écrivain pressé de faire *son carton* avant de
peindre sa fresque, tout est publié en Russie. Quand je
me suis plaint de cette barbarie à un ami de M. Bellizard, il me répondit : Bah! les Russes n'y regardent
pas de si près. Pauvres Russes, qui nous lisez avec
beaucoup plus d'attention que les Parisiens, il a fallu
vous calomnier aussi!

Savez-vous, en présence de ce dol et de cet abus de
confiance, ce que dit M. Buloz dans la *Revue de Paris*
d'hier (p. 340), pour se justifier de ce qu'il y a dans
sa trahison de plus monstrueux? *L'éditeur de Saint-
Pétersbourg est obligé de soumettre à la police russe
tout ce qui s'imprime dans son journal; la censure
russe lui impose souvent des changements qu'il est
forcé de subir.*

Le malheureux! ceci est bon à dire aux niais, à ce
public qui gobe, sans les mâcher, toute espèce d'articles.
Ce que j'articule ici me semble assez accablant. La
Revue de Saint-Pétersbourg est entre les mains des
juges; je suis dispensé de donner des preuves; mais
les exigences de l'amitié m'en ont fait garder d'irrécusables.

J'ai, en un beau volume in-folio relié par Spach-
mann, et formant deux cent trente-huit pages, l'exemplaire de cette première composition en *têtes de clous*,
et dont il devait n'exister que cette seule épreuve; je
l'ai en ma possession, divisée en ces deux cent trente-
huit pages, coupées dans les colonnes, reportées chacune sur papier tellière, afin de pouvoir écrire mes

changements, mes ajoutés qui y sont, et, en conférant
la publication faite à Saint-Pétersbourg, dont les juges
ont un exemplaire, il est facile de voir qu'*il n'y a pas
une suppression ni un changement*. Les mots mal mis
y sont reproduits, tout cela est désespérant d'exactitude. Or, j'ai communiqué à M. le président du tribunal ce précieux volume; je lui ai montré la première
composition en têtes de clous, en lui faisant voir que
souvent une page en a fait seize, que des pages entières
sont biffées. Puis je lui ai montré un autre volume
dans lequel se trouvent les sept ou huit épreuves successives, toutes chargées d'ajoutés et de corrections,
qui ont été demandées par moi de la seconde composition, faite pour la *Revue* en caractère dit *petit romain,*
et qui prouvent d'énormes travaux entre cette seconde
composition et le *bon à tirer*. Puis, les *bons à tirer*
étant encore chargés de corrections, j'en ai composé
un troisième volume, dont j'ai fait hommage à M. le
docteur Nacquart, à qui mon livre est dédié.

L'homme est ainsi fait : commet-il une action blâ-
mable, il la veut justifier; il entasse alors mensonge
sur mensonge; puis, pour faire croire à sa véracité,
il a besoin de mettre en doute la loyauté de son adversaire; de là les calomnies. Moi de qui le métier est d'observer, je reconnais les fils déliés de cette trame intimement tissue dans l'âme par la passion; oui, tout
cela se tient, et me semble très-logique, très-bien conçu.
Mais, la main sur la conscience, un enfant jugerait
cela. Je ne puis montrer au public ces volumes à l'appui
de mes paroles, mais le magistrat les a vus.

Ainsi, non-seulement la vente faite en fraude de
mes conventions est avérée, mais ce qui surpasse aux
yeux des artistes ce délit, ce qui fait bondir le cœur
de l'homme amoureux de l'art, la lésion de l'œuvre

elle-même est irrécusable, et, comme je l'ai déjà dit, *la lettre de madame de Mortsauf,* formant seize pages de la *Revue,* ajoutée après la première composition, n'existe pas dans la *Revue étrangère,* dans la publication de laquelle la censure russe n'a rien ôté.

Vous comprenez que je n'ai appris ces spoliations et de ma pensée et de ma propriété que fort tard; j'étais en pleine exécution du *Lys,* je n'ai su tous ces dommages que vers le 23 décembre. Pour entamer l'instance, il fallait écrire en Russie, se procurer les pièces, car il y avait des délits que je persiste à croire condamnables; mais, appelé devant les juges ordinaires et ne courant pas après la vengeance, je me suis confié à leur justice, sans prévoir que le public connaîtrait de cette cause.

Vous comprendrez que, dans une vie occupée, un écrivain, qui se dispute avec la langue soir et matin, ne s'embarque pas volontiers dans le plus beau procès du monde; il me répugnait d'attaquer M. Buloz. Un rendez-vous fut pris, non pas chez moi, je ne voulais plus le recevoir, mais chez Jules Sandeau. M. Buloz vint, et je m'étais précautionné de témoins : c'étaient M. le comte de Belloy, M. Jules Sandeau et M. Emile Regnault; ces deux derniers étaient amis de M. Buloz; enfin, M. Bonnaire, l'associé de M. Buloz, l'accompagnait. Je leur reprochai vivement cette trahison, plus sur le fait littéraire que sur le fait pécuniaire, et voilà ce que je leur proposai : solder tous nos comptes avec la fin du *Lys,* et me le laisser, comme indemnité, publier aussitôt en librairie. M. Bonnaire traita ceci d'extorsion. Après leur avoir donné vingt-quatre heures de réflexion, je leur déclarai, sur leur refus de tout arrangement, que je discontinuais tout travail à la *Revue.* MM. Regnault et Jules Sandeau devinrent exclusivement mes amis après cette conférence.

MM. Buloz et Bonnaire calculèrent, en gens habiles, car ils sont habiles en ces sortes d'affaires, ils calculèrent que je ne pourrais pas les attaquer sans pièces, que les pièces n'arriveraient pas avant un mois, et ils m'assignèrent. Ainsi, moi qui devais être l'attaquant, je fus l'attaqué.

Voici sur quoi ils fondèrent leur demande :

Quand un écrivain donne par an vingt ou trente feuilles à une revue (ce que peu d'écrivains ont donné à la *Revue* depuis qu'elle existe), comme cela fait quatre ou six mille francs, il s'établit naturellement un compte courant. Tantôt je devais à la *Revue*, tantôt elle me devait, et je lui devais plus souvent qu'elle ne me devait, je dois le dire; car les hasards de la vie sont tels, que le travail n'est pas toujours en raison des besoins. Les gens de lettres qui m'attaquent sur tous les points, seront d'accord sur celui-ci. Mais, somme toute, mes comptes se soldent. Si la *Revue* ou le libraire y perd quelques intérêts, moi, j'y perds mes nuits. Je souhaite que chacun ait ses comptes aussi clairs et la conscience aussi nette que la mienne. Or, en décembre 1835, je devais à la *Revue* deux mille cent francs; mais elle avait dix feuilles (deux mille quatre cents francs environ) composées pour elle (la fin du *Lys*). Si nous n'étions pas bout à bout en argent, il y avait balance avec mon travail. Refusant de collaborer, je devais l'argent.

Comment le devais-je?

M. Buloz, homme d'une profonde instruction, sait tout, ou du moins a tout lu, car il a été longtemps correcteur d'imprimerie; je ne dis pas cela pour l'humilier, car moi, pour obliger un imprimeur, j'ai été typographe en mon nom [1]; et, par suite de cette affaire, j'ai perdu une somme considérable, aujourd'hui payée par les produits de ma plume, à quelques milliers de francs près; mais ce désastre me contraint à travailler encore pour réparer mon patrimoine. Voilà la cause de mes obstinés et rudes travaux. M. Buloz, donc, homme considérable en science, directeur de deux revues, et qui s'est brouillé avec M. Gustave Planche, avec M. Victor Hugo, pour des questions sans doute purement littéraires, sur lesquelles ils n'étaient pas d'accord; car il affirme dans son compte rendu du dimanche 29 mai, n'avoir jamais eu de difficultés avec qui que ce soit; M. Buloz, après neuf mois de travaux consécutifs faits par moi sur la fin de *Séraphîta*, dont la première partie était publiée en 1834; M. Buloz, de qui j'ai vingt lettres me demandant cette œuvre, s'avise de la trouver mauvaise, embrouillée, incompréhensible, de nature à faire tort à la *Revue*...

— Que fait alors un artiste? a demandé l'avocat de M. Buloz. Il a, s'est-il répondu à lui-même, dans ce cas, bien le droit de se retirer. Je réponds à l'avocat de M. Buloz que je ne le pouvais pas. Je devais. Mais un artiste de cœur dit : — Je reprends mon œuvre. Que me devait M. Buloz? Une indemnité. Savez-vous ce que je fis? Je lui dis : — Je paye les trois cents francs de frais fait depuis neuf mois sur la composition et je reprends mon œuvre. Si vous n'en voulez pas, M. Werdet, homme ignare, la ramassera.

M. Werdet paye, et publie *Le Livre mystique*, dans la huitaine qui suit la date de la quittance donnée par la *Revue* des trois cents francs de frais faits sur la composition de *Séraphîta*.

Remarquez qu'à l'audience, l'avocat de M. Buloz a dit au mien que je l'avais trompé, que l'on n'avait jamais pu m'arracher la fin de *Séraphîta;* tandis que

Mᵉ Boinvilliers tenait entre les mains une facture de la *Revue de Paris,* portant vente avec détail des frais de toute la composition de *Séraphîta,* livrée à M. Werdet avec cet acquit : *Pour M. Buloz,* ROLLET. La date de cette facture est du 21 novembre, et la date de la publication du *Livre mystique* est du 2 décembre, onze jours après la livraison des *bons à tirer* de *Séraphîta;* ce qui suppose que j'ai mis peu d'obstacles à l'impression, et qu'alors la fin de *Séraphîta* était donc prête pour la *Revue.* Tout ceci dérange un peu l'échafaudage des dates de M. Buloz, qui, dans sa livraison du 29 mai, en se livrant à d'agréables turlupinades sur des travaux qui ont duré neuf mois, et qu'il admirait alors, sinon comme littérature, au moins comme acte de persistance et de courage, a du moins prouvé que je me suis constamment occupé de *Séraphîta* depuis le mois de mars 1835 jusqu'en novembre. Quant à l'intervalle qui sépara la fin du commencement, il a été employé au dépouillement des livres dont je me nourrissais, et rempli d'ailleurs par *Le Père Goriot.*

Enfin, pour bien fixer ce point si audacieusement nié par l'avocat de mes adversaires, en pleine audience, et de là dans les journaux, je vais raconter un petit fait qui détermine bien les dates. M. Werdet, en rusé libraire qui aime les articles, dit à M. Buloz : « Si j'achète un ouvrage incompréhensible, il me faut votre secours pour le vendre; promettez-moi un article sur *Le Livre mystique* à la *Revue,* et bien favorable; j'en fais, dit-il en riant, une clause de la vente. »

M. Buloz promit : « mais, comme il s'agit de mysticisme, et que personne, à la *Revue,* n'est en état de faire des articles là-dessus, reprit-il, je vous trouverai un jeune homme à moi, qui, avec des indications, vous satisfera. »

Voici, pour confirmer cette clause de la vente faite le 21 novembre, une lettre de M. Buloz, écrite, datée, signée par M. Buloz, en date du 1ᵉʳ *décembre* 1835, où il est un peu question des corrections que je faisais alors sur le troisième article du *Lys dans la vallée*, tandis qu'il avait paru depuis deux mois à Saint-Pétersbourg. Je n'avais pas voulu, toujours par des motifs de convenances, avoir un article sur *Le Livre mystique* à côté d'un fragment du *Lys*. Voici la lettre :

Monsieur, nous n'avons pas encore votre livre*, il est bien difficile, par conséquent, de faire un article raisonné d'ici samedi sur *Séraphîta*. Si cependant il vous gênait trop de donner le troisième article du *Lys* pour ce numéro, je pourrais le remplacer par un autre; faites donc à votre convenance, et faites envoyer (vos placards) à mesure, pour qu'on ait bien le temps à l'imprimerie de faire vos corrections.

Votre dévoué,

BULOZ.

L'article parut. La *Revue*, assez sotte vis-à-vis de l'abonné, auquel on avait solennellement promis la fin de *Séraphîta*, que *Le Livre mystique* publiait, prit le parti de la raconter de point en point, avec de froides réflexions, sans cette bonne grâce que trouve M. Buloz pour *ses* auteurs; je ne fais cette remarque que parce que l'auteur était à sa dévotion; mais les mauvaises plaisanteries continuées sur *Séraphîta*, dans la *Revue* de dimanche, expliquent assez l'aigreur de l'article sur *Le Livre mystique*.

Ceci est catégorique, concorde avec tout ce que je

* Il parut le 2; mais M. Werdet avait promis à M. Buloz les bonnes feuilles. (*Note de l'Auteur*.)

viens de dire sur *Séraphîta*, et contredit cruellement les mensonges que MM. Bonnaire et Buloz ont mis dans la bouche d'une des lumières du barreau; ces pièces démentent les allégations et les dates de l'article publié hier dans la *Revue*, sur l'impossibilité où l'on était d'avoir la fin de *Séraphîta*.

Combien de mains, de cerveaux, supposez-vous à l'homme qui imprime *Le Livre mystique* chez Beaudoin, du 21 novembre au 4 décembre, qui publie *Le Lys* dans la *Revue*, et *La Fleur des pois* (fin octobre) chez madame Béchet? Dites-moi, vous qui m'avez représenté comme un artiste qui commence tout et n'achève rien, est-ce donc d'un flâneur ces publications obstinées dans leurs dates? Je me souviens qu'en novembre et décembre, je revoyais *Le Médecin de campagne* en troisième édition.

Quelle récompense de tant de travaux? L'insulte devant la justice!

Le Livre mystique, imprimé chez Beaudoin, fut vendu en dix jours; réimprimé chez Bourgogne le onzième [jour], il parut en deuxième édition un mois après la première édition. C'était du bonheur pour de l'inintelligible. Je commençai à croire que M. Buloz ne l'avait pas lu : c'était vrai; il nous l'avoua dans la conférence où se trouvaient MM. de Belloy et Emile Regnault. Ma fierté d'écrivain me coûtait huit feuilles à deux cents francs la feuille; ce qui m'enlevait un avoir de seize cents francs dans mes comptes avec la *Revue*. Ainsi je lui devais toujours.

Alors, nous substituâmes *Le Lys dans la vallée* pour solder mes comptes.

Donc, ces messieurs, fort du reliquat, m'attaquèrent en me réclamant : 1° la suite du *Lys*; 2° les *Mémoires d'une jeune mariée*, et demandèrent une somme exor-

bitante de dommages-intérêts, en s'appuyant surtout
sur la somme dont j'étais débiteur, qu'ils divisaient
sur ces deux ouvrages, quoique l'un remplaçât évidemment l'autre; car, tous les jours, entre auteurs et directeurs de revues, on change de projets. La preuve en est
dans le refus de *Séraphîta*. Mais, sur ce point, il y a
quelque chose de plus clair et de plus décisif, qui est
une lettre d'envoi de M. Buloz avec mon compte, où
M. Buloz met en bloc *Le Père Goriot, Séraphîta, Le Lys
dans la vallée,* d'un côté; puis, de l'autre, les sommes
que l'on m'avait remises à diverses époques. Ce compte
embrasse deux années, et prouve victorieusement ce
que mon avocat a dit à ce sujet. Or, cette pièce est
entre les mains des juges. Je n'en suis pas réduit à des
allégations, moi. Je ne me livre pas à des plaisanteries
pour justifier des assertions mensongères; je dis : *Telle
chose est,* et je donne tout bonnement, sans plaisanterie, la pièce probante, signée des adversaires ou écrite
par eux.

Quant à la demande des deux mille cent francs du reliquat, je fis des offres réelles par huissier; sur le refus
de ces messieurs de prendre le solde, je les déposai
à la caisse d'amortissement, dont le récépissé se trouve
entre les mains du juge.

Ici se révèlent des faits de nature à corroborer ce
que je vous disais pour expliquer la logique de mes
adversaires. Tous deux m'avaient menacé de réveiller
les dogues faméliques de la presse contre moi, de m'attaquer; l'on sait à Paris ce que signifie : *Je vous ferai
empoigner par les journaux!* Cela veut dire : « Je
vous calomnierai, je dirai que vous ne vous nommez
pas par votre nom, que vous me devez de l'argent,
que vous êtes sans foi ni loi. » Je ne sais pas comment
les tribunaux entendront le respect dû à la justice; ils

punissent sévèrement les comptes infidèles de leurs séances; eh bien! voici par où M. Buloz a commencé le procès. J'étais assigné à comparaître *un vendredi,* 12 janvier (je crois); le mardi précédent, trois journaux annoncèrent, Dieu sait avec quels commentaires! que j'étais condamné. Cette annonce excita un déluge d'articles.

Je n'avais aucune preuve que ces articles émanassent des revues et de M. Buloz, mais il était clair que ce n'était ni moi ni mon avoué qui en étions les auteurs; mais voici que *hier, dimanche, 29 mai,* dans la *Revue de Paris,* M. Buloz, dans une note, se sentant bien coupable à cet endroit, dit qu'il entendait parler d'un jugement par défaut.

Je ne puis pas aller crier aujourd'hui aux magistrats de la première chambre : « Messieurs, voici la procédure, vous avez un greffe, *il n'y a jamais eu de jugement par défaut.* J'étais assigné pour le 12, et, avant ce jour, la nouvelle de ma condamnation courait par toute la France. » En ce moment, nous ne sommes plus devant nos juges, mais je le crie au public, devant lequel vous me traînez. Je vous donne les *Mémoires d'une jeune mariée,* M. Buloz, et il y a quelque chose de gracieux à moi, à vous faire un présent qui vous sera de quelque utilité, je vous les donne gratis, si vous pouvez produire dans votre sale procès un jugement par défaut!

Maintenant, j'ai quelque orgueil à raconter cette histoire; elle est instructive; elle prouvera, certes, à tous ceux qui me liront que l'on nous vend cher la triste célébrité littéraire, que nous avons de secrètes agonies, que les travaux de l'intelligence sont accompagnés de persécutions horribles, que les spéculateurs, les entrepreneurs sont de cruels bourreaux, car ils gehennent affreusement des intelligences qu'ils devraient laisser calmes, dans leur intérêt bien entendu, quand elles sont laborieuses. Vous voyez que ces messieurs préparaient leur rôle pour l'audience où nous arrivons.

Je n'ai que des remerciements à adresser à l'avocat que MM. Buloz et Bonnaire ont chargé de contrôler les épaules de cette timide madame de Mortsauf; il s'est très-spirituellement moqué de mon œuvre, et nous sommes dans un pays où la plaisanterie consacre à jamais les œuvres qui lui résistent. Si *Le Lys* n'a pas été coupé par cette ironie fine et tranchante, mon livre aura subi des charges assez fortes pour ne plier sous aucune critique de feuilleton; d'ailleurs, les feuilletons sont dépassés, ils seront pâles après l'avocat. Si je n'avais pas été absent, si j'avais été au Palais, j'aurais ri moi-même des agréments qui ont fait de cette cause, si sérieuse par la parole haute et grave de mon avocat, une *cause grasse* dont les juges ont commencé par rire. Mes remerciements ne s'arrêtent pas là. L'avocat de MM. Buloz et Bonnaire est une des célébrités du barreau, nous le savons; mais sait-il lui-même combien je lui dois de gracieusetés pour son talent de chasseur? Ses clients lui ont apporté des lettres qui ont fait lever en pleine audience deux pièces de gibier. En allant chercher M. Pichot, en lisant sa lettre, l'avocat de M. Buloz savait-il qu'il apportait sous ma plume un médecin qui, ne pouvant me tuer comme D. M. P. essaie, depuis trois ans, de me tuer littérairement. Nous arrivons à l'une des maladies dont je suis affligé; car je suis indisposé de M. Pichot comme on est malade de la poitrine; j'ai sur les épaules *Le Perroquet* de Walter Scott.

Ici, je vais expliquer l'emploi des mots de *dignité personnelle* par lesquels j'ai justifié mes deux refus de collaboration à la *Revue de Paris*. M. Pichot me servira de transition.

MM. Véron et Rabou ont successivement dirigé la *Revue de Paris;* j'ai été de leur part l'objet de procédés gracieux, continuellement polis, sans mécomptes, et je les ai toujours trouvés pleins d'obligeance. Il y a deux raisons de ceci : d'abord, tous deux peuvent écrire de bons livres; ne se souciant point d'en faire, ils n'étaient point jaloux, comme hommes, de succès qui les enchantaient comme directeurs. Puis, par une fierté bien ou mal placée, je pense qu'il y a peu de convenance à faire parler de ses œuvres dans un recueil où l'on publie beaucoup d'articles. Le public sait qu'on ne peut pas dire du mal d'un homme chez lui; et l'on est comme chez soi, dans une Revue où l'on écrit habituellement. La plupart des gens de lettres sont d'un autre avis, je ne les blâme pas. J'ai par conviction un autre sentiment. Les articles de journaux ne peuvent rien contre un bon livre, et ne servent qu'à protéger les mauvais; je n'ai jamais demandé à qui que ce soit un article; j'ai sur ce sujet la plus profonde indifférence. Or, comme je n'ai point d'exigences, et que je ne demande rien à mes collaborateurs, ni aux directeurs de Revues, il est bien difficile de ne pas s'accommoder d'un ouvrier littéraire, excessivement laborieux, qui apporte des falourdes à la cheminée des Revues, et qui s'en retourne avec son argent. M. Pichot était, disons-le, beaucoup plus homme de lettres que médecin; mais il reste toujours un peu du médecin chez lui. En effet, quand M. Pichot est venu diriger la *Revue de Paris,* il a trouvé plaisant de m'administrer des pilules extrêmement amères pour corriger ma trop grande confiance en moi-même; ayant peu de malades en ville, il a entrepris de guérir des titillations de la vanité les gens qu'il avait sous la main. Naturellement, quand un homme marche seul et sans appui, ne reçoit que des boulets ramés dans son esquif, il a besoin de croire en lui pour continuer sa route. Souvent peut-être s'exagère-t-il sa force, sa puissance; l'usage de l'énergie cérébrale peut en amener l'abus. D'ailleurs, pour prendre la plume, il faut bien s'imaginer que l'on va écrire quelque chose de bon; si l'on croit n'avoir que de détestables idées à exprimer, que des aventures flasques à raconter, il vaut mieux se faire médecin et tuer le monde que de l'ennuyer; car les morts ne se plaignent pas, tandis que les vivants ennuyés sont bien bavards, et vous font un mauvais renom. Pour empêcher les rechutes d'un malade, il faut lui faire éviter les causes de la maladie, et M. Pichot, qui tenait à guérir les écrivains de leurs accès de vanité, a imaginé de leur ôter l'occasion d'écrire. C'était logique à la manière de M. Prud'homme : *Otez l'homme de la société, vous l'isolez.* M. Pichot travaillait, sous trois pseudonymes, au détriment des rédacteurs de la *Revue* : M. Pickersghill, Sheridan Junior, et H.-C. de Saint-Michel, je crois; mais sans compter M. Amédée, M. Pichot et M. A. et M. P. et M. A. P., tous rédacteurs qui ne reparurent jamais quand M. Pichot eut quitté la *Revue*. M. Pichot serait peu flatté si je publiais le compte des pages glissées par lui sous ces noms, *regnante Pichot;* je lui en fais grâce. Il écrivait lui-même *L'Album.* Or, pendant que je recevais des lettres élogieuses du directeur, Pickersghill, Sheridan, surtout ce terrible H. de Saint-Michel me mordaient, *L'Album* me donnait des férules. J'étais le héros de la littérature secondaire, etc.; enfin, j'avais un picotin de lardons qui m'atteignait hebdomadairement et partait d'Ecosse, de Londres, de Paris.

Il y a des gens qui me croient observateur, eh bien, j'ai cru à Sheridan Junior, malgré ses balourdises; j'ai cru à Pickersghill, j'ai cru à Saint-Michel, et j'ai cru à P..., jusqu'au jour où, venant corriger une épreuve à l'imprimerie, j'ai découvert que M. Pichot était le Cardillac de cette bande de critiques, qui en voulait à ma pauvre bijouterie littéraire. Malheureusement, mes amis, qui prennent ma gloire au sérieux, les flatteurs! qui surtout veulent qu'un homme ne soit pas plaisanté dans sa maison, car alors *il perd de sa dignité*, s'étaient aperçus, et aussi un peu mes éditeurs, que, si la *Revue de Paris* payait bien mes articles, elle était horriblement hostile à mes ouvrages publiés en volumes, et ils me dirent : — Vous avez donc bien besoin d'argent pour recevoir les étrivières dans la *Revue*, qui vous déclare qu'elle ne peut pas se passer de vous (car ce mot *la providence des Revues*, que l'on m'attribue sur moi-même, date de cette époque); je sentis combien cette situation était peu convenable, et, pendant que je faisais *Ferragus, chef des dévorants*, la *Revue* devenant de plus en plus hostile à l'écrivain, je la quittai pour aller à *L'Europe littéraire*. J'éprouvai même des désagréments si nauséabonds, car la médecine perçait toujours un peu sous la direction, que, mes obligations finirent avant la conclusion de *Ferragus*, histoire complète et entière, au-delà de laquelle il n'y avait plus rien à publier. Je signifiai brièvement mes intentions.

Voici la lettre que M. Pichot a écrite à M. Buloz sur ce sujet :

« Paris, 16 mars 1836.

« Monsieur,

« En réponse à la demande que vous me faites

l'honneur de m'adresser, je dois déclarer qu'en effet M. de Balzac, après avoir inséré la première partie des articles intitulés *Histoire des Treize* dans la *Revue de Paris,* que je dirigeais alors, en vendit la suite à un autre recueil. M. de Balzac a prétendu, depuis, qu'il n'avait discontinué sa collaboration que par des motifs de dignité personnelle. Mais sa dignité lui paraissait si peu compromise, qu'il ne me laissa pas ignorer que la *Revue de Paris,* dont il se disait poliment l'obligé, aurait toujours la préférence en lui accordant l'augmentation de prix qui lui était offerte ailleurs. J'aurais peut-être, je l'avoue, subi la loi de son talent et contribué aux enchères, si je n'avais cru la dignité de la *Revue* tout aussi intéressée à la question que la dignité de M. de Balzac.

« Agréez, etc.

AMÉDÉE PICHOT. »

M. Pichot a oublié, en écrivant cette letre, une quittance motivée, que voici, donnée en mars 1833 :

« Je soussigné, directeur de la *Revue de Paris,* reconnais que les deux cent quarante pages que M. de Balzac devait fournir à la *Revue de Paris,* aux termes du traité signé entre M. de Balzac et moi, finissent à la page 313 du quarante-huitième volume de la *Revue de Paris,* et qu'à dater de cette livraison, M. de Balzac ayant, suivant les clauses du traité, résilié ses engagements, les articles que fournira M. de Balzac après le dernier paragraphe de la première *Histoire des Treize,* qu'il a reconnu devoir être réglée à raison de deux cents francs la feuille, seront l'objet de conventions nouvelles.

« AMÉDÉE PICHOT. »

Puis, parmi beaucoup de lettres excessivement élogieuses que M. Amédée Pichot me fit l'honneur de m'écrire à cette époque, je choisis celle-ci, que le lecteur comprendra parfaitement, après les explications que je viens de donner :

« Paris, mercredi 10 avril [1833.]

« Monsieur,

« On m'a dit que vous vous étiez cru directement attaqué dans une réponse ironique de la *Revue de Paris* à l'annonce que nous a lancée *L'Europe* au moment de notre renouvellement. Cette réponse est de moi, de moi seul, et ne s'adresse qu'à *L'Europe*. Mais je déclare que j'ai parfaitement compris qu'elle serait en même temps une réponse à ceux qui ont usé de leur droit pour nous abandonner. Ce n'est pas vous seul; si c'est un peu vous, c'est vous moins que d'autres, car je me plains surtout de mes amis en cette circonstance, et vous avez fait plus pour la *Revue* que certains d'entre eux, puisque vous avez fait des réserves pour elle. *Je ne vous ai jamais rendu à la* Revue *de service d'ami* *; je n'ai été pour vous que le directeur* : c'est le directeur seul qui doit être blessé de ne pas être assez riche pour payer aussi cher que *L'Europe*. Puisque la littérature est un commerce **, pourquoi n'y aurait-il pas des enchères en littérature? Un jour, la *Revue de Paris* pourra renchérir à son

---

* Sheridan Junior, Saint-Michel, A. et P. lui donnaient des remords. (*Note de l'Auteur.*)

** M. Pichot est le seul à Paris qui travaille par amour de l'art, et il n'a jamais eu d'ateliers de rédaction pour arranger des mémoires, comme il y en a à Londres pour les gravures. (*Idem.*)

tour *. D'ici là, elle est forcée de répondre commercialement à des annonces commerciales; il est permis de ne pas se laisser égorger comme des moutons d'Agnelet; il n'est pas prouvé que nous ayons la clavelée encore.

« Je ne vous dissimulerai pas, monsieur, qu'il se prépare contre vous des attaques d'amour-propre, par suite de la préférence que vous donne *L'Europe,* sans doute par suite des regrets que j'exprime, car je ne suis pas des derniers à louer ce qu'il y a de remarquable dans votre talent; il y a long-temps que je l'ai dit et imprimé, j'espère le dire long-temps encore. Ces attaques, monsieur, ne viennent point de la *Revue de Paris,* qui en sera fâchée, au contraire, espérant toujours vous retrouver, ne pas vous perdre même à présent. Je ne vous en parle que parce que vous avez paru voir une attaque exclusivement dirigée contre vous dimanche dernier. Règle générale, monsieur, j'avoue toutes mes actions et tous mes écrits. Je suis même en position d'accepter quelquefois une responsabilité qui n'est pas la mienne. Dans l'occasion, adressez-vous donc directement à moi : je ne recule jamais devant une explication.

« Je vous dois ici une observation. Il m'est revenu que vous donniez ailleurs la suite des *Treize.* Je ne sais pas alors jusqu'à quel point vous pouvez laisser subsister la note qui terminera votre *Ferragus,* car il ne serait pas juste que nous fissions l'annonce de deux articles que nous n'aurions pas. Remarquez que cette *Histoire des Treize,* dont je vous remercie d'ailleurs bien franchement, coûte plus de mille francs de frais *extra* à la *Revue de Paris.* Je suis donc prêt à accepter la suite ou du moins une partie de la suite. Il ne

* M. Buloz a renchéri sur M. Pichot, mais dans les procédés seulement. (*Note de l'Auteur.*)

serait pas juste que, quelque mérite qu'il y ait dans la *Théorie de la démarche,* cet article se trouvât notre seule ressource pour lutter contre l'intérêt si puissant, si révolutionnant de l'*Histoire des Treize.* Du reste, je n'ai d'objection que sur le titre que vous donnerez aux articles qui ne sont pas notre lot.

« Je reste, monsieur, toujours prêt à vous contenter, et j'espère même avoir d'ici à un mois, l'autorisation dont je vous ai parlé. Dans ce sens, moi directeur, je serai même servi par le sentiment que fera naître la perte de vos articles à nos actionnaires.

« Mille compliments.

« AMÉDÉE PICHOT. »

Les commentateurs peuvent se trouver très-embarrassés de concilier la lettre envoyée à M. Buloz, lue au tribunal, et imprimée dans les journaux pour achever l'œuvre de ma déconsidération entreprise sur soumission cachetée, avec la quittance et la lettre que je rapporte, forcé par la nécessité de trahir mes habitudes et l'éducation que j'ai reçue. Je ne sais pas pourquoi M. Pichot a publié *Le Perroquet de Walter Scott,* car il a peu de mémoire; il a oublié même qu'en allant porter ma rédaction à *L'Europe littéraire,* je fis des réserves, comme il le dit, pour la *Revue,* quand ses amis l'abandonnaient complètement. *Ne touchez pas à la hache*[1], deuxième épisode de l'*Histoire des Treize,* était composé sous les yeux de M. Pichot, en même temps que je finissais *Ferragus,* dans la même imprimerie, chez M. Everat, où je corrigeais les épreuves de l'un et de l'autre journal. La quittance est du mois de mars 1833, et *Ne touchez pas à la hache* a paru avant mon traité avec *L'Europe littéraire* dont M. Pichot parle dans sa lettre du 10 avril. Cette lettre im-

plique par sa contexture que j'ai commis quelque énor-
mité envers la *Revue*, que j'ai commencé quelque travail, et que je l'ai abandonné. L'avocat de M. Buloz
l'a produite avec triomphe : « Messieurs, voilà ce qu'est
M. de Balzac! Il n'en fait jamais d'autre; il commence
des œuvres intéressantes et ne les achève jamais. »

Oui, mes adversaires ont poussé un spirituel avocat
à dire ces choses d'un écrivain qui, en sept ans, a produit *trente-sept volumes in-octavo*, dans lesquels sont
contenus environ cent ouvrages différents, et qui, à
l'heure où j'écris, n'a que *Le Cabinet des Antiques* et
Les Héritiers Boirouge [1] sur le métier.

Que résulte-t-il de la quittance motivée de M. Pichot?
Qu'en mars 1833, mon traité se trouvait rempli, que je
pouvais m'en aller et laisser *Ferragus* à la 313ᵉ page de
la 48ᵉ livraison de la *Revue*, et que je pouvais exiger
un grand prix d'un homme qui me rendait de fort
mauvais services (*voir sa lettre*), et que j'ai consenti,
pour le journal, à l'achever sur l'ancien prix. Pour un
homme qui a l'habitude de prendre la poste et de s'en
aller à l'étranger, distraction assez naturelle aux
hommes d'étude accablés de travaux, il me semble qu'en
cette circonstance ma conduite est celle d'un homme
qui tient au-delà de ses engagements. Je ne demandai
mon congé définitif, signé dans la quittance, que pour
avoir le droit de publier *Ne touchez pas à la hache*,
car M. Pichot m'avait imposé l'obligation de ne travailler que pour la *Revue*. J'ai expliqué pourquoi je la
quittais. M. Pichot m'offrit alors au-delà de ce que je
demandais, car il voulait convoquer les actionnaires,
comme il me le dit dans sa lettre, pour être autorisé
à me payer plus cher que ne payait *L'Europe littéraire;*
mais, quand on se retire avec dédain, il me semble que
l'on est loin de demander quelque chose, et la lettre

de M. Pichot (celle de 1833) ne me montre pas l'obligé de la *Revue* comme celle de 1836.

Je n'ai pas achevé *Ne touchez pas à la hache* dans *L'Echo de la Jeune France,* pour la raison que voici. Le directeur de ce journal avait publié, *sans mon bon à tirer,* tout un chapitre qui parut en France dans l'état où *Le Lys* a paru en Russie; il s'ensuivit un débat très aigre, des plaintes du directeur, car, quand on a tort, on se plaint de celui qui a raison. Comme il m'avait très-sollicité, je suis comme les femmes, je n'aime pas les paroles dures et les moqueries quand on a obtenu ce que l'on a très fort désiré; je voulus rompre, et je rompis. Mais voici une pièce qui prouve que j'ai pu faire en cette occurrence ce qui m'a plu :

« Je soussigné, gérant de *L'Echo de la Jeune France,* reconnais avoir reçu de M. de Balzac la somme de deux cents francs, restant dûe par lui sur celle que je lui ai remise pour prix de deux articles intitulés : *Ne touchez pas à la hache,* après balance faite du nombre de pages fournies et des paiements faits. Je reconnais qu'au moyen de ladite remise, il n'est plus rien dû par M. de Balzac à *L'Echo de la Jeune France,* et que la propriété desdits deux articles lui revient tout entière quatre mois après leur publication dans *L'Echo de la Jeune France,* auquel il n'en a, suivant convention verbale, concédé que l'usage pour la publication dudit journal.

« Bon pour quittance et soldé de toute compte.

« Paris, 15 octobre 1833.

« J'approuve pour faire la paix avec M. de Balzac.

FORFÉLIER. »

Est-ce clair? Voyez-vous la clause sans laquelle je ne traitais avec personne, *suivant mon usage?* Le procès qu'on me fit à l'occasion du *Médecin de campagne* m'avait éclairé. Et moi, travailleur hâté, laboureur pressé d'ensemencer ses champs, depuis ce jour, j'ai été forcé de tout mettre par écrit, de verbaliser à tout propos; c'est ce qui fait que je puis aujourd'hui accabler de preuves et d'actes mes adversaires.

Je crois qu'en lisant ces pièces authentiques, irrécusables, l'avocat de mes adversaires aura quelque regret d'avoir épousé, comme le lui a dit Me Boinvilliers, les passions haineuses de ses clients, qui supposent un jugement, font attaquer un homme seul par vingt journaux, pour étouffer sa voix, qui va crier leur indélicatesse, une vente faite en fraude de mes droits, la contrefaçon des langes d'un livre; qui va dévoiler un acte que Walter Scott qualifierait en disant qu'ils ont noyé le chevreau dans le lait de la mère, en vendant une œuvre informe, un fœtus littéraire, qu'ils savaient ne devoir être amené à terme qu'après six mois de travaux obstinés faits dans l'intérêt commun de la *Revue* et de l'auteur.

Ici se place la lettre que M. Buloz a demandée à M. Capot-Feuillide, qui, *comme vous le savez*, a dit l'avocat des adversaires, est *un homme distingué*. Je distingue en M. Feuillide plusieurs hommes, l'homme politique, beaucoup plus distingué que ne l'est l'homme littéraire; l'homme littéraire, qu'il n'est pas dans mes habitudes de juger; le directeur de journal, de qui je possède une lettre que je lui rendrai sans la publier : procédé chrétien; mais je déclare que, de la discussion, il va ressortir que je n'ai affaire avec aucun de ces différents personnages. Voici la lettre obtenue par M. Buloz de la magnanimité de M. Feuillide :

« Vous me demandez pour quelle cause M. de Balzac ne donna pas à *L'Europe littéraire*, quand j'en étais le rédacteur en chef-propriétaire, la suite d'*Eugénie Grandet,* dont il nous avait donné le premier paragraphe; je suis en mesure de vous satisfaire, d'autant plus qu'en cela *L'Europe littéraire* n'a éprouvé que ce que bien d'autres recueils ont éprouvé avant et depuis. M. de Balzac avait touché une très-forte somme en avance, (douze cents francs, je crois..., oui, douze cents francs), et il nous donna la *Théorie de la démarche,* d'abord. Mais cette *Théorie* était fort loin d'avoir libéré l'auteur envers nous.

« *Eugénie Grandet* fut annoncée, et il en parut le premier chapitre. Ce chapitre paru, M. de Balzac voyage je ne sais où : par exemple... à Clichy ou en Savoie, comme il lui arrive souvent. Un sien parent ou ami nous vient un jour, qui nous dit que M. de Balzac exigeait, pour nous donner la continuation d'*Eugénie Grandet,* l'énorme somme de deux mille francs, avant même que nous eussions une ligne de cette suite. Quelque beau que soit devenu le sujet d'*Eugénie Grandet,* nous trouvâmes que c'était le payer cher; surtout si l'on veut bien considérer que, par les frais de remaniement, les corrections chez l'imprimeur, la nouvelle de M. de Balzac se serait montée à quatre mille francs au moins.

« Notez encore que le prix de deux mille francs était le double de celui que nous aurions dû à M. de Balzac, en suivant le traité verbal fait avec lui pour le prix de ses œuvres. Cette manière de nous demander de l'argent nous déplut.

« Nous n'eûmes donc pas la suite d'*Eugénie Grandet,* dont nous avions le premier chapitre..., fort bien payé, ma foi!

« Faites l'usage que vous voudrez de ma lettre, qui dit toute la vérité.

« A vous d'estime et d'amitié.

Signé [*sic*] : FEUILLIDE. »

Si l'on me demande pour quelle cause je n'ai pas donné à M. Feuillide, rédacteur en chef et propriétaire de *L'Europe littéraire*, la suite d'*Eugénie Grandet*, dont j'avais donné le commencement à *L'Europe littéraire*, je suis en mesure de satisfaire le public, qu'il met dans la confidence de ceci, moins parce qu'il est le public que parce qu'il s'agit d'assommer M. de Balzac. Je n'ai point donné mon œuvre à *L'Europe littéraire* de M. Feuillide, parce que j'ai très-énergiquement refusé d'y participer en quoi que ce soit. *L'Europe littéraire* de M. Feuillide n'était pas plus *L'Europe littéraire* de M. Lefebvre que celle de M. Lefebvre n'était celle de M. Bohain. Cela signifie qu'il y a eu trois sociétés pour *L'Europe littéraire* : 1º celle de M. Bohain qui a été dissoute et liquidée par M. Bohain, lequel a payé tout ce qu'elle devait aux papetiers, aux imprimeurs et aux gens de lettres, les seuls créanciers possibles d'un journal! Cette entreprise gigantesque et mal comprise a cessé parce que les actionnaires n'ont versé que les deux tiers de leur mise sociale, et M. Bohain, comme gérant, a tout liquidé à ses dépens.

Puis il a cédé *L'Europe* comme journal à une société nouvelle, dont M. Lefebvre a été le gérant. Moi qui n'avait rien mis dans *L'Europe* de M. Bohain qu'une histoire de Napoléon extraite du *Médecin de campagne*, je travaillai beaucoup à la deuxième *Europe littéraire*, dont M. Lefebvre était le gérant. Le gérant d'une société est le seul administrateur légal; sachons bien ceci. Mais cette société, voyant qu'il fallait énor-

mément de fonds, s'assembla pour se tâter les capitaux; il fut résolu d'abandonner *L'Europe*. Dans ces
conjonctures, *Eugénie Grandet* parut. Comme la société
allait se dissoudre et que nous ne savions pas dans
quelles mains tomberait le journal, je déclarai à l'un
des hommes les plus éminents de la justice consulaire,
et qui aujourd'hui occupe une fonction élevée dans
le corps municipal de la ville de Paris, qui alors était
bailleur de fonds de cette deuxième *Europe*, que je
ne continuerais pas *Eugénie Grandet,* s'il quittait le
journal, parce que, s'il ne lui donnait pas ses fonds, lui
homme riche, je ne donnerais pas ma prose, moi
homme pauvre, parce que *six mille francs,* qu'il devait
ajouter aux six mille francs perdus, étaient moins
pour lui que *deux mille francs* pour moi. Je ne cite
pas le nom de ce magistrat, il n'est pour rien dans
tout ceci, il peut regarder la presse comme très-veni-
meuse, il peut ne pas aimer à figurer dans une affaire
judiciaire, même pour jouer un beau rôle, mais il ne
me démentira pas, même sous le manteau de la cheminée; car, avant d'écrire ceci, je l'ai prié de consulter ses souvenirs.

— Deux mille francs, *Eugénie Grandet!* dit-il avec
une franchise commerciale qui est dans son caractère,
qu'est-ce que c'est donc?

— C'est une œuvre toute faite, ce qui arrive rarement aujourd'hui.

Comme j'avais eu un procès dans ce temps pour
Le Médecin de campagne, et qu'on commençait à me
calomnier, le magistrat me prit à part et me dit :

— Je vous avoue que je ne donnerais pas deux
mille francs d'une chose qu'il faudrait attendre; je suis
commerçant : quand je paie, je veux être livré.

Je l'invitai à venir me voir, et il parcourut le

manuscrit entier d'*Eugénie Grandet*. Il me pria d'attendre six jours avant d'en disposer, car il ne savait pas encore s'il soutiendrait ou non *L'Europe;* il s'en abstint, et fit bien. Le lendemain, il m'écrivit qu'il quittait *L'Europe littéraire.* Ici commença la troisième *Europe littéraire,* celle de M. Feuillide. Pour montrer le cas que les juges doivent faire de la lettre de M. de Feuillide, je n'ai qu'à rapporter la déclaration que M. Lefebvre, le gérant de la deuxième *Europe,* m'a remise, écrite entièrement de sa main, et que j'ai portée au juge.

« Je soussigné déclare à M. de Balzac renoncer à exercer tout recours contre lui pour les publications d'un ouvrage intitulé *Eugénie Grandet;* en conséquence, ledit M. de Balzac est autorisé à publier ledit ouvrage, où et quand bon lui semblera, y compris ce qui en a été inséré dans *L'Europe littéraire,* considérant que la fin ne peut être séparée du commencement.

« Paris, 1ᵉʳ octobre 1833.

Le Gérant du Journal,

LEFÈVRE [*sic*]. »

Ceci est concluant, je pense, et coïncide, comme vous le voyez, avec mon récit. M. Feuillide prétend que je devais à *L'Europe littéraire* des sommes importantes. Si quelqu'un pouvait le savoir, c'était certes M. Lefebvre, et, quand on se retire d'une mauvaise affaire, généralement les gérants la liquident. Liquider, c'est payer ce qu'on doit et se faire payer ce qui est dû. Si j'avais dû quelque chose, il est clair que M. Lefebvre ne m'aurait pas laissé vendre à madame Béchet ce qu'il aurait déjà payé, sans me récla-

mer son dû; loin de là, il se départit de ses droits,
pour m'en faciliter la vente. Ceci me semble d'une
excessive clarté, et dément, pièce à l'appui, la lettre
de M. Feuillide, dans le journal duquel je n'ai rien
mis. Voici pourquoi. M. Feuillide prit des arrangements pour acheter *L'Europe* pendant que j'impri-
mais (de novembre à décembre) *Eugénie Grandet,* et,
quand le journal parut sous une autre forme typogra-
phique, j'étais en Suisse, où je passai trois mois; je ne
pouvais lui prêter le secours de ma plume; d'ailleurs,
il fit un article contre ma collaboration, qu'il trouvait trop chère, et, comme je suis forcé de le dire,
vivant de ma plume, ayant des obligations, je ne pouvais pas donner gratis ce que madame Béchet ache-
tait fort cher.

Je ne dirai pas comment a fini *L'Europe littéraire*
pour M. Feuillide, j'ai la religion du malheur. Mais
il m'est permis de dire qu'en écrivant de semblables
lettres contre moi, M. Feuillide abuse de sa position
et de la mienne; il a l'estime et l'amitié de M. Buloz,
il peut se passer de M. de Balzac.

Ceci n'est concluant qu'en raisonnement; mais
j'aime mieux les faits.

L'Europe de M. Lefebvre m'a donné douze cents
francs. D'accord. Que devais-je? Soixante colonnes,
car on me les payait vingt francs, et je crois que le
compte sera juste, si je prouve que j'ai fait soixante
colonnes.

La *Théorie de la démarche,* retirée de la *Revue de
Paris* pour *L'Europe,* en a fait trente-six ou quarante,
que j'ai chez moi.

La *Persévérance d'amour,* conte, a donné vingt
colonnes; je n'ai pas les colonnes, car elles ont servi
de manuscrit pour mon troisième dixain de contes

drolatiques, où le conte fait quatre-vingt pages; cependant, je puis faire erreur, n'ayant pas les pièces sous les yeux.

Les deux premiers chapitres d'*Eugénie Grandet* ont fait entre vingt et trente colonnes.

Voilà, de bon compte, entre quatre-vingts ou quatre-vingt-cinq colonnes. Total, *seize cents francs.*

Comprenez-vous, maintenant, la quittance de M. Lefebvre? Mon prix de vingt francs est stipulé par un acte particulier, revêtu du timbre de l'étude de Mᵉ Clausse, et qui déroge pour moi seulement aux conventions faites avec les autres collaborateurs.

Il est une phrase proverbiale qui nomme ce qui se fait ici *laver son linge en public;* que la honte de ces explications, qui ne révèlent en moi que travail et pauvreté, retombe sur ceux qui les ont provoquées. Quand par hasard j'ai reçu de la boue en passant dans la rue, je me brosse tranquillement chez moi, sans croire que mon honneur en ait souffert.

Il y a cela d'utile, que ma cause contre MM. Buloz et Bonnaire est maintenant dégagée de tout ce qu'ils y ont apporté d'étranger. Voici les faits dans toute leur simplicité. Si j'avais quelque méchanceté dans le caractère, j'aurais pu rendre ce récit beaucoup plus piquant, mais si je dois quelques succès *au vrai* dans mes conceptions, je crois qu'il ne faut pas le déserter sous les yeux de la justice. Ces explications sont longues, fastidieuses peut-être. Mais la calomnie fait le mal avec une seule phrase, plus ou moins spirituelle, et il faut des pages pour rétablir l'ensemble de petits faits dont se compose la vie de tous les jours, à laquelle s'adresse la calomnie ou l'injure. Or, dites-le-moi, vous qui me lisez, le hasard fait que le malheur m'a rendu défiant, mais avouez que, s'il fallait qu'un artiste tînt compte de ses moindres actions, s'il fallait écrire sa vie tous les soirs, comme sa dépense, avec des pièces justificatives, la vie ne serait pas tenable?

Maintenant, il faut savoir qu'au moment où MM. Buloz, Bonnaire, Brindeau et M. de Saint-Joseph, qui appartient, je crois, au tribunal de première instance de la Seine, où je suis jugé, achetèrent la *Revue de Paris*, j'avais les plus légitimes motifs de défiance contre M. Buloz.

Voici les faits.

M. Buloz est un homme de courage, d'une grande ténacité, à qui j'ai attribué d'abord une connaissance des hommes, mais qui gâte ses qualités par des défauts dont je ne veux pas parler : ici toute censure serait en moi suspecte; je raconte et ne juge pas. J'espère me conduire jusqu'au bout de cette narration en honnête homme outragé qui explique les faits, et non en écrivain rancuneux. Si la *Revue* n'avait rien dit hier, si ces deux hommes avaient laissé le procès où il devait être, devant les juges; si, au lieu de faire du scandale, ils avaient laissé l'affaire suivre son cours, je vous le jure, je leur aurais fait l'aumône de mon silence. Si cette défense voit le jour, ils l'ont quêtée, sollicitée. M. Buloz, lassé d'être correcteur, plein d'ambition, ce qui est louable chez tous les hommes, acheta la *Revue des Deux Mondes*, au moment où la *Revue des Deux Mondes* était tombée, et n'avait plus d'abonnés. A cette époque, en 1831, je crois, M. Buloz, quoique malade, courait dans tout Paris, pour ramener les abonnés fugitifs : il allait de l'Arc de l'Etoile au faubourg Saint-Antoine, endurait à tous les étages toutes les raisons de tout abonné récalcitrant, et il arrivait à l'Observatoire, chez moi, dans mon pauvre logis, et me contait ses douleurs en me demandant mon secours.

Je fus pénétré d'admiration pour cette lutte insensée!
Car on crée un nouveau journal, mais on ne plonge
pas un vieux journal dans la cuve d'Eson. Mais, moi-
même, j'avais entrepris une lutte insensée! Je combat-
tais la misère avec ma plume! Je voulais payer une
dette immense pour moi, et vivre honorablement. Je
voulais arriver à ce grand résultat avec une plume
d'oie, une bouteille d'encre et quelques mains de
papier, dans une ville où le littérateur n'a point de
crédit, et où il faut non-seulement du talent, mais du
bonheur, et encore travailler nuit et jour pour gagner
six mille francs par an. Moi qui devais huit mille
francs d'intérêts annuels pour les capitaux dus! n'était-
ce pas folie? J'entrepris cette lutte au moment où,
pour moins, un de mes amis, dont le suicide fut célèbre,
se brûlait la cervelle. Je ne sais quoi de fraternel
me portait vers M. Buloz, ex-correcteur comme j'étais
ex-imprimeur. Souvent nous partagions le modeste, le
frugal dîner que je n'ai pas cessé de faire. Quoique
les feuilles de la *Revue des Deux Mondes,* d'une *justi-
fication* exagérée, accumulassent quarante mortelles
lignes et cinquante-six exécrables lettres, ce qui dévo-
rait le manuscrit, et qu'à cette époque, je fusse loin de
connaître la langue avec laquelle je me débattais, je
donnai d'abord à M. Buloz mes feuilles à cent, et
cent vingt francs; il me paya cent cinquante francs
les dernières, lorsque l'abonné, ramené par ses efforts,
revint au bercail. J'en fis énormément : *L'Enfant maudit, Le Message, Le Rendez-vous,* etc. M. Rabou diri-
geait la *Revue de Paris,* et me laissait volontiers secourir M. Buloz, au succès duquel il ne croyait pas. Je
donnais à la *Revue des Deux Mondes,* pour cent francs,
ce que la *Revue de Paris* me payait cent soixante
francs. Et remarquez que je ne demandais à M. Buloz

ni vasselage, ni éloges, ni rien. Il parle aujourd'hui de
mon amour-propre excessif! Je ne me suis jamais
imposé à quelque journal que ce soit; mais à lui, je
n'ai jamais demandé une ligne, ni pour moi ni pour
mes amis; certes, un de ses supplices sera d'avoir
à lire ma réplique : qu'il me démente, qu'il cite ce
que j'ai fait insérer, moi que son avocat accuse de
connivence avec les *réclames!* moi qui, souvent solli-
cité par M. Buloz de faire ce que l'on nomme des
têtes d'articles à des citations prises dans mes livres,
n'ai jamais pu formuler une ligne sur moi-même. J'ai
essayé. Ou je m'encense trop, et c'est ridicule; ou je
me critique, et c'est dangereux, parce qu'il n'y a que
moi qui connaisse bien mes défauts. Aussi mes libraires
se sont-ils fâchés de ce que je ne savais pas faire
ce que les autres faisaient pour eux-mêmes très-bien.
Eh bien, après deux ans, je publie les *Contes drolatiques;* je le dis avec un courage qui sera mal apprécié,
cette œuvre est la plus originalement conçue de cette
époque, ce livre n'est pas un pastiche comme on le
dit, car il n'y a pas d'œuvre qui puisse être construite
de *centons* pris dans Rabelais, quand ces prétendus
centons font déjà trois volumes. Non, mes contes sont
écrits *currente calamo* dans l'esprit du temps. Aussi,
pour échapper à toute contestation, ai-je signé cette
œuvre de rénovation littéraire. Si j'en avais fait l'objet
d'une plaisanterie à la Macpherson, je n'en aurais point
eu la gloire. Si jamais un journal a dû soutenir une
œuvre, n'était-ce pas celle-ci? Savez-vous ce que fit
M. Buloz? Il imprima quatre lignes foudroyantes que
je ne rapporte pas : il s'agit d'une accusation d'obscé-
nité que je mérite comme la *Vénus* de Pradier la
mérite, comme la *Vénus* de Houdon, comme toutes les
statues la méritent. Il tua le livre, et cependant, il

m'avait égaré les épreuves d'un volume in-octavo, intitulé *L'Absolution,* et je ne m'étais pas plaint.

Je l'avoue, mes répulsions, après de semblables traits, sont implacables; je désertai la *Revue des Deux Mondes,* qui me fut toujours hostile. M. Buloz prétend, dans son article de dimanche 29 mai, que ce sont de griefs semblables que je me plains encore, et que je trouve que la *Revue* me traitait en termes irrévérencieux; il me semble qu'il est bien facile de contenter un rédacteur qui ne demande que le silence.

Quand MM. Anthoine de Saint-Joseph, Bonnaire et Brindeau achetèrent la *Revue de Paris,* le bruit courut que la *Revue des Deux Mondes* était pour beaucoup dans cet achat; je déclarai à M. Brindeau que je ne traiterais jamais avec M. Buloz, et M. Brindeau m'assura qu'il était seul et unique directeur. Ce fut avec lui que je traitai, et c'est surtout dans son traité que se trouvent expliquées les clauses sans lesquelles je ne traitais plus avec aucun journal, et relatives au temps pendant lequel je rentrais dans la propriété de mes articles, en stipulant que la *Revue* n'en avait l'usage que pour le service de ses abonnés. Il est faux que j'aie alors couru après la *Revue,* comme le dit M. Buloz. M. Brindeau vint plusieurs fois chez moi, me trouva très-dégoûté des recueils périodiques, et m'assura que, n'étant point littérateur comme M. Pichot, et ne voulant point l'être, il veillerait à ce que je n'éprouvasse aucun désagrément. M. Brindeau quitta la *Revue* parce que, disait-il, il ne pouvait pas y avoir deux soleils, et il y laissa la planète de M. Buloz régner en liberté. Ce fut au moment où j'allais reparaître à la *Revue de Paris,* sous la direction de M. Brindeau, qu'eut lieu une polémique entre M. Pichot et moi. Dès que je parlai de Pickersghill, de Sheridan Junior et de Saint-Michel,

dont les articles avaient ennuyé beaucoup de lecteurs,
quoique M. Pichot, désespéré de mes mots *dignité personnelle*,
en demandât l'explication, la polémique
cessa [1]. M. Pichot est revenu en pleine audience m'attaquer,
et vous pouvez apprécier sa générosité en cette
dernière rencontre : mon avocat, ignorant les lettres
données la veille à mes adversaires, se trouvait hors
d'état de les combattre.

M. Buloz reparut chez moi, il me fit solliciter par
des tiers, j'ai des témoins de ses promesses, de ses
regrets; s'il ne pleura pas comme M. Mendizabal, il fut
si explicite, qu'un de mes amis me dit : — Si, après
cela, il vous trahissait, ce serait un...

Ce fut alors que, par une lettre approuvée par lui,
et qui fait pièce au procès, il stipula les conditions
suivantes :

La *Revue* n'avait l'usage de mes articles que pour
le service de ses abonnés.

Je rentrais dans tous mes droits trois mois après
la publication.

J'abandonnais cinquante francs, sur le prix de
deux cent cinquante francs, fait avec M. Brindeau,
pour les corrections, dont on ne devait plus me parler.

Je consentais à finir *Goriot* sur ce pied-là, à finir
Séraphîta, et je promettais les *Mémoires d'une jeune
mariée*, titre friand, que M. Buloz s'empressa d'annoncer.
Mais, au lieu de porter à mon cou le collier d'un
rédacteur attaché à la *Revue,* je pouvais faire des
conditions à chaque article pour le prix, et travailler
ailleurs.

Eh bien! malgré d'apparentes preuves d'obligeance,
qui furent sincères sous le rapport pécuniaire, M. Buloz
a si bien continué le métier que M. Pichot faisait avec
moi; la *Revue* m'était si hostile, qu'au moment où

j'appris la vente à Saint-Pétersbourg, mes éditeurs
refusaient d'envoyer mes livres à l'une et l'autre revues,
tant il y étaient maltraités. Et qu'avais-je demandé à
M. Buloz? Le silence le plus absolu sur moi et mes
ouvrages. Je ne saurais rapporter les personnalités
gauches que M. Buloz laissait passer dans les articles de
quelques collaborateurs; mais je me trouvais certes à
la *Revue* dans la situation d'un homme qui, dans un
salon, ne reçoit le salut de personne, et que le maître
du logis ne fait pas respecter; dans ces conjonctures,
un homme d'honneur prend son chapeau et s'en va.
C'est ce que je voulais faire après la publication du *Lys*,
lorsque j'appris l'abus de confiance dont j'étais victime.

M. Buloz, pour atténuer la gravité de son délit, a
prétendu hier que *La Fleur des pois* [1], livre publié par
madame Béchet, avait paru aussi à Saint-Pétersbourg,
et que je n'attaquais point madame Béchet. Comme
madame Béchet n'a que le droit de publier une édition dont le nombre d'exemplaires est déterminé,
madame Béchet était en faute; je me suis plaint, et
elle m'a, dans le temps, écrit une lettre par laquelle
elle me mandait que M. Bellizard de Saint-Pétersbourg
avait demandé communication des premières feuilles
pour juger si l'ouvrage serait ou non défendu en Russie,
afin de savoir s'il en prendrait ou n'en prendrait pas
son nombre habituel d'exemplaires. Elle a donné les
neuf premières feuilles, et le libraire les a insérées
dans sa *Revue*. J'ai été convaincu de la bonne foi de
madame Béchet, qui s'est engagée à ne plus rien
communiquer; mais elle ignorait que ces feuilles eussent
paru, et c'étaient des *bonnes feuilles,* c'est-à-dire
des feuilles tirées et prêtes à être brochées; ce
n'étaient pas même des *bons à tirer,* car les miens sont
encore très-chargés de fautes.

J'ai maintenant à discuter la déclaration que quelques gens de lettres ont mise à la sollicitation de M. Buloz, hier dans la *Revue de Paris,* et parmi lesquels le nom de M. Sue ne m'a pas médiocrement étonné, car il n'a pas publié deux articles dans la *Revue de Paris;* il en est de même de M. Dumas. Mais j'accepte ces messieurs, et la fusion des deux *Revues* dans cette affaire est naturelle, elles appartiennent toutes deux à MM. Buloz et Bonnaire. Cette déclaration, si haineusement préparée, prouve assez ce que j'ai dit, dans le cours de cet historique, sur les mauvaises dispositions des *Revues* envers moi. J'ai peu de choses à répondre à cette pièce, qui me semble tachée de vin de Champagne, tant elle est absurde! M. Janin y prétend que, pour éviter la contrefaçon, il n'y a pas de meilleur moyen que celui de livrer ses manuscrits à l'étranger, comme M. Bulloz a livré les miens. Ceci ressemble au proverbe de Gribouille, qui se jette à l'eau pour éviter la pluie. Si j'avais le temps, je coifferais M. Janin avec ses propres articles publiés dans la *Revue,* à propos de sa polémique contre les contrefaçons; mais je l'engage à les relire, et il avouera que je ne saurais être aussi éloquent dans ma propre cause qu'il l'a été contre les misérables qui prenaient, dans ce temps-là, le chemin le plus court pour arriver à son *Chemin de traverse.* Je lui fais grâce du parti que je pourrais tirer en ce moment de M. Janin parlant aux Belges, contre M. Janin parlant à M. Buloz. Quand il me trouvera dans d'aussi terribles contradictions, qu'il ait envers moi l'indulgence que je lui témoigne ici.

Cette déclaration, dont les signataires ne sont plus que sept (nous pouvons emporter M. Janin hors du champ de bataille), nuit singulièrement à M. Buloz. Il y a soixante rédacteurs à la *Revue;* les signataires

ne donnent pas l'opinion de la majorité, car ils forment à peine un dixième, en comptant MM. Sue et
Dumas pour une moitié de rédacteur, puisqu'ils n'y
ont pas mis grand'chose. Je n'y vois ni M. Nisard, ni
M. Nodier, ni M. Sainte-Beuve, ni M. Hugo, ni M. Rabou, ni M. Véron, ni M. Mérimée, ni M. Scribe, ni
M. Pichot, qui, comme rédacteur, valait cinq personnes,
et qui, comme directeur, était bien autrement impor-
tant. Mais M. Pichot, homme d'honneur et loyal (à part
ses haines littéraires), signerait-il une déclaration semblable, quand il a signé jadis des conventions où il est
dit le contraire par rapport à moi. Pour établir un droit
aussi directement opposé au bon sens, il fallait des
signatures autres que celle de M. Loëve-Veimars, qui,
ayant fait plus de traductions que d'œuvres origi-
nales, se trouve naturellement contrefait, puisque Hoff-
mann est à Berlin en allemand avant d'être à la
Revue en français; il fallait des hommes qui eussent,
comme M. Janin, à se plaindre des contre-façons. Enfin,
les magistrats apprécieront la valeur d'une déclaration
qui se produit le 29 mai, dix jours après les conclu-
antes et nobles plaidoiries de Me Boinvilliers, qui ont
pu effrayer M. Buloz, et cinq mois après l'assignation
donnée. Eh quoi! de votre propre aveu, fait dans votre
compte rendu, vous saviez dès le 30 décembre 1835
sur quoi portait une plainte qui vous menaçait du juge
extraordinaire, et, au lieu de rassembler tous les rédacteurs pour fixer un point aussi grave, vous avez
employé votre temps à curer les égouts de la presse
pour y trouver des pierres à me jeter, vous avez été
réveiller des passions endormies, vous avez été demander à un médecin. chevalier de la Légion d'Honneur,
une ordonnance de contradiction avec lui-même, préparée selon la formule, espérant m'en empoisonner?

Ne valait-il pas mieux un peu moins songer à une vie irréprochable et penser un peu plus à votre défense?

Cette déclaration est incompréhensible. Ou elle est une complaisance sans conséquence, ou elle est sincère. Si elle est sincère, l'attribuerons-nous à une réaction du feuilleton contre les livres? Mais je ne crois pas que ces messieurs dont je ne suis en rien ni le rival ni l'égal, l'aient dirigée en haine de ma personne, ils n'ont à me reprocher que le mal qu'ils ont souvent dit ou écrit contre moi.

Voici d'ailleurs cette pièce, *justificative* dit la *Revue* :

« MM. les directeurs de la *Revue de Paris,* nous demandant s'il n'a pas toujours été dans l'usage entre nous de tolérer la communication de bonnes feuilles de nos articles à la *Revue étrangère* de Saint-Pétersbourg, dans le but de combattre les contrefaçons belges et allemandes *, nous nous faisons un devoir de déclarer que nous n'avons jamais pu songer à refuser notre assentiment à une communication qui sert la *Revue,* sans porter préjudice à nos intérêts.

« Paris, le 26 mai 1836.

ALEX. DUMAS.   LÉON GOZLAN.

ROGER DE BEAUVOIR.

FRÉDÉRIC SOULIÉ.   E. SUE.

MÉRY [1]. »

* Bruxelles possédera nos œuvres beaucoup plus promptement, si on les publie à Saint-Pétersbourg deux mois avant de les publier à Paris, et la Belgique les répandra sur nos frontières, avant que Paris ne les édite. Ces messieurs ont dépensé tant de logique et de pénétration pour leurs œuvres qu'ils n'en ont plus trouvé pour ce protocole. M. Loëve fera peut-être mieux les affaires de M. Thiers, à Saint-Pétersbourg, qu'il ne fait ici celles de M. Buloz. Je ferai observer que MM. Soulié, Roger de Beauvoir et Méry n'ont commencé leur collaboration à la *Revue*

« Je dis plus, — et c'est tout à fait le droit de la *Revue*. La contrefaçon, cette ruine de la littérature moderne, étant malheureusement dans le droit des gens, quoi de plus juste que de se contrefaire soi-même? Ainsi fait la *Revue,* quand elle peut.

JULES JANIN. »

« Non-seulement je regarde cette faculté de communiquer nos feuilles aux revues étrangères comme un droit concédé par nous à la *Revue de Paris,* qui, sous les directions successives de M. Véron, de M. Pichot, et sous la direction actuelle, a rendu tant de services aux gens de lettres; mais je pense que c'est le moyen le plus puissant d'attaquer la contrefaçon belge, qui nuit tant aux intérêts des gens de lettres en France. Une évidente mauvaise foi * peut seule élever un différend à ce sujet.

A. LOEVE-VEIMARS. »

Ah! mes maîtres, quelle tendresse vous prend pour la contrefaçon russe, et quelle exécration vous portez à la contrefaçon belge; je crois que, si mon affaire avait eu lieu à Bruxelles, vous vous déclareriez pour la Belgique contre la Russie. Ce qui est horrible à

---

que depuis deux ans. Il n'y a de rédacteurs nés avec la *Revue* que MM. Léon Gozlan, Janin et Loëve-Veimars, lesquels signent, contre leurs intérêts, une déclaration qu'aucun directeur n'approuve. C'est ce qui s'appelle *se crever un œil pour en crever deux à son voisin.* (*Note de l'Auteur.*)

* Quand la haine va jusque-là, on ne peut que se féliciter d'avoir de semblables ennemis. Où est la mauvaise foi? Chez celui qui VEND ce qui lui est interdit de vendre, et qui le vend pour faire un tort immense au propriétaire, ou chez le propriétaire qui se plaint d'une double trahison, l'abus du droit et l'abus de la chose? (*Note de l'Auteur.*)

Bruxelles devient donc charmant à Saint-Pétersbourg!
Il y a donc deux contrefaçons : une abominable, et
une profitable; celle qui me nuit et que vous proté-
gez, et celle que vous haïssez pour votre compte? la
contrefaçon n'est donc pas partout la contrefaçon?
Il faut donc aller porter nos manuscrits à genoux à
M. Bellizard, dans l'intérêt de MM. Bonnaire et Buloz.
Je ne puis m'empêcher de rire de cette déclaration
et de ceux qui l'ont demandée. Quant à ceux qui l'ont
signée, je les plains.

Mais, pour contre-balancer les déclarations par les
déclarations, j'annonce avoir entendu parler de certain traité par lequel M. Buloz accorde *cent francs* par
feuille à George Sand, en sus du prix convenu, pour
avoir le droit de *communiquer* les bonnes feuilles aux
Russes, pourvu que George Sand les donne quinze jours
avant que l'article paraisse à Paris. Comme George
Sand est un auteur engagé avec M. Buloz, je ne puis
offrir que le témoignage de la personne qui a fait le
marché. M. Buloz a payé à M. Gustave Planche deux
fois le prix d'un article sur Mérimée inséré dans la
Revue des Deux Mondes, afin de pouvoir le vendre à
Saint-Pétersbourg. Ceci, M. Planche l'attesterait au
besoin. Il en est de même, je crois, pour M. Fontaney,
qui signait *Lord Feeling.*

Ceci contredit un peu *l'usage* que M. Buloz voudrait
faire croire établi aux *Revues.* Quand même cet usage
existerait, il ne signifie rien dans la jurisprudence
sans règles fixes qui gouverne notre pauvre propriété
littéraire. Chacun fait son contrat comme il veut :
autant de livres et d'articles, autant de ventes et de
conditions différentes. On peut donner ses articles
pour rien, même si on le peut; mais, ceux-là, personne
ne les demande : il n'y a pas de manuscrit qui coûte

plus cher que ceux qu'on ne paie pas. M. Janin peut prendre la poste et aller porter ses manuscrits lui-même à Bruxelles; M. Sue peut monter sur un vaisseau et s'aller vendre en Grèce; M. Loëve-Veimars peut forcer ses éditeurs, s'ils y consentent, à opérer de ses œuvres futures autant de contrefaçons qu'il y a de langues en Europe, tout cela sera bien; nous faisons nous-même notre droit, la *Revue* est aujourd'hui comme un libraire. Or, mes conventions sont faites, écrites, elles sont sous les yeux du juge, elles ne sont pas niées et portent que je ne donnais à la *Revue de Paris* mes articles que pour être insérés seulement dans la *Revue,* et non ailleurs. Si l'on pouvait abuser de ma propriété littéraire, à quoi donc aurait servi la clause par laquelle je rentrais, après trois mois, dans mes droits? Un enfant jugerait cela dans son innocence. Mais combien l'abus de confiance n'est-il pas odieux ici? Quoi que vous fassiez, il est une règle certaine qui domine toute cette affaire, et la voici. L'œuvre n'appartient au journal que quand elle est parfaite, que l'auteur y a apposé ces mots significatifs : *Bon à tirer!* Or, vous l'avez vendue informe, tout en la vendant en fraude de mes droits; elle a paru à Saint-Pétersbourg deux mois avant de paraître à Paris. Ceci est une hache qui vous tombe sur le cou à tout moment, car la *Revue de Saint-Pétersbourg* est arrivée à Paris à votre honte, marchand d'épreuves en *têtes de clous.* Sentant votre cause mauvaise, vous avez supposé un jugement qui n'existe pas; vous m'avez noirci dans l'opinion; vous êtes sorti de chez vous pour aller faire écrire des articles mensongers, faits par des écrivains à vos gages; vous avez été chez un libraire haineux, parce qu'il a contre lui une sentence arbitrale dont les magistrats peuvent lire les dispositions; vous

avez été chez le médecin sans mémoire, auteur du
Perroquet de Walter-Scott; vous avez été chez M. Feuillide chercher des lettres que je contredis par des
pièces heureusement conservées à travers les orages
d'une vie occupée; vous vous êtes moqués, en plein
tribunal, du *Lys dans la vallée,* que vous me demandez. Que faisais-je, moi? Moi, armé de pièces, de lettres, de souvenirs, pendant cette bourrasque de feuilletons, de jugements qui sont insérés dans dix-sept journaux, sans compter la province, je me taisais, j'attendais le jour du jugement. Il a fallu que je lusse l'infi-
dèle récit de la *Gazette des Tribunaux;* il a fallu que,
pour dernière provocation, la *Revue de Paris* vînt
enfin me réveiller. Si nous avons perdu les improvisations de mon éloquent ami et avocat Boinvilliers, surpris d'ailleurs par des lettres sur lesquelles il ne
devait pas compter, parce qu'elles sont en dehors de
la cause, ce récit, sans les remplacer, aura du moins
le mérite de bien expliquer les faits, et pourra servir
à la Biographie de quelques contemporains. Ceci terminera le débat entre nous. A vendredi, le jugement du
tribunal!

Pressé par le temps, n'ayant qu'un jour, ce précis
peut faillir par la précision, par la construction de
phrases mal sonnantes; mais chacun comprendra qu'en
cette affaire littéraire, la littérature doit céder le pas
à la vérité due au tribunal et au public, à la généreuse
indignation d'un écrivain à qui la calomnie se trouve
ici trop pesante. Vous m'avez tous porté des coups qui
peuvent saigner encore dans quelques mémoires chères,
qui peuvent encore affliger mes amis, quand le public
aura tout oublié, et M. Pichot aussi. Quant à moi,
je vous pardonne. Dans sa lutte avec les hommes et
les choses, Beaumarchais a trouvé ses deux diamants,

Le Barbier et *Le Mariage,* et il y a de la comédie dans tout ceci.

Lundi, 30 mai.

J'avais dit : « A vendredi, le jugement! » Ce jugement, le voici :

« LE TRIBUNAL, etc.

« Attendu que si le sieur de Balzac avait promis de donner à la *Revue de Paris* un ouvrage non encore composé et qui devait être intitulé : *Mémoires d'une jeune mariée,* le sieur de Balzac a depuis renoncé à la composition de cet ouvrage et offert en remplacement aux propriétaires de la *Revue, Le Lys dans la vallée;*

« Attendu que les *Mémoires d'une jeune mariée* n'étant pas encore composés au moment où ils ont été promis, il est évident que c'est au nom seul de l'auteur et non à l'ouvrage en lui-même que les propriétaires de la *Revue* attachaient de l'importance;

« Qu'ils n'avaient donc aucun motif de refuser l'ouvrage nouveau qui leur était offert, qu'ils ont effectivement accepté cet ouvrage et en ont commencé la publication;

« Que rien ne prouve que le sieur de Balzac se soit engagé à fournir tout à la fois les deux ouvrages, et que le contraire est même prouvé, puisque la *Revue* a cessé d'annoncer la publication des *Mémoires d'une jeune mariée* à l'époque où elle a commencé à publier *Le Lys dans la vallée,* ce qui démontre qu'il y avait eu substitution d'une œuvre à une autre;

« Attendu que si le sieur de Balzac n'a pas donné à la *Revue de Paris* la fin du *Lys dans la vallée,* il a eu un motif légitime pour se refuser à l'accomplissement de son engagement;

« Qu'en effet, les propriétaires de la *Revue* ont indûment disposé des épreuves du *Lys* en faveur de la maison de librairie Bellizard et Cie, de Saint-Pétersbourg;

« Attendu que si les propriétaires de la *Revue de Paris* ont pu de bonne foi se croire autorisés, par un usage assez général, à disposer des épreuves en faveur de la *Revue étrangère de Saint-Pétersbourg*, ils ont néanmoins à s'imputer d'avoir livré ces épreuves encore informes et non revêtues du *bon à tirer;* qu'il est résulté nécessairement de cette publication ainsi faite un préjudice moral pour le sieur de Balzac, mais que ce préjudice n'est pas appréciable en argent;

« Que ce préjudice, d'ailleurs, se trouve atténué par la publication faite par la *Revue de Paris,* conformément à la rédaction définitivement arrêtée par l'auteur;

« Attendu, d'autre part, que les annonces faites dans certains journaux d'une condamnation par défaut contre le sieur de Balzac, *laquelle n'existe pas,* ne peuvent motiver une action en dommages-intérêts contre les propriétaires de la *Revue de Paris,* puisqu'il n'est pas prouvé qu'ils soient les auteurs de ces annonces;

« Attendu enfin que le sieur de Balzac a offert réellement aux propriétaires de la *Revue de Paris* la somme de deux mille cent francs montant des avances par eux faites audit sieur de Balzac pour articles littéraires qu'il devait leur livrer; que ces offres sont reconnues suffisantes;

« Le tribunal déclare les offres réelles et la consignation qui s'en est suivie bonnes et valables; déclare en conséquence de Balzac quitte et libéré; autorise les propriétaires de la *Revue de Paris* à retirer la somme consignée;

« Déclare les parties respectivement non recevables et mal fondées dans tous leurs autres chefs de demandes et conclusions;

« Et CONDAMNE *les demandeurs* pour tous dommages-intérêts aux dépens, que de Balzac est autorisé à prélever sur la somme consignée. »

Je crois le jugement tout à fait en harmonie avec ma défense; et, s'il n'est pas convenable de remercier les magistrats d'avoir rendu la justice, il peut être permis à l'auteur de faire observer au public la grandeur avec laquelle le tribunal a apprécié le résultat des travaux littéraires, en déclarant que des indemnités pécuniaires ne pouvaient compenser les préjudices qu'on y porte.

S'il ne s'agissait pas ici des intérêts communs de la littérature, je ne me serais permis aucun commentaire sur un jugement aussi complet. Le tribunal a jugé tout ce qu'il avait à juger; le public jugera le reste.

Vous remarquerez enfin que *Le Lys dans la vallée* était prêt, car l'éditeur n'aura mis entre le jour où le jugement est rendu et le jour de la mise en vente que le temps voulu pour faire ses annonces et ses dispositions.

Enfin, voici cet ouvrage, pendant la composition duquel j'ai subi tant d'amers chagrins, d'odieuses attaques et de basses persécutions; s'il s'y trouve quelques fautes, vous les imputerez au peu de liberté dont jouissait mon esprit.

Vendredi, 3 juin [1836].

DE BALZAC.

CHRONOLOGIE BALZACIENNE

1799 — *20 mai.* (1er prairial VII). Naissance d'Honoré Balzac à Tours.

1801 — *6 janvier (?).* Naissance de Eve Rzewuska, future Mme Honoré de Balzac.

1804 — Honoré Balzac entre à la pension Le Guay à Tours, qu'il quittera en 1807.

1807 — *22 juin.* Sous le n° 460, Honoré entre au collège des oratoriens de Vendôme où il restera jusqu'au 22 avril 1813.

1814 — *Juillet-septembre.* Honoré est externe au collège de Tours.

1815 — *Janvier.* Balzac entre à l'institution Lepître, à Paris, qu'il quittera le 29 septembre.

1815-1816 — Balzac est élève de l'institution Ganzer et Beuzelin, à Paris.

1816 — Il prend sa première inscription à la faculté de droit.
Novembre. Il est clerc d'avoué chez Me Guillonnet-Merville, où il restera jusqu'en mars 1818.

1818 — *Avril.* Il est clerc de notaire chez Me Passez.

1819 — *4 janvier.* Balzac est reçu au baccalauréat en droit.
Août. Il va habiter une mansarde, 9, rue Lesdiguières, à Paris, pour s'y exercer au métier de romancier.

1819-1820 — Pendant l'hiver Balzac écrit une tragédie en vers, *Cromwell,* qui sera jugée sévèrement par l'académicien Andrieux.

1821 — *Juin.* Rencontre du jeune Honoré et de Laure

de Berny. Elle sera sa maîtresse et jouera un grand rôle dans sa formation de romancier.

1822 — *Janvier.* Publication de *L'Héritière de Birague* sous le pseudonyme lord R'Hoone.

Mars. Jean-Louis (sous le même pseudonyme).

Juillet. Clotilde de Lusignan (sous le même pseudonyme).

Novembre. Publication du *Centenaire* et du *Vicaire des Ardennes,* sous le pseudonyme Horace de Saint-Aubin.

1824 — *Octobre.* Balzac s'installe 2, rue de Tournon.

1825 — *Avril.* Balzac, éditeur, publie les œuvres de La Fontaine et de Molière.

Septembre. Publication de *Wann-Chlore.*

1826 — *1er juin.* Balzac obtient un brevet d'imprimeur et installe son atelier, 17, rue des Marais-Saint-Germain (actuellement rue Visconti). Il fait la connaissance de la duchesse d'Abrantès.

1828 — *Mars.* Balzac loue un appartement 1, rue Cassini, près de l'Observatoire.

12 août. Liquidation de l'imprimerie. Passif : 1 000 francs de dettes.

17 septembre-fin octobre. Balzac séjourne en Bretagne pour composer *Le Dernier Chouan.*

1829 — *Mars. Le Dernier Chouan,* premier roman de Balzac sous son véritable nom, paraît en librairie.

Décembre. Physiologie du mariage.

1830 — Balzac collabore à divers journaux.

1831 — *1er août. La Peau de Chagrin.*

1832 — *28 février.* Mme Hanska écrit une première lettre à Balzac; celle que l'on a surnommée *L'Etrangère* deviendra sa femme dix-huit ans plus tard.

Février-mars. Le Colonel Chabert.

Début mars. Balzac rencontre la marquise de Castries.

Avril. Premier dizain des *Contes drolatiques.*

Mai. Le Curé de Tours.

Juin-août. Séjour de Balzac à Saché puis à Angoulême, chez Zulma Carraud.

Août-septembre. Balzac séjourne à Aix-les-Bains avec la marquise de Castries.

1833 — *Février. Histoire intellectuelle de Louis Lambert.*

Mars-avril. Ferragus.

Septembre. Le Médecin de Campagne.

25 septembre. Première rencontre de Balzac et d'Eveline Hanska, née comtesse Rzewuska, à Neuchâtel.

Décembre. Eugénie Grandet.

Décembre-février 1834. Séjour de Balzac à Genève auprès de Mme Hanska.

1834 — Début de la publication des *Etudes de Mœurs au XIXᵉ siècle.*

Avril. La Duchesse de Langeais.

Octobre. La Recherche de l'Absolu.

14 et 28 décembre. Publication du *Père Goriot* dans la *Revue de Paris.*

Balzac fait la connaissance de la comtesse Guidoboni-Visconti.

1835 — *Mars. Le Père Goriot* (1ʳᵉ édition).

Balzac élit domicile 13, rue des Batailles à Chaillot.

Mai. Le Père Goriot (2ᵉ édition).

Mai-juin. Séjour de Balzac à Vienne.

20 mai. Balzac est reçu par Metternich.

Novembre-décembre. Publication du *Lys dans la Vallée* dans la *Revue de Paris.*

Décembre. Séraphita.

1836 — *27 avril-4 mai.* Balzac est emprisonné à l'hôtel Bazancourt pour refus de monter la garde.

Juillet-août. Voyage à Turin en compagnie de Mme Marbouty.

Fin novembre. Séjour à Saché.

1837 — *11 février. Illusions perdues* (1ʳᵉ partie).

Février-mai. Voyage en Italie.

Juillet. Publication de *La Femme supérieure (Les Employés)* dans *La Presse.*

6 septembre. Balzac achète une première parcelle de terrain à Sèvres, embryon des futures Jardies.

Décembre. César Birotteau.

1838 — *24 février-2 mars.* Séjour de Balzac à Nohant chez son amie George Sand.

Avril. Voyage en Sardaigne.

Juillet. Balzac s'installe aux Jardies, à Sèvres.

6 octobre. La Femme supérieure (Les Employés), La Maison Nucingen, La Torpille (début de *Splendeurs et Misères des Courtisanes*).

Décembre. Balzac demande à être admis à la Société des gens de Lettres.

1839 — *8 mars.* Lecture de *L'Ecole des Ménages* chez le marquis de Custine.
Avril-mai. Béatrix.
15 juin. Un grand homme de province à Paris (2ᵉ partie d'*Illusions perdues*).
16 août. Balzac est élu président de la Société des gens de Lettres.
2 décembre. Candidature à l'Académie française.

1840 — *9 janvier.* Balzac quitte la présidence de la Société des gens de Lettres.
14 mars. Première représentation de *Vautrin* au théâtre de la Porte-Saint-Martin.
25 juillet. Naissance de la *Revue parisienne*, dirigée par Balzac. Elle n'aura que trois numéros.
Octobre. Balzac quitte les Jardies pour s'installer 19, rue Basse, à Passy.

1841 — *Janvier-février. Une Ténébreuse Affaire.*
Août-septembre. Ursule Mirouët.
2 octobre. Contrat pour la publication de *La Comédie humaine.*
Novembre. Mémoires de deux Jeunes Mariées.
10 novembre. Mort de Wenceslas Hanski, mari de Mme Hanska.

1842 — *Avril. Les Deux Frères* (*La Rabouilleuse*).
21-31 mai. Publication des deux premières parties de *Splendeurs et Misères des Courtisanes* dans *Le Parisien* sous le titre *Esther ou les Amours d'un vieux Banquier.*
9-19 juin. Publication du début de la troisième partie d'*Illusions perdues* dans le journal *L'Etat*, sous le titre *Les Souffrances de l'Inventeur.*
27 juillet-14 août. Publication des suite et fin de la troisième partie d'*Illusions perdues* dans le journal *Le Parisien-L'Etat*, sous le nouveau titre *David Séchard ou les Souffrances d'un Inventeur.*
29 juillet. La Comédie humaine, 8ᵉ volume, tome IV, des *Scènes de la Vie de Province*, contenant les trois parties d'*Illusions perdues* dont la dernière, inédite, est publiée sous le titre *Eve et David.*
Juillet-octobre. Voyage à Saint-Pétersbourg.

26 septembre. Première représentation de *Paméla Giraud* au théâtre de la Gaîté.

3 décembre. David d'Angers achève le buste de Balzac.

1844 — *2 mars. David Séchard* (3e partie d'*Illusions perdues* publiée séparément sous ce nouveau titre).
Avril. Modeste Mignon.

23 novembre. Splendeurs et Misères des Courtisanes — Esther. Edition séparée.

La Comédie humaine, 11e volume, t. III des *Scènes de la Vie parisienne,* contenant les deux premières parties de *Splendeurs et Misères des Courtisanes : Esther heureuse* [*Comment aiment les filles*] et *A combien l'amour revient aux vieillards.*

1845 — *24 avril.* Nomination de Balzac dans l'ordre de la Légion d'honneur.

Mai-août. Voyage à Dresde, puis visite de l'Allemagne, de la France, de la Hollande en compagnie de Mme Hanska, de sa fille Anna et du comte Mnizeck.

1846 — *Mars-mai.* Voyage de Rome à Francfort en compagnie de Mme Hanska.

7-29 juillet. Publication de la troisième partie de *Splendeurs et Misères des Courtisanes* dans *L'Epoque,* sous le titre *Une Instruction criminelle.*
Octobre-décembre. Publication de *La Cousine Bette* dans *Le Constitutionnel.*

10 octobre. La Comédie humaine, 12e volume, tome IV des *Scènes de la Vie parisienne,* contenant la troisième partie de *Splendeurs et Misères des Courtisanes : Où mènent les mauvais chemins...*

1847 — *Mars-mai.* Publication du *Cousin Pons* dans *Le Constitutionnel.*

13 avril-4 mai. Publication de *La Dernière Incarnation de Vautrin* dans *La Presse.*

28 juin. Balzac rédige son testament.

Un Drame dans les Prisons (3e partie de *Splendeurs et Misères des Courtisanes* publiée séparément sous ce titre).

5 septembre. Départ de Balzac pour Wierzchownia, où il séjournera pendant plus de cinq mois.

La Dernière Incarnation de Vautrin (4e partie de *Splendeurs et Misères des Courtisanes*).

1848 — *15 février.* Retour de Balzac à Paris.

  25 mai. Première représentation de *La Marâtre* au Théâtre Historique.

  Fin juin. Dernier séjour de Balzac à Saché.

  17 août. Lecture du *Faiseur* devant le Comité de la Comédie-Française.

  Août-septembre. Publication de *L'Initié* dans *Le Spectateur républicain.*

  19 septembre. Séjour de Balzac à Wierzchownia jusqu'en mai 1850.

1849 — *Janvier.* Nouvelle candidature à l'Académie française.

1850 — *14 mars.* Mariage de Balzac avec Mme Hanska à l'église Sainte-Barbe de Berditcheff en Ukraine.

  20 mai. Retour à Paris, rue Fortunée. L'état de santé de Balzac s'aggrave.

  18 août, 23 h 30. Mort de Balzac à son domicile.

NOTICE

Le thème de l'amour platonique et adultère d'une femme avait déjà été traité par Sainte-Beuve dans *Volupté,* en 1834. C'est pour se venger de Sainte-Beuve, qui avait écrit un article malveillant sur *la Recherche de l'Absolu,* que Balzac jura de « refaire *Volupté* ». Au mois d'octobre, il peut écrire à Mme Hanska : « Mme de Berny m'a dit qu'on ne pouvait dire qu'un seul mot sur mon *Lys,* que c'était bien *Le Lys dans la vallée.* Dans sa bouche, ceci est un grand éloge; elle est bien difficile. Enfin, le premier article est terminé; j'en ai deux autres; à vingt jours pièce, il y a encore quarante jours de travaux. Sainte-Beuve a travaillé quatre ans *Volupté.* Vous comparerez. » Mme de Berny qui avait lu les deux romans a pu les comparer et y trouver bien des points communs, de personnages, de situation ou de décors.

Balzac a-t-il plagié le roman de Sainte-Beuve? Il a surtout voulu, lui romancier, donner une leçon au critique. Balzac, guidé par son intention de « refaire *Volupté* », a souvent suivi les mêmes chemins que Sainte-Beuve. Mais chacun des deux auteurs a traité son sujet à la manière qui lui est propre. *Volupté* est un roman d'analyse, une étude touffue et grandiose où l'on sent poindre le critique à chaque page. L'héroïne, Mme de Couaën, a eu pour modèle Adèle Hugo dont on connaît les relations avec Sainte-Beuve.

Le Lys dans la vallée est un chant. La poésie court tout au long de ses pages, et ce n'est pas par hasard que Balzac l'associé à Séraphîta en disant qu'il « sera sous la forme purement humaine, la perfection terrestre, comme *Séraphita* sera la perfection céleste ».

Si Mme de Couaën et Mme de Mortsauf sont toutes deux des modèles de vertu, Balzac a fait de son personnage principal un être plus violent, plus passionné dans son amour inavoué. Et pourtant les deux romans ayant le même thème sont des romans différents. Comme seront différents le *Dominique* de Fromentin et *L'Education sentimentale* de Flaubert.

Le début du *Lys dans la vallée* parut en novembre et décembre 1835 dans la *Revue de Paris*. La publication en fut interrompue par Balzac, le directeur Buloz ayant communiqué à la *Revue étrangère de Saint-Pétersbourg* un jeu d'épreuves sans l'autorisation de Balzac. Le texte, non revu par l'auteur, fut inséré dans cette revue à son insu. Balzac refusa de livrer le reste du roman à la *Revue de Paris*. Buloz et ses associés attaquèrent l'auteur qui gagna, non sans peine, ce procès.

La première édition en librairie parut en juin 1836, chez l'éditeur Werdet. Elle était accompagnée des deux préfaces et de l'historique du procès que nous reproduisons p. 361 et 365.

En 1839, Charpentier publia une nouvelle édition précédée d'un avertissement (voir p. 363).

Enfin, en 1844, *Le Lys dans la vallée* entra dans le tome VII de la première édition de *la Comédie humaine*.

NOTES

P. 15.

1. Ami de la famille Balzac, le docteur Jean-Baptiste Nacquart ouvrit largement sa bourse au romancier. C'est lui qui soigna Balzac et l'assista au moment de sa mort. Membre de l'Académie de médecine, dont il fut le président, il mourut en 1854 à l'âge de soixante-quinze ans.

P. 22.

1. Dans toute cette partie, Balzac mêle la réalité à la fiction. C'est en effet son enfance qu'il raconte. Mais ici le collège de Pont-le-Voy remplace celui de Vendôme, également dirigés par les Oratoriens où Balzac fit ses premières études. Pont-le-Voy est encore aujourd'hui un établissement réputé situé sur la route qui va de Blois à Montrichard, sur la rive gauche de la Loire.

P. 24.

1. Balzac y fut pensionnaire de janvier à septembre 1814. Il y fit ses humanités comme élève de seconde. La pension Lepître était située 9, rue Saint-Louis, actuellement 37, rue de Turenne.

P. 27.

1. Célèbre restaurant du Palais-Royal où l'on venait déguster la cuisine méridionale.

2. De la Révolution à la Restauration, le Palais-Royal fut le lieu de prédilection de la prostitution. Les maisons spéciales plus ou moins mal famées portaient un numéro. C'est au 113 que Cotenson va jouer et perdre son argent dans *Splendeurs et Misères des courtisanes,* tandis que c'est au n° 59 qu'Eugène de Rastignac gagne l'argent dont Delphine de Nucingen a besoin (*Le Père Goriot*).

P. 28.

1. Les galeries de bois du Palais-Royal, décrites par Balzac dans *Illusions perdues* et *Splendeurs et Misères des courtisanes* furent détruites à la fin de la Restauration.

2. Maîtresse du grand-duc François de Médicis dont elle devint la femme par un mariage secret. Ils moururent l'un et l'autre empoisonnés, croit-on, par le cardinal Ferdinand de Médicis, oncle de François.

P. 33.

1. L'hôtel Papion, où Balzac assista au bal donné en l'honneur du duc d'Angoulême de passage à Tours le 25 mai 1814, fut démoli pour faire place à l'actuel hôtel de ville.

P. 37.

1. Cette propriété existe réellement, mais près d'Issoudun, dans l'Indre. Elle était habitée par Zulma Carraud, amie fidèle et précieuse de Balzac.

P. 38.

1. Ce chemin de raccourci a été emprunté par Balzac pour aller de Tours à Saché.

2. Le château de Saché était la propriété de M. Jean de Margonne, ami de la famille Balzac. Le romancier y fit de fréquents séjours et y composa quelques-unes de ses œuvres les plus célèbres.

P. 39.

1. Graphie toute balzacienne pour *albergier.*

P. 40.

1. Nom scientifique du liseron.

2. Nom d'une plante influorescente en forme de flamme qui s'écrit habituellement *phlox*.

P. 44.

1. Auteur d'intéressantes mémoires sur la Vendée cet avocat de Tours fut, en effet, secrétaire du Comité du Salut public.

P. 45.

1. Sorte de gazon spécial sur lequel on jouait aux boules (*bowling-green*).

P. 52.

1. Située sur le lac de Genève la villa Diodati était célèbre par le séjour qu'y fit lord Byron. Balzac l'avait visitée, en compagnie de Mme Hanska, au mois de janvier 1834.

P. 55.

1. Célèbre flibustier anglais du XVIIᵉ siècle qui se rendit maître de Panama.

P. 60.

1. Journal légitimiste sous la Monarchie de Juillet. Balzac compte plusieurs de ses amis parmi les rédacteurs, Nettement, Véron, Nodier, etc.

P. 62.

1. Fabricant de papier de tenture du faubourg Saint-Antoine, il eut une grande vogue avant la Révolution.

P. 68.

1. L'un des plus riches propriétaires fonciers d'Autriche et de Hongrie, il possédait un nombre impressionnant de villages, de châteaux et de seigneuries.

P. 69.

1. Elle épousa la cause de la Révolution à laquelle elle sacrifia presque toute sa fortune. Napoléon fit exécuter son fils le duc d'Enghien; mais elle lui pardonna cette mort car elle ne partageait pas les idées royalistes de son fils. Elle fut disciple de Saint-Martin.

2. M. de Saint-Martin, surnommé aussi « Le Philosophe inconnu », fut initié à l'illuminisme par Martinez Pasquali. Il fit surtout des adeptes de sa philosophie parmi les femmes de la haute société. Natif de Touraine, Balzac entendit beaucoup parler de lui pendant ses jeunes années. Il le cite souvent dans son œuvre.

P. 86.

1. Fruit de l'aubépine. La graphie exacte de ce mot est *cinelle*.

P. 100.

1. Lapsus de Balzac qui veut écrire : « Hé! bien, monsieur de Mortsauf m'aime autant qu'il peut m'aimer ».

P. 107.

1. L'ordre de Saint-Louis, fondé par Louis XIV, était réservé aux officiers catholiques. Supprimé à la Révolution, puis rétabli par Louis XVIII, il fut définitivement aboli en 1830.

P. 109.

1. Célèbre corps de gendarmes de la Maison du Roi dont l'uniforme était rouge.

P. 129.

1. Poète persan auteur du *Jardin des arbres* et du *Jardin des roses*.

P. 132.

1. Ville de Palestine que l'on appelait aussi Laïs ou Lésem.

P. 135.

1. Raisin de Touraine. La graphie de Balzac est fautive.
Son nom s'écrit *Côt*.

P. 160.

1. Allusion à une nouvelle de Balzac *Les Marana*.
2. Voir *Le Père Goriot* et *La Femme abandonnée*.
2. Voir *La Femme de trente ans*.
4. Voir *L'Interdiction*.
5. Surnom de M. de Saint-Martin. Voir la note 2 de la
page 69.

P. 163.

1. Allusion à Pétrarque qui n'était pas un « poète vénitien » mais toscan.

P. 174.
1. Il s'agit de Talleyrand.

P. 185.

1. Retour de Napoléon échappé de l'île d'Elbe. C'est
le sursaut des Cent Jours qui dura jusqu'au 22 juin 1815.

P. 186.

1. Le Congrès de Vienne s'ouvrit le 1ᵉʳ novembre 1814.
L'habileté de Talleyrand, qui détacha l'Angleterre et
l'Autriche de la Prusse et de la Russie, rendit à la France
une place importante dans la nouvelle Europe.

P. 194.

1. Louis XVIII revint à Paris le 8 juillet 1815.

P. 197.

1. Collaborateur de Rivarol, et moins chanceux que lui,
le marquis de Champcenetz fut guillotiné en 1794 pour
avoir écrit des pamphlets contre la Révolution.
2. En réalité il s'agissait du repli imposé aux troupes
françaises, après Waterloo, tandis que les Alliés occupaient
Paris.

P. 200.

1. Voir *Le Père Goriot* et *Le Cabinet des Antiques*.

P. 223.

1. Personnage réel de *La Comédie humaine*, le docteur Jean Origet fut, à Tours, le médecin de la famille Balzac.

P. 240.

1. Qui épousa, en 1816, Marie-Caroline de Bourbon, fille de Ferdinand Iᵉʳ, roi de Naples.

P. 242.

1. Le palais de l'Elysée, bâti par l'architecte Molet, eut pour propriétaires successifs Henri de la Tour d'Auvergne, comte d'Evreux, Mme de Pompadour et son frère le marquis de Marigny, la duchesse de Bourbon, Murat et Napoléon. Il appartint au duc de Berry de la Restauration à sa mort, en 1820. Après l'assassinat de son mari, la duchesse de Berry abandonna cette luxueuse demeure où elle avait donné de splendides fêtes. Ce n'est que sous la deuxième République que l'Elysée devint palais de la Présidence. Il fut agrandi et reconstruit par Lacroix en 1856.

P. 259.

1. Symptôme du cancer de l'estomac.

P. 271.

1. Cette coiffure, très à la mode sous la Restauration, consistait en deux bandeaux plats tirés sur les côtés, le front ceint d'un cercle d'orfèvrerie.

P. 311.

1. Abandonnée par le marquis d'Ajuda Pinto. Voir *La Femme abandonnée*.

2. Compromise par le maréchal de Montriveau. Voir *La Duchesse de Langeais*.

3. L'humble maison où Balzac fit mourir lady Brandon était la Grenadière où il séjourna lui-même avec Mme de Berny. Voir *La Grenadière*.

4. Il s'agit d'Esther Gobseck, abandonnée par Lucien de Rubempré. Voir *Splendeurs et Misères des courtisanes*.

P. 312.

1. Voir *La Femme de trente ans*.

P. 374.

1. Il s'agit d'Alfred Nettement, critique de la *Gazette de France*. En 1835, il fonda *Le Nouveau Conservateur* et demanda au romancier sa collaboration. Balzac lui promit une nouvelle, *L'Interdiction*.

P. 375.

1. Mme veuve Béchet publia la plus grande partie des *Etudes de Mœurs au XIXe siècle* en 12 volumes. C'est l'éditeur Werdet qui lui succéda pour terminer cette série.

P. 377.

1. Si l'on en croit les *Souvenirs* de Werdet, tout n'alla pas bien entre l'auteur et son nouvel éditeur. L'association, qui ne dura guère plus de trois ans, se termina par une brouille retentissante.

P. 379.

1. En 1833, le célèbre sculpteur Jean-Pierre Dantan fit une statuette-charge de Balzac auquel il donna, en effet, « la royale prestance de Louis XVIII ». Le sujet tenait la fameuse canne dont les proportions étaient en rapport avec cette prestance.

2. Allusion au boudoir de Balzac dans son appartement de la rue des Batailles à Chaillot. On sait qu'il servit de modèle au boudoir de *La Fille aux yeux d'or*.

P. 381.

1. Aucune trace de cet enregistrement n'a été retrouvée. Et pour cause...

2. Bernard-François Balzac fit partie du Conseil du roi Louis XVI (et non Louis XV) comme secrétaire de M. Albert,

maître des requêtes, de 1776 à la suppression du Conseil en 1794.

3. Du 18 septembre 1791 au 15 mars 1792, B.-F. Balzac fut secrétaire du marquis Bertrand de Molleville, ministre de la Marine.

P. 384.

1. Imprimeur de la *Revue de Paris*.

P. 385.

1. Ou plus exactement *Lettre aux écrivains français du XIXᵉ siècle* parue dans la *Revue de Paris* en novembre 1834.

P. 391.

1. Après les années d'apprentissage littéraire, Balzac entra dans les affaires. Il fut éditeur-imprimeur de 1825 à 1828, non pour « obliger un imprimeur », mais pour tenter de se faire une position. L'affaire se termina par une importante dette qu'il ne paya jamais entièrement.

P. 405.

1. Ce deuxième épisode de l'*Histoire des Treize* devint *La Duchesse de Langeais*.

P. 406.

1. Ce titre n'a jamais paru.

P. 419.

1. Il s'agit d'Auguste Sautelet, ancien condisciple de Balzac. Après de mauvaises affaires d'édition et un chagrin d'amour, il se suicida d'un coup de pistolet le 13 mai 1830.

P. 420.

1. Qui deviendra *Le Contrat de mariage*.

P. 423.

1. Des signataires de cette déclaration plusieurs devinrent plus tard les amis de Balzac : Dumas, Sue, Méry. Roger de Beauvoir eut quelques démêlés avec lui, en 1840. Léon Gozlan devint l'un de ses meilleurs biographes.

TABLE

BRODARD ET TAUPIN — IMPRIMEUR - RELIEUR
Paris-Coulommiers. — France.
06.287-I-5-2460 - Dépôt légal n° 4331, 2e trimestre 1965.
LE LIVRE DE POCHE - 4, rue de Galliéra, Paris.